D1093565

PETER HOFFMANN

Stauffenbergs Freund

PETER HOFFMANN

Stauffenbergs Freund

Die tragische Geschichte des
Widerstandskämpfers Joachim Kuhn

VERLAG C. H. BECK

Mit 13 Abbildungen und 2 Karten

© Verlag C.H.Beck oHG, München 2007
Satz: Fotosatz Reinhard Amann, Aichstetten
Druck und Bindung: Ebner & Spiegel, Ulm
Gedruckt auf säurefreiem, alterungsbeständigem Papier
(hergestellt aus chlorfrei gebleichtem Zellstoff)
Printed in Germany
ISBN 978 3 406 55810 8

www.beck.de

INHALT

VORWORT

Bis vor wenigen Jahren wusste man über Major i. G. Joachim Kuhn kaum mehr, als dass er im Herbst 1943 in der Verschwörung gegen Hitler eine wichtige Rolle spielte und 1944 in sowjetische Gefangenschaft geraten war.[1] Seit seiner späten Heimkehr 1956 bis zu seinem Tod 1994 war er für Freunde wie Forscher praktisch unzugänglich. Ein Mitverschwörer, Major Axel Freiherr von dem Bussche, berichtete, Kuhn habe im November 1943 Entwürfe der Aufrufe und Befehle für den Tag des Umsturzes in «Mauerwald», dem Hauptquartier des Oberkommandos des Heeres bei Angerburg in Ostpreussen, vergraben, die die Geheime Feldpolizei nicht entdeckt hat. Der Verfasser hat 1972 versucht, Major i. G. Kuhn über das Versteck zu befragen, um dann dort, im heutigen Polen, nach diesen Dokumenten zu suchen. Aus damals nicht erkennbaren Gründen war Major i. G. Kuhn für niemanden zu sprechen. Auch die Kontaktversuche seiner Kameraden waren im Wesentlichen erfolglos. Nachlässe Kuhns oder seiner Eltern, bei denen er bis zu deren Tod gewohnt hatte, existieren nicht. 1993 erschien in einer russischen Zeitschrift die russische Übersetzung einer Niederschrift Kuhns vom 2. September 1944 über seine Kenntnisse der Umsturzbewegung des 20. Juli 1944.[2] In Deutschland blieb dies zunächst unbemerkt.

Auf der G-8-Tagung vom 20. bis 22. Juni 1997 in Denver fragte Bundeskanzler Helmut Kohl Präsident Boris Jelzin nach Dokumenten zur Verschwörung des 20. Juli 1944, die möglicherweise in Russland seien.[3] Am 30. November 1997 übergab Präsident Jelzin Bundeskanzler Kohl bei dessen Russlandbesuch in Sawidowo ein Konvolut mit Kopien aus dem Zentralarchiv des Sicherheitsdienstes der Russischen Föderation, dem Archiv der Nachfolgeorganisation des sowjetischen Komitee für Staatssicherheit (KGB), darunter eine Niederschrift von Aussagen Joachim Kuhns in der deutschen Fassung. Der Bundeskanzler bat den Verfasser um ein Gutachten über den Wert der Dokumente. Eine sichere Beurteilung hing vom Zugang vor allem zu den Gefangenenakten über Kuhn ab.

Der Zugang zu diesen Akten gelang nur nach und nach, zuerst musste Kuhn rehabilitiert werden. Zwar sah die Russische Föderation durch ein Gesetz vom 18. Oktober 1991 mit Zusätzen und Änderungen bis 1995 die «Rehabilitierung von Opfern politischer Repressionen» vor, doch nur Verwandte konnten entsprechende Anträge stellen. Da man noch lebende Verwandte Kuhns nicht gefunden hatte, stellte die Bundesregierung den Antrag auf Rehabilitierung und Aktenfreigabe. Der Prozess erwies sich als langwierig. Die Aussagen von Joachim Kuhn sind für die Geschichte des 20. Juli 1944 von so grosser Bedeutung, dass der Verfasser vorab einen kommentierten Auszug in der *Frankfurter Allgemeinen Zeitung* vom 20. Juli 1998 veröffentlicht hat.[4] Kuhn war aber nicht nur eine zentrale Gestalt in der Verschwörung des 20. Juli 1944, den Hitler persönlich verfolgen liess; seine Bedeutung liegt auch darin, dass er Stalin für die Politik der Sowjetunion besonders wertvoll erschien.

Kuhns Bericht, Akten der Behörden für Wiedergutmachung und die Papiere von Marie Gabriele Gräfin Stauffenberg, einer Cousine des Attentäters, zeigen das Bild eines klugen, mutigen Mannes, dem schicksalhafte Verkettungen in der Verschwörung und die Qualen der Gefangenschaft das Leben zerstört haben.[5]

Das vorliegende Buch konnte zum grössten Teil aus Primärquellen erarbeitet werden. Nach und nach erschlossen sich Akten zu Kuhns Gefängnisjahren und über die Jahre, als er sich mit einem Dutzend deutscher Behörden über seine Versorgung und Rehabilitierung auseinandersetzen musste. Ein umfangreicher Bestand konnte noch ausgewertet werden, ehe er «ausgesondert» wurde.[6] Andere Dokumente waren dem Zugriff entzogen: Am 28. August 1998 stellte das Archiv des Sicherheitsdienstes der Russischen Föderation fest, dass Kuhns Soldbuch, Führerscheine, Jagdschein, Urlaubsschein und sieben Photographien aus ihrem Umschlag im Dossier verschwunden waren. Zu den fehlenden Stücken gehören auch solche, von denen Boris Chavkin 2002 in der *Moskauer Deutsche Zeitung* Photographien veröffentlichte.[7]

Die Quellen sind also selten, verstreut und von unterschiedlichem Aussagewert; denn nur selten entstanden sie mit dem Ziel, lediglich Vorgänge genau wiederzugeben. Die Spärlichkeit der Quellen über Kuhns persönliches Leben, über seine Freundschaften, Urlaube, Reisen – mit Ausnahme zweier Episoden 1940 und 1943 – laden zu Annahmen ein, deren sich der Verfasser jedoch bis zum Schlusskapitel möglichst enthalten hat. Das durch Quellen Belegte lässt deutlich genug die widersprüchlichen und schliesslich tragischen Züge in Kuhns Leben erkennen.

Der Verfasser sagt seinen herzlichen Dank den Gelehrten, Archivaren, Bibliothekaren und Beamten, die ihm geholfen haben, Nachrichten über Joachim Kuhn zusammenzutragen, insbesondere Günther Wagenlehner, Valentin Boss, Andreas Hilger, Manfred Kehrig, Bernhard Kroener, Georg Meyer, Thomas Reuther, Matthias Uhl, Nikita Vasil'evich Petrov, ferner Bundeskanzler a. D. Helmut Kohl, Generalkonsul Hartmut Scheer, Generalkonsul Igor Golubovskiy, der Regierung der Russischen Föderation, dem russischen Botschafter in Berlin Vladimir V. Kotenev, dem deutschen Botschafter in Moskau Dr. Walter Jürgen Schmid, Generalkonsul Viera Jarešova, Carina Notzke, Klaus Oldenhage, Gregor Pickro, Marie Gabriele Gräfin von Stauffenberg, Rainer Tomowiak, Kristin von Tschilschke, Yulia Tyunina und Helga Hoffmann.

HERKUNFT UND KARRIERE

Wilhelm Georg Joachim Kuhn wurde am 2. August 1913 in Berlin geboren. Er starb am 6. März 1994 in Römershag bei Bad Brückenau.[1]
Die väterlichen Vorfahren stammten aus dem Vogtland und aus der
Niederlausitz, Kuhns Urgrossvater und Grossvater waren Fleischermeister in Cottbus, der Grossvater war Mitglied und später Altersvor-
sitzender des Stadtverordneten-Collegiums. Die Grossmutter war die
Tochter eines Fabrik- und Mühlenbesitzers. Der Vater Arthur Julius
Kuhn, 1883 in Cottbus geboren, Maschinenbauingenieur und Patentanwalt, hatte seit 1908 eine eigene Kanzlei in der Kaiserallee 213/214
in Berlin. Die Mutter Hildegard-Maria Clara war die 1892 in Königsberg geborene Tochter von Auguste Kuster aus einer ostpreussischen
Bauernfamilie vom Dorf Szeldkehmen im Kreis Stallupönen. Vor der
Geburt ihrer Tochter lebte Auguste Kuster in Königsberg, Steindamm
156, seit 1908 in Berlin-Moabit, Perleberger Strasse 15 H. Sie heiratete
den Bürovorsteher und Inhaber des Schreibbüros «Cito» in der Belle-
Alliance-Strasse 74a, Georg Friedrich Theodor Will.

Als Hildegard-Maria Clara Kuster 1912 den Diplomingenieur und
Patentanwalt Arthur Julius Kuhn heiratete, hat der Mann ihrer Mutter
ihr «seinen Familiennamen Will erteilt», so erschien sie nun in ihrer
Heiratsurkunde und in der Geburtsurkunde Joachim Kuhns als Hildegard-Maria Clara Kuhn geb. Will.

Arthur Kuhn hatte seine Wohnung in der Grossbeerenstrasse, einer
Parallelstrasse der Belle-Alliance-Strasse in Kreuzberg, in der Nähe des
Will'schen Schreibbüros. Er stammte aus bürgerlichem Milieu, seine
Etablierung in Berlin bedeutete auch für ihn den sozialen Aufstieg.

Die Spur von Georg Will verliert sich 1932.[2] 1937 beantragte Hildegard-Maria Clara Kuhn geb. Will die Änderung ihres Namens in «Kuhn
geb. Kuster». Nachdem der Antrag mehrmals abgelehnt worden war,
gab ihm das Innenministerium Ende November 1937 doch statt.[3] Durch
die nationalsozialistischen Rassengesetze hatte der Vorgang spätere
Auswirkungen. Es gibt aber in der Familie Kuhn keine Anzeichen für

irgendeine Affinität zum Nationalsozialismus. Uneheliche Herkunft galt damals als Makel, es wird also einen für Frau Kuhn triftigen Grund gegeben haben, ihre formale Legitimität abzulegen.

1943 erzählte Kuhn, sein natürlicher Grossvater mütterlicherseits sei der General der Kavallerie Graf von Klinckowstroem gewesen. 1944 schrieb er: «Entsprechend der Tradition des Hauses meiner Mutter – mein Grossvater war General der Kavallerie – gab es für mich nur den Wunsch, Offizier der Reichswehr zu werden.» Frau Kuhn hatte ein starkes soziales Geltungsbedürfnis, sie muss ihrem Sohn schon früh von diesem Grossvater erzählt haben. Gelegentlich nannte sie sich eine geborene Gräfin Klinckowstroem.[4] Kuhn besass einen Allianzring, der nicht näher beschrieben wird und von dem Grossvater gestammt haben könnte, ferner goldene Kravattennadeln, darunter eine mit einer Kaiserkrone aus kleinen Saphiren.

Es gab einen General der Kavallerie Arthur Graf von Klinckowstroem aus Korcklack in Ostpreussen, der 1892 Major im Stab des Garde-Kürassier-Regiments war; er wurde 1910 mit dem Charakter als General der Kavallerie zur Disposition gestellt. Sein Zwillingsbruder Carl war 1892 Major im Stab des Dragoner-Regiments 3, er erreichte 1899 den Rang Generalmajor.[5] Die Version vom Grossvater Klinckowstroem ist mithin plausibel, jedenfalls stellte Kuhn sie nicht in Frage.

1934 hatte sich Kuhn vor der Ernennung zum Offizier mit dem Nachweis seiner «arischen» Abstammung zu befassen, wie es ein Erlass des Reichswehrministers vom 28. Februar 1934 bestimmte.[6] Zum eindeutigen Nachweis genügten vier nicht-jüdische Grosseltern, wenn Georg Friedrich Theodor Will evangelisch war, hatte seine Herkunft keine Bedeutung. Wenn die uneheliche Geburt der Mutter Kuhns aktenkundig wurde, weil Will nicht als Vater angegeben worden war, galt der Erlass des Reichs- und Preussischen Ministers des Innern vom 8. Dezember 1933: Wenn das uneheliche Kind einen Nachweis seiner Abstammung väterlicherseits nicht beibringen konnte, sei es «bei arischer Herkunft mütterlicherseits [...] als arisch anzusehen». Wenn Kuhn später wegen der Versetzung in den Generalstab eine entsprechende Erklärung abgeben musste, konnte die Namensänderung seiner Mutter zu Komplikationen führen. Kuhn muss damals Stauffenberg seine Abstammung von Graf Klinckowstroem anvertraut haben, für die es natürlich keine schriftlichen Belege gab. Stauffenberg half ihm, möglicherweise genügte es, wenn er als Vorgesetzter von Kuhns «arischer» Abstammung überzeugt war.[7]

Joachim Kuhn wuchs als einziges Kind seiner Eltern bis 1918 in Berlin auf. Vom Frühjahr bis September 1919 besuchte er die Grundschule in Kudowa. Am 12. August 1919 kam er in die dritte Vorschulklasse des Friedrichs-Realgymnasiums in Berlin-Kreuzberg. Der Vater machte ihn früh mit den Grundzügen der Technik bekannt, sein Hauptinteresse galt der Mathematik und der Physik. Zwölfjährig bastelte Joachim kleine und auch grössere Radiogeräte, zeigte auch lebhaftes Interesse für die Geschichte. Die Schönheiten der Natur lernte er auch durch seinen Vater kennen, den er auf seinen Wanderungen begleitete, Sonntage und Ferien verbrachte er in der Natur. Der Konfirmand bekam 1928 ein Ruderboot, mit dem er fast jeden freien Tag auf dem Wasser war und in den Ferien durch die Fluss- und Seengebiete der Mark Brandenburg fuhr. Mit den Eltern reiste er ins Ausland, und der Abiturient hielt fest, er habe «fremde Völker kennen und verstehen» gelernt.[8]

Joachim Kuhn erklärte in seiner «Meldung» zur Reifeprüfung an das Provinzial-Schulkollegium zu Berlin, unter der Überschrift «Lebenslauf und Bildungsgang», die Absicht, Berufsoffizier zu werden, mit seiner Vorliebe für Sport und Technik, aber auch mit literarischen Interessen: «In den letzten Jahren entwickelte sich aus dem Interesse für Sport und Technik eine starke Vorliebe für militärische Dinge. Ich las Kriegsliteratur, wie Remarque: *Im Westen nichts Neues*, Schauwecker: *Aufbruch der Nation*, Bröger: *Bunker 17*, Dorgelès: *Die hölzernen Kreuze*, Barbusse: *Das Feuer*. Remarque sagte mir am meisten zu, da er mir die Vorgänge vollkommen objektiv zu beschreiben schien.» Der Inhalt von Schauweckers Buch schien ihm den Titel nicht zu rechtfertigen. Er schloss mit dem Bekenntnis, dass er sein Leben der Nation widmen wolle: «Ich beschäftigte mich viel mit den Fragen, die unseren jetzigen Wehrstand betrafen. Ich versuchte mir über Deutschlands Politik, Deutschlands wehrpolitische und wirtschaftliche Lage ein Bild zu machen. Der Wunsch, die Offizierslaufbahn einzuschlagen, gewann immer mehr Raum, und so beabsichtige ich, mich nach dem Bestehen der Reifeprüfung diesem Berufe zuzuwenden.»

Wenn er die Mutter, eine starke Persönlichkeit, und den mütterlichen Grossvater in seinem Curriculum vitae nicht erwähnte, war das zwar merkwürdig, lässt sich aber damit erklären, dass er ihre ausserehelliche Geburt hätte aufdecken müssen. Die Mutter nannte sich immer «Kuhn geb. Kuster», obwohl sie rechtlich bis 1938 «Kuhn geb. Will» hiess. Joachim Kuhn wusste seit 1926 von der unehelichen und angeblich gräflichen Abstammung seiner Mutter.[9]

Im Gutachten der Klassenkonferenz vom 17. Dezember 1930 über den Oberprimaner Joachim Kuhn heisst es:

«Kuhn, Sohn eines wohlhabenden, gebildeten Vaters, hat von früher Jugend auf Gelegenheit gehabt, seinen Geist zu bilden und sich gute Umgangsformen anzueignen.» Das Gutachten wiederholte im übrigen nur Passagen aus Kuhns «Meldung», lässt den Respekt der Lehrer spüren vor dem «Besitzer eines Bootes» und stellt Kuhns Hauptinteresse für die Naturwissenschaften, Mathematik und Geschichte sowie «nur genügende Leistungen» in den anderen Fächern fest.

Das Zeugnis der Reife vom 2. März 1931 nennt für Leibesübungen sehr gute, für Englisch, Geschichte, Mathematik und Physik gute und in den übrigen Fächern genügende Leistungen (Note 3). Die schriftlichen Prüfungen ergaben dieselben Noten wie die angemeldeten (Vorzeugnis), nur im Fach Deutsch bekam Kuhn für seinen Aufsatz und die Leistungen des Jahres die Note 4.[10] In der mündlichen Prüfung musste er Kleists Stil an einer Stelle der «Penthesilea» analysieren und tat es zur Zufriedenheit des Prüfers, auch die Frage nach neuerer Kriegsliteratur beantwortete er «sachlich», aber die nach «Hermann und Dorothea» «schlecht». Immerhin erreichte Kuhn in der mündlichen Deutsch-Prüfung die Note 3 und so wurde die Gesamtnote für das Fach doch auf 3 festgelegt.

Kuhn studierte dann drei Semester Ingenieurwissenschaften an der Technischen Hochschule in Karlsruhe, um die Wartezeit bis zum Eintritt in die Reichswehr zu überbrücken.[11] Am 15. Oktober 1932 trat er als Offizieranwärter in die Reichswehr ein, wurde im Oktober 1934 Leutnant und diente bis Oktober 1936 im Pionier-Bataillon 5 in Ulm. Hier schloss er Freundschaft mit Gerhard Knaak, der später in Kuhns Leben noch eine wichtige Rolle spielte. Knaak, vier Jahre älter als Kuhn, war im Oktober 1935 aus der Landespolizei in das Heer übernommen worden.[12] Von März 1938 bis Ende Juli 1939 war Kuhn Regimentsadjutant beim Kommandeur der Pioniere XIV, war beim Einmarsch in Österreich im März 1938 eingesetzt, von August 1939 bis Februar 1940 Adjutant im Stab des Pionier-Regiments 601 und erhielt im September 1939 das

Eiserne Kreuz Zweiter Klasse für seine Rolle beim raschen Überqueren des Narew. Im Frankreichfeldzug wurde er – im August 1940 zum Hauptmann befördert – am 7. Juni verwundet und geriet am selben Tag in französische Kriegsgefangenschaft, aus der er am 30. Juni 1940 entlassen wurde. Für seine Tapferkeit wurde er am 4. Juli 1940 mit dem Eisernen Kreuz Erster Klasse, mit dem Verwundetenabzeichen, dem Kriegsverdienstkreuz mit Schwertern Zweiter und Erster Klasse und dem Infanterie-Sturmabzeichen ausgezeichnet. Am 9. Juli kam er zu seinen Eltern auf Urlaub nach Berlin und begab sich wegen seiner Granatsplitterverletzung am Knie am 11. Juli in das Reserve-Lazarett 111 in Berlin-Tempelhof, wo er am Knie operiert wurde; der Granatsplitter konnte jedoch nicht entfernt werden. Im Oktober folgte ein Aufenthalt im Kurlazarett Bad Landeck in Schlesien. In einer Beurteilung Kuhns als Chef der 1. Kompanie des 46. Pionier-Bataillons werden ihm ausserordentliche Leistungen, Einsatzfreude und Unerschrockenheit attestiert.[13]

Ende 1940 (2. Dezember) wurde Kuhn Erster Ordonnanzoffizier im Stab der 111. Infanterie-Division. Der Divisionskommandeur Generalleutnant Otto Stapf schrieb im Februar 1941 in einer Dienstbeurteilung: «Gereifte Persönlichkeit; gutes takt. Verständnis; gediegene Kenntn.; nüchternes best. Urteil; vor dem Feinde bewährt; F. s. St. als O 1 g.a.; geeignet für Ausbildung an der Kriegsakademie.» Im Februar 1945 stellte das Reichskriegsgericht fest, als es Kuhn in Abwesenheit zum Tode verurteilte: «In allen Beurteilungen wird Kuhn übereinstimmend nach persönlichen Eigenschaften wie nach Kenntnissen und Leistungen äusserst günstig beurteilt. Er sei ein fleissiger, kluger, gewandter, verlässiger und pflichtgetreuer Offizier.»[14]

Vom 1. Dezember 1941 bis 12. Mai 1942 nahm Kuhn am Generalstabslehrgang der Kriegsakademie in Berlin teil. In der Abschlussbeurteilung wurde er als der Beste seines Hörsaals bezeichnet, er habe den Blick für das Wesentliche und verdiene besondere Beachtung. Ab Dezember 1942 war Kuhn Referent in der Gruppe II der von Oberst i.G. Helmuth Stieff geleiteten Organisationsabteilung des Generalstabs des Heeres. Die Gruppe II leitete damals Major i.G. Claus Schenk Graf von Stauffenberg, seit Februar 1943 Oberstleutnant i.G. Bernhard Klamroth.[15] Stieff, Stauffenberg und Klamroth waren Gegner Hitlers.

Vom 19. November 1942 bis 20. März 1943 musste Kuhn nach einer am 15. Oktober 1942 festgestellten Erkrankung an Gallenblasenentzündung im Reservelazarett Berlin-Tempelhof (Sankt-Josephs-Krankenhaus) behandelt werden. Eine neuerliche Nierenerkrankung unterbrach seine Tätigkeit in der Organisationsabteilung vom 8. März bis 5. April 1944. Die Beurteilung vom März 1944 über seinen Dienst im Generalstab nannte ihn reif und gefestigt, charakterlich einwandfrei, pflichtbewusst, klug und umsichtig; er habe aber gelegentlich die Neigung zum Dozieren und zur Dogmatik, darunter leide das Arbeitstempo. Auch andere berichten, bei aller Freundlichkeit habe er Widerspruch schlecht vertragen.[16]

Am 16. Juni 1944 wurde Kuhn Erster Generalstabsoffizier (Ia) in der 28. Jäger-Division und kämpfte vom 22. Juni bis 27. Juli 1944 an der Ostfront. Die Division gehörte zur 2. Armee unter dem Kommando von Generaloberst Walter Weiss; sein Chef des Generalstabes war Generalmajor Henning von Tresckow. Die 2. Armee unterstand der Heeresgruppe Mitte.[17]

Kuhns damaliger Divisionskommandeur, Generalleutnant Gustav Heisterman von Ziehlberg, stellte ihm selbst noch im November 1944 vor dem Reichskriegsgericht ein hervorragendes Zeugnis aus. Er war mit Kuhns Verhalten und Leistungen «durchaus zufrieden», «um seinen Dienst habe sich Kuhn mit grösster Gewissenhaftigkeit angenommen»; zwar seien ihm die Aufgaben des Truppen-Generalstabsoffiziers zunächst «noch nicht geläufig gewesen», er «habe sich aber mit grossem Eifer einzuarbeiten versucht. Auch bei der Truppe sei er oft gewesen.» Allerdings habe Kuhn ihn manchmal zu Entschlüssen bestimmen wollen, ehe er sich genügend in das ihm neue Gebiet der Truppenführung eingearbeitet hatte. Doch waren sich Ziehlberg und dessen Vorgesetzte einig, Kuhn sei «ein vorzüglicher Mann». Die Angehörigen des Divisionsstabes schilderten Kuhn auch nach seiner Gefangennahme als «besonders kluger Könner», wie Generalmajor Ernst König, einer der Nachfolger Ziehlbergs, berichtet hat; der Zweite Generalstabsoffizier von Löbbecke erklärte, Kuhns Kameraden in der 28. Jäger-Division hätten ihn als Vorgesetzten und Kamerad «geschätzt und geachtet».[18]

Am 27. Juli 1944 geriet Kuhn in sowjetische Gefangenschaft, wurde nach langen Gefängnisaufenthalten und Misshandlungen 1951 zu fünfundzwanzig Jahren Haft verurteilt und am 16. Januar 1956 in die Bundesrepublik entlassen. Er starb am 6. März 1994.[19]

STAUFFENBERG GEWINNT KUHN

Vom 13. Mai 1942 bis Ende Januar 1943 war Stauffenberg als Gruppenleiter der Gruppe II der Organisationsabteilung des Generalstabes des Heeres Kuhns Vorgesetzter. Kuhns Auffassungen in politischen wie in allgemeinen Lebensfragen stimmten mit Stauffenbergs Einstellung überein. 1942 wandte Kuhn sich an Stauffenberg wegen der Schwierigkeit mit dem sogenannten Ariernachweis: offenbar rührte sie von dem nicht dokumentierten mütterlichen Grossvater her.[1]

Kritische Gespräche über die Führung waren an der Tagesordnung, zumal im Sommer 1942 anlässlich des Kaukasusfeldzugs zur Eroberung der sowjetischen Ölgebiete. Kuhn und Stauffenberg kritisierten das Unternehmen, weil es sich nicht die Vernichtung der feindlichen Streitkräfte zum Ziel setzte, die Front überdehnen und zu übermässig langen Nachschubwegen führen würde, wofür die deutschen Kräfte nicht ausreichten. Ein Vorgang, der viele Soldaten empörte, war die Schaffung von zehn Luftwaffen-Felddivisionen aus überzähligem Bodenpersonal, wodurch den Frontdivisionen dringend nötiger Personalersatz entzogen wurde. Die Luftwaffen-Soldaten wurden von Offizieren und Unteroffizieren der Luftwaffe geführt, deren infanteristische Ausbildung und Erfahrung ganz unzureichend waren, hohe blutige Verluste mussten die Folge sein. Diese militärisch wenig schlagkräftigen Verbände wurden aber mit Fahrzeugen, Waffen und Material ausgerüstet, die das Heer zu liefern hatte, die also den erfahrenen Fronttruppen fehlten; allein die für die neuen Divisionen bereitgestellten Fahrzeuge entsprachen dem Auffüllbedarf von vier bis fünf Panzer-Divisionen.[2]

Stauffenberg wusste seit 1938 von Umsturzplänen in seinem persönlichen Umkreis (Fritz-Dietlof Graf von der Schulenburg) und in seiner Verwandtschaft (Nikolaus Graf von Üxküll-Gyllenband). 1941 oder spätestens 1942 entschloss er sich, angesichts der schweren deutschen Kriegsverbrechen in der Sowjetunion, die noch schlimmer als alle bisherigen Exzesse in Polen waren, selbst etwas gegen diese Gräuel zu unternehmen. Er versuchte erfolglos, die höheren Führer der Ostfront zum

Eingreifen zu bewegen, und gewann schon im Sommer 1942 jüngere Offiziere für den Umsturzgedanken. In den Verhören nach dem Scheitern der Erhebung berichteten manche der Verhafteten von Stauffenbergs Charme und Überzeugungskunst. Stauffenberg gewann den Ritterkreuzträger Major Roland von Hösslin, Oberstleutnant i. G. Peter Sauerbruch, Major i. G. Joachim Kuhn, Oberleutnant Urban Thiersch, Hauptmann Friedrich Karl Klausing, Oberleutnant d. R. Werner von Haeften, Leutnant d. R. Hans Herwarth von Bittenfeld, Oberstleutnant i. G. Bernhard Klamroth, Oberleutnant d. R. Albrecht von Hagen, dann zusammen mit Schulenburg den Ritterkreuzträger Major Axel Freiherr von dem Bussche, Oberleutnant Ewald Heinrich von Kleist, ferner Oberst i. G. Albrecht Ritter Mertz von Quirnheim, Rudolf Fahrner, Major d. R. Dietz Freiherr von Thüngen, Major Hans-Jürgen Graf von Blumenthal, Major Ludwig Freiherr von Leonrod, Rittmeister d. R. Friedrich Scholz-Babisch, Hauptmann d. R. Dietrich Freiherr Truchsess von Wetzhausen, Oberst i. G. Eberhard Finckh, Oberstleutnant Hans Erdmann. Andere, wie Hauptmann Hans Karl Fritzsche, waren von Stauffenberg fasziniert.[3] All diese sehr verschiedenen Persönlichkeiten – etwa Joachim Kuhn, Roland von Hösslin, Urban Thiersch, Rudolf Fahrner oder Friedrich Karl Klausing – verband der eigene Charakter und die Überzeugungskraft von überragenden Soldaten wie Tresckow oder Stauffenberg.

Über diese Männer gibt es, von verstreuten Zeugnissen abgesehen, nur die Erinnerungen von Herwarth, die Würdigung Hösslins durch seinen Bruder, und die Biographie über Albrecht von Hagen. Hagen war Ordonnanzoffizier (O 2) in der 10. Panzer-Division in Tunesien im Februar und März 1943, als Stauffenberg in dieser Division Erster Generalstabsoffizier (Ia) war und hat damals erfahren, «dass Stauffenberg sehr scharf gegen die nationalsozialistische Führung eingestellt war». Stauffenberg hatte ihn damals schon für seine Absicht gewonnen, Hitler zu stürzen.[4] Soviel geht aus den Vernehmungen der Gestapo hervor: Stauffenberg trat mit scheinbar militärischen Argumenten für die Beendigung des Krieges ein. Da diese nur durch die deutsche Kapitulation zu erreichen war, sprach sich Stauffenberg für den Sturz des Regimes aus. Davon hingen die Beendigung des Krieges, das Ende der Massenmorde und die Rettung der noch Lebenden ab.

Kuhn erinnerte sich später an diese kritischen Gespräche mit den

Worten, dass er «im Juli 1942 zu den Mitgliedern der Verschwörungs-organisation der Offiziere Verbindung aufnahm, deren Ziel es war, Hit-ler zu töten und den Krieg zu beenden». Es mag wohl sein, dass Kuhn durch eine Frage an Stauffenberg nun die Initiative ergriff. Stauffenberg hat es jedenfalls gewagt, Kuhn in einem nächtlichen Gespräch im Hauptquartier des Generalstabes des Heeres bei Winniza im August 1942 seine Überzeugung darzulegen. Er führte damals ähnliche Gesprä-che mit Oberstleutnant i. G. Mertz von Quirnheim, dem damaligen Gruppenleiter I der Organisationsabteilung, sowie mit dessen Nachfol-ger, Major i. G. Oskar-Alfred Berger, und mit dem Chef der Organisati-onsabteilung Oberstleutnant i. G. Burkhart Müller-Hillebrand. Er sprach ihnen von den Massenerschiessungen von Juden, vom erlaubten Tyrannenmord, und davon, dass es an der Zeit sei, Hitler, diesen Schmutzfinken, über den Haufen zu schiessen. Kuhn gegenüber verwen-dete Stauffenberg Äusserungen über die Verantwortung der Offiziere und Gneisenau'sche Gedanken, die er fast wortgleich im Februar und März 1939 in Briefen an den damaligen Chef des Generalstabes der Heeresgruppe 2, Generalmajor Georg von Sodenstern gebraucht hatte: von der Verantwortung des Offiziers als Staatsdiener für den ganzen Staat, des Offiziers, der um «unser Volk, um den Staat selbst kämpfen» müsse, denn das Offizierkorps sei der wesentlichste «Träger des Staates und die eigentliche Verkörperung der Nation». Im Juni 1942 in einem Brief an General der Panzertruppe Friedrich Paulus warf Stauffenberg den Führern und Vorbildern vor, dass sie «den Mut, eine das Leben von Tausenden betreffende Ansicht, ja Überzeugung zu vertreten, nicht auf-zubringen vermögen».[5]

Zwei Jahre später nahm Kuhn in einer Niederschrift für sich in An-spruch, Stauffenbergs Äusserungen ihm gegenüber wenigstens annä-hernd wörtlich zu erinnern und setzte sie in Anführungszeichen:

«Wenn man überhaupt einem Angriffskriege einen Sinn geben kann, so ist es der, dass er einer Politik den Weg bahnen soll, die fruchttragend für einen möglichst grossen Teil der Menschen ist. Die täglichen Be-richte von Stäben über die Behandlung der Bevölkerung durch die deut-sche Zivilverwaltung, der Mangel an politischer Zielgebung für die be-setzten Länder, die Judenbehandlung beweisen, dass die Behauptungen Hitlers den Krieg für eine Umordnung Europas zu führen, falsch sind. Damit ist dieser Krieg ungeheuerlich, wenn er nun noch so geführt wird, dass er aus operativen und organisatorischen Gründen nicht einmal gewonnen werden kann, so ist er als sinnloses Verbrechen zu bezeichnen, ganz abgesehen davon, dass dieser Krieg vom Augenblick, wo wir den Fehler machten Russland anzugreifen, personell und materiell für Deutschland auch bei bester Führung gar nicht durchzustehen ist. Solche Feststellung allein genügt aber nicht. Man hat erstens nach der letzten Ursache und zweitens nach der Konsequenz zu fragen. Letzte Ursache liegt, darüber bin ich mir nun vollkommen im Klaren [sic], in der Person des Führers und im Nationalsozialismus. Konsequenz ist, zu fragen, was hat der deutsche Generalstab infolge dieser Lage für eine Aufgabe. Als Generalstabsoffizier und Soldat, der sich schon einen gewissen Namen gemacht hat (Stauffenberg galt im OKH als ‹der kommende Mann›) glaube ich das Recht und die Pflicht zu haben, gerade hiernach zu suchen. Der Generalstab ist nicht eine Congregation geschulter Handwerker, sondern er ist an der Führung massgeblich beteiligt. ‹Führen› heisst auch Verantwortung tragen und seinen tätigen Einfluss geltend machen. Einfluss worauf? Wenn der Krieg nicht mehr zu gewinnen ist, so kann das nur noch der Einfluss auf die Erhaltung des deutschen Volkes sein. Das ist nur möglich durch schnellsten Abschluss eines Friedens, und zwar jetzt wo wir im Besitz unserer Kräfte sind. Haben wir unseren Einfluss bisher anders als durch Kritik und Worte geltend gemacht? Nein! So hat Tag und Nacht unser Denken dieser unserer einziger [sic] Pflicht heute – solange es noch nicht zu spät ist – zu gelten.»[6] Stauffenbergs Auffassungen von der Verantwortung der höheren Führer und des Generalstabes sind auch sonst vielfach bezeugt. Im selben Jahr 1942 sagte er einem aus seiner Bamberger Zeit befreundeten Kameraden, Major d.R. Dietz Freiherr von Thüngen: «Ja, wir sind auch die Führung des Heeres und auch des Volkes und wir werden diese Führung in die Hand nehmen.»[7]

Stauffenbergs von vielen bezeugte Kunst der Argumentation und Überredung spiegelt sich in den zitierten Sätzen. Er wählte die Anzusprechenden umsichtig aus, passte die Argumente der Denkweise der Angesprochenen an. Manche Gelegenheiten ergaben sich, andere suchte Stauffenberg zu schaffen, so im Sommer 1942 bei dienstlichen Frontreisen. Später, seit September 1943, als Stauffenberg Chef des Stabes im Allgemeinen Heeresamt des Oberkommandos des Heeres war, konnte er ausersehene Kandidaten in seine Dienststelle zitieren, ihnen die Lage schildern und sie mit dem Schluss konfrontieren, die Wehrmacht müsse die Führung in die Hand nehmen. Er erklärte einem, als gläubiger Katholik sei er auf Grund der politischen und militärischen Lage «gewissensmässig verpflichtet», entgegen seinem Eid zu handeln, einem anderen, Deutschland treibe auf den militärischen Zusammenbruch zu, die Ehre des Offizierkorps verlange, dass es sich nicht wie 1918 die Dinge aus der Hand nehmen lasse, das Heer müsse aus eigener sittlicher Verantwortung handeln, der Führer müsse weg, nur das Heer könne bei seinem Sturz die Ordnung aufrecht erhalten.[8]

Major Hans-Jürgen Graf von Blumenthal, Major Ludwig Freiherr von Leonrod, Rittmeister d. R. Friedrich Scholz-Babisch, Hauptmann d. R. Dietrich Freiherr Truchsess von Wetzhausen, Oberst i. G. Eberhard Finckh, Oberstleutnant Hans Erdmann, Major Roland von Hösslin, Oberstleutnant i. G. Peter Sauerbruch sprachen alle ähnlich über Stauffenbergs militärische Argumentation. Hösslin sagte aus, der Appell an seine Offizierehre habe mehr auf ihn gewirkt als die Schilderung der militärischen Lage. Legationssekretär und Rittmeister d. R. Dr. Hans Heinrich Herwarth von Bittenfeld brauchte nicht überzeugt zu werden, er erklärte Stauffenberg im Frühjahr 1942, Hitler sei die Inkarnation des Teufels und müsse verhaftet werden. Allerdings gelang es Stauffenberg nicht immer, seine auserwählten Gesprächspartner zu gewinnen, etwa Berger und Oberst i. G. Ulrich Bürker.[9] Aus dem Zeitpunkt der Gespräche im Frühjahr und Sommer 1942 und dem Inhalt der Mitteilungen Kuhns, Herwarths und Bergers geht aber hervor, dass der Anstoss für Stauffenberg, auf den Sturz Hitlers hinzuarbeiten, nicht aus einer hoffnungslosen Kriegslage kam, sondern aus dem Abscheu über die Verbrechen; denn damals hielt Stauffenberg den Krieg nicht für verloren.

Auch in den von Kuhn wiedergegebenen Äusserungen Stauffenbergs standen an erster Stelle die Verbrechen. Die Frage des militärischen Erfolges war danach ein zusätzliches Argument; zuerst war der Krieg wegen der Verbrechen ungeheuerlich, der Krieg selbst ein Verbrechen, dann wegen der Unmöglichkeit des Erfolges auch noch «ein sinnloses Verbrechen»; denn nicht einmal im Sinne seines Urhebers war er zweckmässig. Stauffenberg und Kuhn haben, wie aus den Aussagen Kuhns hervorgeht, auch erfasst, welche Priorität für Hitler die Vernichtung der Juden hatte.[10]

Ferner: Stauffenbergs vordergründig militärische Argumente gegenüber Sauerbruch u. a. – Deutschland treibe in die Katastrophe, das müsse verhindert werden – waren das nicht wirklich. Sie waren Teil seiner auf die jeweilige Person gerichteten Taktik und seines stufenweisen Vorgehens. Es war nichts daran zu ändern, dass der Krieg verloren war, es ging also um Menschenleben. Stauffenberg argumentierte ethisch in militärischer Sprache.

Die Sonderkommission zur Untersuchung des Anschlags vom 20. Juli erkannte teilweise «die Technik, mit der Stauffenberg zu Werke ging», aus den Verhören der verhafteten Verschwörer. Sie war aber voreingenommen, und ausserdem bekam sie Aussagen von Menschen, die ihr Leben retten wollten. So werden Stauffenbergs Äusserungen zwar pessimistisch genannt, die Verhörten verteidigten sich mit Stauffenbergs Redegabe und mit seinem leidenschaftlichen Zielbewusstsein, aber die Kommission referierte auch, was Stauffenberg zutreffend gegen die Führung einwandte: der Krieg sei verloren, die Katastrophe stehe bevor, die Lage im Osten sei unhaltbar, der feindliche Durchbruch im Westen eine Frage der Zeit, die Führer der Partei seien korrupt, sie umgäben den Führer, und die Generale kämen nicht an den Führer heran.[11]

Das Bemerkenswerteste an Stauffenbergs Argumentation Kuhn gegenüber ist also, dass Stauffenberg seine Kritik an Hitler an erster Stelle mit der «Behandlung der Bevölkerung» und der «Judenbehandlung» begründete und erst an zweiter Stelle mit der falschen militärischen Führung.[12] Die Äusserungen und ihre Reihenfolge belegen Stauffenbergs Motiv für diesen frühen Zeitpunkt aus einer zeitlich näheren Quelle, als sie bisher zur Verfügung gestanden hatte. Kuhn, der zur Zeit seines Berichts vom August/September 1944 natürlich keine Kenntnis hatte von den späteren Behauptungen, Stauffenberg habe sich erst nach der Niederlage von Stalingrad zum Widerstand entschlossen, hebt das selbst hervor.[13]

Kuhn kommentierte, er sei von dem Gespräch mit Stauffenberg, in dem dieser die Führung so grundlegend kritisiert habe, tief beeindruckt gewesen, «zumal es im Sommer 1942, d. h. vor Stalingrad und den nachfolgenden Katastrophen stattfand». Kuhn zitierte Stauffenbergs Worte, hatte sie sich aber noch nicht wirklich zueigen gemacht; denn er liess die Kritik an der Behandlung der Bevölkerung und der Juden in seinem Kommentar unerwähnt und bezog sich nur auf die militärische

Lagebeurteilung. Kuhn schrieb, bis zu dem Gespräch mit Stauffenberg habe er die Dinge nicht so gesehen und vor allem habe ihn bis dahin niemand «vor die Konsequenz gestellt».[14]

Der nächste Schritt der Einweihung Kuhns folgte unmittelbar vor Stauffenbergs Einsatz als 1. Generalstabsoffizier (Ia) der 10. Panzer-Division in Tunesien. Stauffenberg kam am 3. Februar 1943 nach Berlin und erfuhr, er habe den schwerverwundeten Ia der 10. Panzer-Division in Tunesien, Major i. G. Wilhelm Bürklin, zu ersetzen. Er besuchte seinen Regimentskameraden und Freund Peter Sauerbruch, Quartiermeister (Ib) der 14. Panzer-Division, der mit Gelbsucht in einer Lazarettstation in der Charité lag. Am selben Tag besuchte er auch Kuhn im Reservelazarett Berlin-Tempelhof. Er schilderte ihm die Lage an der Front nach der Niederlage von Stalingrad und sprach «zum ersten Mal» von der «Konsequenz»: «Die Konsequenz, nach der wir oft fragten, heisst Errichtung einer, allerdings vorübergehenden Militärdiktatur.»[15]

Zwei Tage später kam es zum dritten Schritt in dem Prozess, Kuhn in den Kampf gegen das Regime einzubeziehen. Stauffenberg war bei seiner Familie in Bamberg und traf dort seinen Onkel Berthold Graf Stauffenberg aus Greifenstein sowie Klemens Graf Stauffenberg und Elisabeth Gräfin Stauffenberg mit deren Tochter Marie Gabriele aus Jettingen. Stauffenberg wollte wissen, ob Kuhn sich nach seinem Lazarettaufenthalt in Jettingen erholen könne. Noch im Februar schrieb Stauffenbergs Frau Nina an Kuhn, um ihn über die Familie in Jettingen zu unterrichten. Kuhn kam, am 20. März aus dem Lazarett entlassen, am 23. März in Jettingen an.[16]

GEBROCHENE VERLOBUNG

Vom 23. März bis 12. Mai 1943 war Kuhn in Jettingen. Marie Gabriele (Gagi) Gräfin Stauffenberg, die achtundzwanzigjährige Tochter von Klemens Schenk Graf von Stauffenberg und Elisabeth geb. Freiin von und zu Guttenberg, und ihre Mutter kümmerten sich um ihn, Marie Gabriele fuhr nach München, um eine Masseuse zu bewegen, die ihr zugeschriebenen magischen Kräfte bei Kuhn anzuwenden. Am 8. April kam Tante Therese Freifrau von und zu Guttenberg geb. Prinzessin Schwarzenberg (genannt Räs, Stoppel, Wanzi), die Frau von Karl-Ludwig Freiherr von und zu Guttenberg, nach Jettingen. Von Guttenbergs zentraler Rolle im Kampf gegen Hitlers Herrschaft erfuhr Marie Gabriele nichts, sie trug in ihren Kalender ein: «Ankunft Donnerstag nachmittags Stoppel um das ‹Majörchen› und mich zu chaperonieren, ob es wohl ernst wird?» Kuhn liebte die freie Natur, es gab gemeinsame Spaziergänge, nach Ried, oder am 11. April im Park: «Spaziergang im Park, Herr K. drückte Alles so aus wie es auch mein tiefstes Empfinden ist. Bin <u>sehr</u> dankbar darüber.»[1]

In Jettingen erreichte Kuhn in diesen Tagen, zwischen 10. und 18. April durch ein Telephongespräch mit Berlin die Nachricht von den Verhaftungen Hans von Dohnanyis, Josef Müllers und Dietrich Bonhoeffers am 5. April. Kuhn war dadurch «nervlich» sichtbar belastet, er wirkte besorgt, aber nicht ängstlich. Tante Therese, die von der Verschwörung wusste, war bis 18. April in Jettingen und fand Kuhns Reaktion bedenklich, sie glaubte, er werde der Sache nicht gewachsen sein, wenn etwas misslänge, berichtete das aber ihrer uneingeweihten Nichte Gagi erst in der Sippenhaft nach dem 20. Juli 1944.[2]

Kuhns Werbung um Marie Gabriele machte Fortschritte. Am 17. April trug sie in ihren Kalender ein: «Nachmittags mit Papi gesprochen, der sehr verstehend war.» Dann war nicht mehr von Herrn K., sondern von Joachim, oder vom Kindl die Rede. Am 20. April steht im Taschenkalender: «Joachim bekam die roten Streifen», er war endgültig in den Generalstab versetzt worden, ein Schneider in Jettingen nähte

Marie Gabriele Schenk Gräfin Stauffenberg, April 1943

ihm die roten Streifen auf. Am Gründonnerstag, dem 22. April, notierte Marie Gabriele schon: «Wichtigstes Kapitel die Religion, Trauung u. Erziehungsfragen». Sie informierte Kuhn von der Notwendigkeit einer katholischen Trauung und katholischer Kindererziehung. Kuhn wusste von der katholischen Religion wenig, Marie Gabriele kannte die protestantische kaum. Am Karfreitag sprachen sie noch einmal «über die religiösen Fragen», und auch «über das, was Mami schwer fiel». Was der Mutter schwer fiel, war Kuhns «bürgerliche» Herkunft. Das war der Moment, das Geheimnis der gräflichen wenn auch unehelichen Herkunft der Mutter Kuhn anzudeuten. Aber «alles andere ist klar», nämlich ihrer beider Überzeugung, dass sie zusammen gehörten. Marie Gabriele verschwieg aber ihrer Familie gegenüber die uneheliche Herkunft der Mut-

Major i. G. Joachim Kuhn, April 1943

ter Kuhns und also auch den Kavalleriegeneral Graf von Klinckowstroem. Am Karsamstag hatten sie noch «ein schönes, ernstes u. wohl
entscheidendes Gespräch» darüber, dass sie ihr Leben zusammen führen
wollten. Die «religiösen Fragen» waren damit nicht gelöst. Ein Gespräch mit dem Amts- und Patronatspfarrer in Jettingen bestätigte, dass
nur katholische Trauung und Kindererziehung in Frage kamen und ein
Abweichen davon Exkommunikation bedeutete. Der Pfarrer fragte
dann von sich aus den Bischof von Augsburg (Josef Kumpfmüller) und
erhielt den Bescheid, ein Segen von evangelischer Seite in der Form eines
Kreuzzeichens sei erlaubt, mehr nicht, auch keinerlei Antwort auf das,
was der evangelische Pfarrer etwa sage; ob der Segen vor oder nach der
katholischen Eheschliessung gegeben würde, sei gleichgültig.[3]

Major i. G. Joachim Kuhn und Elisabeth Gräfin von Stauffenberg geb. Freiin von und zu Guttenberg

Major i. G. Joachim Kuhn,
1943

An Ostern ging Kuhn mit Marie Gabriele und ihren Eltern in den katholischen Gottesdienst und anschliessend verlobten sie sich im Stillen. Marie Gabriele musste Kuhn aus Goethes «Hermann und Dorothea» vorlesen, Kuhn las ihr den Osterspaziergang aus dem «Faust» vor. In «Hermann und Dorothea» ist viel von der dienenden Rolle der Frauen die Rede, aber der Schluss, der das Opfer für das Vaterland preist, war Kuhn wohl wichtiger. In seinem Lebenslauf hatte Kuhn 1930 seinen Wunsch, Offizier zu werden, mit seinen Gedanken «über Deutschlands Politik, Deutschlands wehrpolitische und wirtschaftliche Lage» begründet, als Dienst am Vaterland.[4]

Am 27. April fuhr Kuhn seiner Mutter, die aus Berlin zur Verlobungsfeier kam, nach Augsburg entgegen und brachte sie nach Jettingen. Am selben Tag schickten Marie Gabrieles Eltern ihren Bruder Markwart nach Greifenstein, um dem Familienoberhaupt, Berthold Graf Stauffenberg, die bevorstehende «offizielle» Verlobung am 28. April anzuzeigen.[5]

Die religiösen Fragen waren auch nach der «offiziellen» Verlobung nicht entschieden. Frau Kuhn sagte Marie Gabriele, sie wisse nicht, wie sie mit ihren Enkeln beten solle, wenn sie katholisch erzogen würden, Marie Gabriele meinte, das Vaterunser sei Katholiken und Evangelischen gemeinsam. Zur Ziviltrauung vor der kirchlichen war sie bereit, nicht aber zu einer evangelischen, die ihre Exkommunikation zur Folge hätte. Kuhns Eltern wussten also zur Zeit der Verlobung von diesen Entscheidungen.

Am 7. April 1943 war Major i. G. Claus Graf Stauffenberg bei Seb-

khet en Noual in Tunesien schwer verwundet worden und lag seit
21. April in der Abteilung II des Reserve-Lazaretts München I in der
Lazarettstrasse. Am 10. Mai besuchten ihn Marie Gabriele und Joachim;
Marie Gabriele und ihre Mutter blieben nicht, Kuhn hatte Gelegenheit,
mit Stauffenberg auch über Hitlers Sturz zu sprechen.

Am 12. Mai fuhren Kuhn und Marie Gabriele Gräfin Stauffenberg
mit ihren beiden Elternpaaren nach Greifenstein und stellten Joachim
dem Familienoberhaupt Berthold Graf Stauffenberg vor. Am nächsten
Tag fuhren die Verlobten nach Berlin. Im Zug sagte Marie Gabriele ihrem Verlobten, wenn er an der Front eine Entscheidung treffen müsste,
die ihn das Leben kosten könnte, dann dürfe sie für ihn kein Hindernis
sein. Sie wusste, dass ein Soldat nicht durch solche Überlegungen verun-
sichert sein dürfe und wollte nicht, dass er ihretwegen und um sein Leben für sie zu schonen etwa seine Pflicht nicht erfüllte. Kuhn antwortete: «Du weisst ja gar nicht, was Du mir damit sagst.» Erst nach dem
Attentat vom 20. Juli 1944 wurde Marie Gabriele klar, dass Kuhn aus
ihren Worten ihr Einverständnis mit seinem Tun in der Verschwörung
gegen Hitler geschlossen hatte.

Am 19. kamen Marie Gabrieles Eltern nach Berlin zum Besuch der
Schwiegereltern ihrer Tochter, die während ihres Aufenthalts in Berlin
bei Kuhns in Dahlem wohnte, und um die Hochzeit zu planen. Am
23. Mai brachten Marie Gabriele und die Eltern Kuhn Joachim an die
Bahn. Im Hauptquartier nahm er seinen Dienst wieder auf.[6] Am 24. Mai
ging Marie Gabriele mit ihren Eltern zum Bischof von Berlin, Konrad
Graf von Preysing. Sie berichteten von dem Bescheid des Bischofs von
Augsburg und dessen Erlaubnis zu einer «Segnung» durch einen evangelischen Geistlichen, aber Graf Preysing sagte, das hätte er niemals
erlaubt, es komme nur katholische Eheschliessung und Kindererziehung
in Frage. Die Eltern Stauffenberg fuhren am 25. nach Jettingen zurück,
Marie Gabriele am Tag danach. Aber alle Vorbereitungen für die Hochzeit gingen weiter.

Am 16. Juni kam der Maler Georg Gabritschersky nach Jettingen,
um Marie Gabriele zu zeichnen, das Sepia-Bild sollte das Hochzeitge-
schenk ihrer Eltern für Joachim sein, am 23. war es fertig; zugleich
kündigte Kuhn telephonisch an, über eine Cousine von Marie Gabriele,
Lucia Gräfin Ingelheim, die beim Militärbefehlshaber Frankreich, General Carl Heinrich von Stülpnagel, in Paris arbeitete, er werde am

Sonntag, 27. Juni nach Ulm kommen und Marie Gabriele treffen. Sie stieg in Ulm zu ihm in den Zug, sie fuhren zu Stauffenberg ins Lazarett nach München. Marie Gabriele blieb nicht, Kuhn war etwa zwei Stunden allein bei Stauffenberg. Als Marie Gabriele kam, um Joachim abzuholen, waren Claus' Bruder Berthold und dessen Frau Mika auch da. Am 28. Juni war Kuhn noch einmal bei Stauffenberg. Stauffenbergs «Hinnahme der schweren körperlichen Beeinträchtigung» – ein Auge, die rechte Hand und zwei Finger der linken verloren – war für Kuhn bewunderungswürdig.

Am 29. Juni hatte Kuhn mit seinen Eltern eine Unterredung, die «sehr schwer» war, er muss um Marie Gabriele gekämpft haben. Kuhns Mutter war sehr gläubig und preussisch-protestantisch, aber auch hart.[7] Einerseits war sie einverstanden mit der Verlobung, liess sich in Greifenstein dem Familienoberhaupt vorstellen, nahm an «Brautessen» teil, wusste, dass Marie Gabriele nur katholisch heiraten konnte, freute sich der gesellschaftlichen Anerkennung ihres Sohnes – bestand aber andererseits auf einer evangelischen Trauung.

Joachim Kuhn, Frontoffizier mit Auszeichnungen, jetzt Major im Generalstab und zum Dienst im Oberkommando des Heeres kommandiert, konnte auch eigensinnig sein.[8] Warum sollte er sich nicht unabhängig von dem starren, ja bizarren Verhalten seiner Mutter entscheiden? Immerhin tat er einen Schritt in diese Richtung. Bei Gelegenheit einer dienstlichen Besprechung im Oberkommando des Heeres in der Bendlerstrasse am Nachmittag des 29. Juni erkundigte er sich nach der Möglichkeit einer sofortigen Kriegstrauung. Am Abend des folgenden Tages musste er ins Hauptquartier des Generalstabes zurückfahren. Während Kuhn im Oberkommando war, ging Marie Gabriele draussen auf der Strasse auf und ab, es dauerte mehr als eine Stunde. Die Verlobten waren, wie Gräfin Stauffenberg sich erinnert, «sozusagen verzweifelt». Kuhns Vorstoss führte aber zu nichts. Er berichtete seiner Braut, man habe ihm gesagt, es gehe nicht so schnell.[9]

Als die Verlobten am Abend des 29. Juni zwischen 6 und 7 Uhr wieder in der Wohnung der Eltern ankamen, war die Mutter Kuhn nicht da, Vater Kuhn war ratlos, Joachim und Marie Gabriele dachten, die Mutter könnte sich etwas angetan haben, wahrscheinlich hatte sie eine entsprechende Andeutung gemacht. Die Verlobten suchten sie, Marie Gabriele suchte im Dom, weil sie vermuteten, ein Pfarrer namens Eugen

Hildegard-Maria Clara Kuhn
geb. Kuster, 1943

Dziwisch, mit dem die Mutter Kuhn in nahem Kontakt stand, sei dort tätig.[10] Joachim ging auf den Friedhof, vielleicht in der Meinung, seine Mutter könnte zum Grab seiner früh verstorbenen Schwester gegangen sein, er fand sie schliesslich bei Pfarrer Dziwisch. Sie weigerte sich, nachhause zu kommen und blieb über Nacht bei dem Pfarrer.[11]

Am nächsten Tag traf Kuhn seine Mutter und den Pfarrer Dziwisch zu einer Unterredung. Frau Kuhn blieb hart und bestand auf evangelischer Trauung und Kindererziehung. Joachim teilte zwar die starre Überzeugung seiner Mutter nicht, hatte aber auch nicht die Kraft, sich ihrem Willen zu widersetzen. Mit seinem Vater brachte er Marie Gabriele an die Tram zum Bahnhof, der Vater fuhr noch mit an die Bahn, Joachim wollte seiner Mutter Adieu sagen, die noch beim Pfarrer Dziwisch war, anschliessend musste er seinen Zug ins Hauptquartier erreichen. Marie Gabriele und Joachim verabschiedeten sich an der Strassenbahnhaltestelle. Marie Gabriele hatte in dem Augenblick das Gefühl, dass sie Joachim nicht wiedersehen würde, dass er sich für seine Mutter und damit gegen sie entschieden und sie im Stich gelassen hatte. Nach einer grauenhaften Nachtfahrt im überfüllten Zug – sie hatte nur durch ein Fenster hineingelangen können und musste bis Ulm stehen – erreichte sie in der Frühe des 1. Juli Jettingen.[12]

Am 3. Juli fuhr Marie Gabriele zu Stauffenberg nach München. Von Joachim kamen noch vier Briefe, so herzlich wie bisher, eher kurz, aber sonst ohne eine Andeutung der Katastrophe: Am 10. Juli kam ein Brief des Vaters Kuhn an Marie Gabrieles Vater, der die Verlobung löste. Marie Gabriele rief Claus an, berichtete ihm von dem Brief, und bat ihn, Joachim zu veranlassen, Urlaub zu nehmen. Am 13. Juli rief Kuhn Marie Gabriele an und sagte, er bekomme jetzt keinen Urlaub. Am 14. und 17. Juli kamen noch zwei Briefe von Kuhn, dann noch einer am 4. August. Marie Gabriele war an diesem Tag mit ihrer Mutter in München. Die Mutter trug in ihren Kalender ein: «Abends inhaltschwerer Brief aus dem Hauptquartier.» Darin erklärte Kuhn, die Verbindung zwischen ihm und Marie Gabriele könne wegen der Verschiedenheit der religiösen Überzeugungen nicht zustande kommen, sie möge in ihrem Schmerz an den viel grösseren der Bombenopfer in Hamburg denken. Sie rief Claus noch einmal an, der am 7. August von Lautlingen herüber kam. Als er den Brief gelesen hatte und sah, in welcher Verfassung Marie Gabriele war, schrieb er Kuhn, an die Bombenopfer möge Marie Gabriele wohl denken, aber könne er, Joachim Kuhn, ihr das schreiben? Marie Gabriele trug nichts mehr in ihren Kalender ein. Am 8. August kam Nina Gräfin Stauffenberg, am 9. fuhr sie wieder nach Lautlingen, Claus nach München. Danach gibt es auch im Kalender der Mutter Marie Gabrieles keine Einträge mehr über Kuhn. Brieflich blieben Kuhn und Gräfin Stauffenberg noch gelegentlich in Verbindung, kurz vor Kuhns Fronteinsatz kam noch ein Brief von ihm mit der Mitteilung, er habe in Bad Homburg ein Haus gekauft. Im Juli 1944 schrieb Gräfin Stauffenberg noch einmal an Kuhn, sie vermutete ihn im Mittelabschnitt der Ostfront, wo die Rote Armee die Heeresgruppe Mitte zerschlug, der Brief sollte ihm Zuversicht geben.[13]

Die Intervention der Mutter hatte wieder, wie in einem früheren Fall schon einmal, eine Bindung ihres Sohnes verhindert. Im Oktober 1944 in der Sippenhaft in Bad Reinerz im Riesengebirge sagte sie Marie Gabriele, es solle alles gut sein und die «religiösen Fragen» sollten die Bindung nicht mehr hindern.[14]

IM ZENTRUM DER VERSCHWÖRUNG

Die ersten Komplotte gegen Hitler und gegen sein Leben waren 1938 entstanden. 1942 suchten sowohl Tresckow wie auch Stauffenberg, höhere militärische Führer zum Sturz Hitlers zu bewegen. Tresckow strebte seit 1941 die Tötung Hitlers an, Stauffenberg seit Frühjahr 1942. Im Herbst 1942 nahmen die Bemühungen an Intensität zu. Die Anlässe dafür – Massenmorde an Juden und anderen, eine ruinöse Kriegführung – hatten sich stetig verschärft. Manche höheren Führer begannen auf die Verschwörer zu hören, mehr nicht, immerhin dachten sie selbst an eine «Änderung der Spitzengliederung», wie man das umschrieb. Die grossen Rückschläge der Kriegführung in der Sowjetunion und in Nordafrika trafen zusammen mit der Aufdeckung eines Europa durchziehenden sowjetischen Spionagenetzes und mit zahlreichen Hinrichtungen, mit dem Aufstand der Gruppe der Weissen Rose, mit dem Verlust der gesamten 6. Armee in Stalingrad, mit Protesten gegen Deportationen von Juden mit nichtjüdischen Ehepartnern. Die Kapitulation der 6. Armee in Stalingrad und der deutschen Truppen in Nordafrika, die Vernichtung Hamburgs durch einen von britischen Bombenangriffen entfesselten Feuersturm und der Sturz Mussolinis im Juli 1943 waren Vorzeichen des Zusammenbruchs.

Im Februar und März misslangen Anschläge auf Hitler, Anfang April gelang es der Geheimen Staatspolizei, in die Verschwörung einzubrechen, Hans von Dohnanyi und Dietrich Bonhoeffer wurden verhaftet, in denselben Tagen wurde Stauffenberg in Tunesien schwer verwundet.[1] Tresckow kam für Wochen nach Berlin und trieb die militärischen Vorbereitungen für den Umsturz voran. Immer neue Termine im August und September 1943 wurden in Aussicht genommen, selbst Helmuth von Moltke, der sich bisher keine Hoffnung auf ein Vorgehen der Militärs gegen Hitler gemacht hatte, sprach im August von Umsturzterminen und setzte sich im Herbst tätig für den Umsturz ein.

Inzwischen entwickelte sich die Verschwörung weiter. Kuhn berichtete, was Stauffenberg ihm (wie er irrtümlich meinte am 6. Mai, möglicherweise aber am 10. Mai, spätestens am 27. oder 28. Juni) gesagt hatte. Während Kuhn seine Verlobte im Stich liess, intensivierten er und Stauffenberg ihre Zusammenarbeit. Kuhn datiert ein Gespräch mit Stauffenberg unter vier Augen auf Anfang Juli im Lazarett in München. Stauffenberg sagte ihm, Hitler müsse beseitigt werden, die Generale werden nicht handeln, also müssen «wir» das tun.[2] Kuhn berichtet über den Gesprächsverlauf als Folge seiner eigenen Initiative:

«Ich fragte Stauffenberg: ‹Du sagst, es fände sich eine Gruppe, der der Sturz Hitlers, die Beseitigung des Nationalsozialismus und die Aufrichtung einer zeitweiligen militärischen Diktatur gelänge. Aber was dann?› ‹Wir wollen, – antwortete Stauffenberg, – ein friedvolles und gesichertes Zusammenleben der Völker Europas sicherstellen.›» Napoleon sei in Spanien gescheitert, sagte Stauffenberg, weil seine Politik dort den politisch-ökonomischen Interessen des Landes widersprochen habe, die militärische Besetzung Spaniens sei ein Misserfolg gewesen, und dieser habe sich zu einer Katastrophe entwickelt. Hitlers Politik in der Ukraine und in Jugoslawien sei ebenso verfehlt. Caesar dagegen habe Gallien humane Gesetzgebung und Kultur gebracht und danach «jede Einmischung in innere Verhältnisse und religiöse Fragen» abgelehnt, so habe er dem römischen Reich für Jahrhunderte treue Bundesgenossen geschaffen. Der Nationalsozialismus habe also aussenpolitisch versagt. Stauffenberg habe hinzugefügt: «Wenn wir auch gerade über Russland's innere Lage und seine Ziele im Dunkeln sind, so ist doch ein für alle Mal klar, dass Hitlers grösster Fehler der Bruch des Vertrages mit Russland war.» Der Nationalsozialismus habe auch innenpolitisch versagt, weil «die zur Zeit führende Schicht inbezug auf menschliche Eigenschaften so wertlos sei, dass selbst gute Ideen in ihrer Ausführung zum Schaden des Volkes verwertet werden. Die Übertreibungen auf dem Gebiet der Volkstumsfragen widersprechen den Naturgesetzen. Insbesondere bemerkte Stauffenberg, dass die Interessen der Massen nur dann tatsächlich vertreten werden können, wenn das Volk sich selbst regiert, was aber im nationalsozialistischen Staat keineswegs der Fall ist.» Nach Ausführungen über die militärischen Fehler Hitlers habe Stauffenberg das Gespräch mit den folgenden Worten beendet:

«Es muss ein Zustand herbeigeführt werden, der die Voraussetzung für schnellstmöglichen Abschluß eines Friedens darstellt. Das ist zu erreichen nur durch die Beseitigung der Person des Führers und Ersatz des derzeitigen Regierungssystems durch eine vorübergehende Militärdiktatur, die den Boden für einen demokratischen Staat zu bereiten hat.»

In Gesprächen mit General Olbricht und General Fellgiebel habe Kuhn festgestellt, dass «alle an der Umsturzorganisation Beteiligten» dieser Ansicht seien, zumal auch Generaloberst Beck.[3]

Kuhn erwähnt gegen Ende seines Berichts, er habe Herwarth «in die Organisation» der Umsturzvorbereitungen eingeweiht. Herwarth erinnerte sich daran; Kuhn habe ihn im August 1943 in Lötzen angerufen und gebeten, zu ihm – in die Organisationsabteilung in «Mauerwald» (bei Angerburg) – zu kommen, unter dem Vorwand von Besprechungen über Freiwilligenfragen. Kuhn fragte Herwarth im Auftrag Stauffenbergs, ob er sich an seine Gespräche von 1942 mit Stauffenberg erinnere und ob er noch meine, der Krieg sei verloren und dürfe auch nicht von Hitler gewonnen werden. Herwarth sagte, ja, durchaus, nach der Katastrophe von Stalingrad mehr denn je. Kuhn fragte nun, ausdrücklich auch im Auftrag Stauffenbergs, ob Herwarth bereit sei, an einem Umsturzversuch gegen Hitler mitzuarbeiten. Als Herwarth meinte, das sei eigentlich die Aufgabe der Generale, sagte Kuhn, Stauffenberg habe zuvor alle seine Hoffnung darauf gesetzt, dass die Feldmarschalle und Generale gegen Hitler vorgehen würden, aber erkennen müssen, dass dies nicht geschehen werde, deshalb müssten jüngere Offiziere handeln; ob Herwarth, der immer gesagt habe, man müsse Hitler umbringen, «bereit sei, seinen Worten Taten folgen zu lassen», ob er bereit sei, bei der Beseitigung Hitlers «mitzumachen». Das war die Frage, ob Herwarth bereit wäre, Attentäter zu werden. Kuhn sagte, Herwarth solle nicht gleich antworten, die Frage sei dazu zu schwerwiegend. Nach einigen Überlegungen, sechsunddreissig Stunden später, sagte Herwarth seine Teilnahme zu. Ob er sich zu einem Attentat bereit erklärt hatte, geht weder aus seinem noch aus Kuhns Bericht hervor.[4]

Kuhn hat für sich die Rolle des Attentäters nicht übernehmen wollen. Stieff hätte ihn zu einer Waffenvorführung bei Hitler mitnehmen können. Kuhn erklärte aber in seinem in der Gefangenschaft verfassten Bericht, terroristische Akte seien gegen seine Natur.[5]

Stauffenberg hatte inzwischen, nicht wie vorgesehen am 1. November, sondern, auf Drängen seines Vorgesetzten General Friedrich Olbricht, mit Wirkung vom 15. September und endgültig am 1. Oktober

1943 seine Stelle als Chef des Stabes im Allgemeinen Heeresamt angetreten. Das Amt hatte seine Dienststellen in der Bendlerstrasse in Berlin, im Gebäude des Oberkommandos des Heeres, und unterstand dem Chef der Heeresrüstung und Befehlshaber des Ersatzheeres Generaloberst Friedrich Fromm.[6]

Von Mitte August bis Anfang Oktober 1943 arbeiteten Tresckow und Stauffenberg den Plan zur Besetzung des Führerhauptquartiers «Wolfschanze» und der umliegenden Hauptquartiere Görings, Himmlers und Ribbentrops aus.[7] Das erste und grundlegende Dokument «Kalender. Massnahmen» setzte voraus, dass Hitler in seinem ostpreussischen Hauptquartier «Wolfschanze» sei. Das war von Ende Juni 1943 bis Ende Februar 1944 von kurzen Reisen abgesehen durchgehend der Fall. Der Plan sah vor, einen Vertrauten Tresckows im Oberkommando der Heeresgruppe Mitte, Major i. G. Hans-Ulrich von Oertzen, vierundzwanzig Stunden vor dem Attentat von der Heeresgruppe Mitte in das Hauptquartier des Oberkommandos des Heeres/Generalstab des Heeres in «Mauerwald» in Ostpreussen zu «bestellen». Später würde Tresckow auch ins Hauptquartier kommen. Alles war so vorbereitet, wie es die täglichen Wechselfälle der militärischen Dispositionen im Krieg erlaubten. Tresckow würde im Hauptquartier des OKH «Mauerwald» bei Angerburg in Ostpreussen die Massnahmen vom Attentat bis zur Besetzung des Führerhauptquartiers «Wolfschanze» bei Rastenburg und der umliegenden Hauptquartiere Görings «Robinson» im Forst von Rominten bei Goldap, von Himmlers Feldkommandostelle «Hochwald» bei Grossgarten und Ribbentrops Hauptquartier im Schloss des Grafen Lehndorff in Steinort leiten. Kuhn hatte die Aufgabe, diese Besetzungen zu planen und dazu den Wehrkreis I «zu bearbeiten», d. h. die Entsendung der erforderlichen Kräfte zur Verfügung der Verschwörer vierzig Minuten nach dem Attentat einzuleiten. Die Führung in Berlin fiel Stauffenberg zu. Tresckow sagte seiner Frau, er sei froh, dass jetzt jemand da sei, der in der Heimat «seine Dinge» in die Hand nehme und sie weitertreibe. Stauffenberg war Chef des Stabes beim Chef des Allgemeinen Heeresamts General Friedrich Olbricht, wo man die Umsturzpläne vorbereiten und einleiten, aber nicht unabhängig ausführen konnte, dazu brauchte man die Zustimmung des Befehlshabers des Ersatzheeres Generaloberst Friedrich Fromm. Allem Anschein nach hatte man jedoch gute Gründe, mit Fromms Unterstützung zu rechnen. Generalfeldmarschall Erwin von Witzleben würde als Oberbefehlshaber der Wehrmacht ins Hauptquartier gebracht und dort zwei Stunden nach dem Attentat eintreffen, wofür Kuhn auch Sorge zu tragen hatte. Fünfundzwanzig Minuten nach Hitlers Tod würde die 18. Artillerie-Division, auf deren Kommandeur Generalmajor Carl Philipp Thoholte und dessen 1. Generalstabsoffizier Oberstleutnant i. G. Günther von Kluge, den Sohn des Feldmarschalls, man vertraute, zum Hauptquartier beordert, ein Generalstabsoffizier und ein Nachrichtenoffizier würden mit der Verkündung von Hitlers Tod und einem Tagesbefehl an die Wehrmacht zum Sender Heilsberg entsandt. Kuhn hatte die Aufgabe, vierzig Minuten nach Hitlers Tod die Entsendung der geplanten Einheiten aus dem Wehrkreis I zu veranlassen, eine Stunde nach Hitlers Tod war ein Tagesbefehl als Fernschreiben an die Heeresgruppen, selbständigen Armeeoberkommandos, Militärbefehlshaber in den besetzten Gebieten und die Wehrmachtbefehlshaber zu versenden, die «Übernahme» der SS-Verbände durch die Kommandobehörden des Heeres wurde angeordnet, die Hauptquartiere Görings, Himmlers und Ribbentrops wurden «gesichert». Ein analoger «Zeitplan» mit fünf Anlage-Befehlen wurde auch für Berlin ausgearbeitet.

Tresckow stand seit 20. September auf einer Liste als Chef des Generalstabes der 2. Armee im Rang eines Generalmajors – er war dafür schon seit dem Sommer 1943 vorgesehen – , die er am 1. Dezember antrat. Am 10. Oktober wurde er der Führerreserve der Heeresgruppe Süd (Manstein) überstellt und mit der Führung des Grenadier-Regiments 442 der 168. Infanterie-Division in der 8. Armee beauftragt; die Qualifikation für die anstehende Beförderung erforderte ein solches Truppenkommando. Tresckow kam mit Stieff zum Oberkommando der 8. Armee, die General der Infanterie Otto Wöhler führte, der in der Heeresgruppe Mitte Chef des Generalstabes gewesen war, als Tresckow dort 1. Generalstabsoffizier war. Stieff kam, um Umgliederungen zu besprechen, nach Kirowograd. Chef des Generalstabes der 8. Armee war Generalmajor Dr. Hans Speidel. Stieff und Tresckow unterrichteten Wöhler und Speidel «über die Kerne der Widerstandsbewegung gegen Hitler und über missglückte Attentatsversuche». Wöhler, tief beeindruckt, sagte Tresckow auf dessen Bitte «im Notfall» ein Flugzeug zu. Der Massnahmen-Kalender war also noch in Kraft. Tresckow erreichte sein Regiment am 14. Oktober.[8] Am 20. November musste er sich beim

Armeeoberkommando in Kirowograd melden wegen «Weiterleitung zu neuer Verwendung», reiste über das Hauptquartier der Heeresgruppe Süd in Sossewka, zehn Kilometer nördlich Winniza, und von dort nach einem langen nächtlichen Gespräch mit dem Oberkommandierenden Generalfeldmarschall von Manstein über Lötzen zu seiner neuen Stelle bei der 2. Armee in Petrikow in der Pripjet-Gegend, wo er am 1. Dezember eintraf.

Kuhn berichtet, Stauffenberg habe ihm «in den ersten Oktobertagen 1943» in «Mauerwald» gesagt, seine Rolle werde sein, als Ia des General Stieff zu fungieren und «mobkalendermässige Vorbereitungen für das Hauptquartier zu treffen», sich um die Herbeiführung von Generalfeldmarschall von Witzleben zu kümmern und den Wehrkreis I «zu bearbeiten». Die Leitung der Massnahmen in und um Hitlers Hauptquartier hätte Tresckow.

Im Vergleich zu der vorgesehenen Aufteilung der Staatsstreichführung zwischen Hauptquartier (Tresckow) und Hauptstadt (Stauffenberg) war der schliesslich eingeschlagene Weg, bei dem Stauffenberg die Rolle des Attentäters in der «Wolfschanze» und des Staatsstreichführers in Berlin zugleich übernahm, eine Lösung ohne wirkliche Erfolgschancen und damit ein Opfergang.

In den Tagen um den 8. September war Stieff in Berlin. Am 9. September in seiner Wohnung in der Sybelstrasse berichtete ihm Tresckow von den Attentatversuchen vom März 1943. Für die Zeit um den 20. September rechneten die Verschwörer mit einer Gelegenheit zum Attentat auf Hitler, Stieff wollte dabei offenbar die Rolle des Attentäters übernehmen.[9] Am 1. Oktober fand im Hauptquartier in Ostpreussen eine Vorführung neuer Panzerabwehr- und Infanteriegeschütze vor Hitler statt. Diese Gelegenheit liess Stieff vorübergehen.

Kuhn berichtete: «Erstmalig sollte am 20. Oktober 1943 gehandelt werden. Hitler wohnte an diesem Tage einer Waffenvorführung bei. Jedoch eine am 17.10.1943 in Berlin durchgeführte Besprechung zwischen den Generalen Olbricht und Fellgiebel, sowie Stauffenberg, bei der ich anwesend war, ergab, die Vorbereitungen wären noch ungenügend.» Kuhns Datierung stimmte: Am 20. Oktober 1943 fand in Anwesenheit Hitlers eine Vorführung von Panzern und Fliegerabwehrkanonen auf dem Übungsplatz Arys statt. Zu den «ungenügenden Vorbereitungen» gehörte auch Stieffs Zurückhaltung. Er hatte, wie Stauffenberg

Kuhn sagte, die Ausführung des Attentats bei der nächsten Gelegenheit zugesagt, scheute jedoch zurück und suchte im September Oberst d. G. Joachim Meichssner für die Ausführung oder die Teilnahme an der Ausführung des Attentats zu gewinnen. Meichssner stimmte zu. Nach Stieffs Aussage gegenüber der Geheimen Staatspolizei hätte Meichssner das Ansinnen, sei es im September oder erst nach Stauffenbergs Besuch Anfang Oktober, ebenso wie Stieff selbst «rund heraus abgelehnt». Kuhn erklärte jedoch in seinem Bericht, Meichssner, der bis Dezember 1943 im Führerhauptquartier gewesen sei, habe die Rolle des Attentäters übernehmen wollen; und ferner: «Mehrere Male erklärte sich General Stieff zur Vorbereitung bereit. Ich selbst habe die Ausführung abgelehnt, obwohl ich von der Notwendigkeit voll überzeugt war und bin. Im Prinzip sind terroristische Akte gegen meine Natur.» Stieff hätte sich dieser Aussage Kuhns zufolge nur an der Vorbereitung beteiligen wollen. Aber Hauptmann Axel von dem Bussche hatte sich bereit erklärt, Hitler unter Aufopferung des eigenen Lebens zu töten. Stauffenberg schickte ihn wegen der «technischen» Dinge (Sprengstoff) zu Kuhn, Kuhn erwähnt ihn gleichwohl nicht.

Später erklärte Stauffenberg einem Freund das Ausbleiben des Attentats im Oktober 1943 «mit dem Nichthandeln derer, die im Oktober die Aktion im Hauptquartier übernommen hätten, und mit Fehlschlägen bei neuen Versuchen». Damit waren die Hemmungen des in der Hierarchie der Verschwörung höchstrangigen Generalquartiermeisters General Eduard Wagner gemeint, ebenso wie Olbrichts und Fellgiebels Zögern und die Ablehnung Stieffs, Meichssners und Kuhns, das Attentat auszuführen.[10]

Eine erwogene Gelegenheit, als Hitler am 20. November in der Jahrhunderthalle in Breslau eine Ansprache vor Offizieranwärtern hielt[11], wurde verworfen, weil, wie Kuhn berichtet, dabei noch andere zu Opfern geworden wären. Bei einer Lagebesprechung im Hauptquartier, schrieb Kuhn, würde man mit Hitler möglichst seine nächsten Mordgehilfen treffen, allerdings auch führende Militärs, die jedoch für die Kriegskatastrophe mit verantwortlich waren. In Breslau dagegen würden auch ganz unschuldige junge Offizieranwärter umkommen. Dagegen sträubte sich das Gefühl, es hätte aber auch den Umsturz politisch belastet und das vorgesehene Abwälzen der Urheberschaft des Anschlags auf «eine gewissenlose Clique frontfremder Parteiführer» erschwert.[12] Überdies meinte General Fellgiebel, er werde dort zu geringe Möglichkeiten für die Durchführung der nachrichtentechnischen Massnahmen haben.

Kuhn erinnerte sich weiter, er habe Stauffenberg bei einem Besuch «in den ersten Oktobertagen 1943» im Hauptquartier («Mauerwald») gesagt, die Erkenntnis, dass man handeln müsse, genüge nicht, man müsse auch handeln, und das könne «bei diesen Terrorzuständen» nur «das Heer, ergo der Generalstab, der dessen Führung ist». Das war zwar eher Stauffenbergs Diktion, aber nach Kuhns Erinnerung antwortete Stauffenberg:[13]

«Daraus, dass du von selbst fragst, entnehme ich, dass Du Dir [Schreibweise wechselnd, sic] auch über die Konsequenzen jetzt klar bist. Ich will Dir daher sagen, dass sobald wie irgend möglich, wenn es die Zeit und Vorbereitungen erlauben, noch in diesem Monat, der Führer sterben muss. Deine Rolle wird sein: als Ia des General Stieff zu fungieren, der die Ausführung des Attentats selbst übernommen hat, d. h. mobkalendermässige Vorbereitungen für das Hauptquartier zu treffen. Ferner, als mein ständiger Beauftragter hier im Hauptquartier vorwärtszutreiben. Ferner, während des Umsturzes sich des Feldmarschall v. Witzleben, des künftigen Oberbefehlshabers der Wehrmacht, anzunehmen.» Er sollte, während Stauffenberg den wichtigsten der Wehrkreise, den Wehrkreis III bearbeitete, den zweitwichtigsten, den Wehrkreis I (Ostpreussen) «bearbeiten». Kuhn berichtet merkwürdigerweise nicht über den Mechanismus der sogenannten «Walküre»-Befehle, mit denen das Ersatzheer für den Umsturz eingesetzt werden sollte. Die Bedeutung des Wehrkreises I sei übrigens am 20. Juli 1944 in Folge der Verlegung der Hauptquartiere Hitlers, Himmlers und Görings überholt gewesen.[14] Demnach wusste Kuhn nicht, dass die drei Genannten ihre Hauptquartiere Mitte Juli wieder nach Ostpreussen verlegt hatten. Kuhn berichtet weiter von seiner eigenen Funktion in der Umsturzorganisation: «Meine Aufgabe war, die Nachricht vom Erfolg des Attentats nach Berlin zu übermitteln und nach Eintreffen des Feldmarschall v. Witzleben sich [sic] diesem zur Verfügung zu stellen.» Im Dezember 1943 meldete er sich deshalb bei Witzleben in dessen Wohnung in der Nähe von Cottbus.[15]

Zwei oder drei Tage danach sprach Kuhn mit Stieff und der erzählte ihm von den Umsturzversuchen 1938 und 1939 durch einen Kreis um

Fritsch, Beck und Halder und von dem misslungenen Attentat im März 1943, bei dem der Zünder versagt hatte.[16]

Seinem Bericht zufolge hatte Kuhn «im Oktober oder November 1943» im Auftrag Stauffenbergs, offenbar im Rahmen seiner Aufgaben für die Sicherung des Wehrkreises I, ein zweistündiges Gespräch mit Generalfeldmarschall von Kluge und Major i. G. von Oertzen in Minsk. Das muss vor dem Autounfall Kluges am 28. Oktober gewesen sein.[17] Kuhn sollte mit Kluge die «Zuführung von Kräften nach Ostpreussen für den Umsturzfall vereinbaren», was Kluge angesichts der Frontlage ausschloss. Er hielt auch die Zeit kurz nach dem Sturz Mussolinis durch Marschall Badoglio für «nicht günstig». Im Gegensatz zu einer Rebellion der Heerführer könne allein die Beseitigung Hitlers «noch zur Zeit den ganzen Verlauf der Dinge vollständig ändern». Kluge erklärte sich bereit, falls Hitler im Hauptquartier seiner Heeresgruppe erscheine, ihn bei der Ankunft auf dem Flugplatz festnehmen zu lassen, dazu stehe ihm ein Kavallerie-Regiment unter Oberst Georg von Boeselager zur Verfügung, dessen Offiziere fast alle eingeweiht seien.[18] Dazu hätte Kluge allerdings im März Gelegenheit gehabt.

Am 17. November hatte Kuhn seinem Bericht zufolge in Berlin ein Gespräch mit Olbricht und Stauffenberg, in dem Stauffenberg ihm sagte, er trage Beck wöchentlich über alle Vorbereitungen vor, und Becks «Grundauffassungen decken sich vollständig mit den unseren».[19] Anfang Dezember fuhr Kuhn mit Fellgiebel im Zug vom Hauptquartier nach Berlin, und Kuhn fragte ihn, an welche Mächte man nach gelungenem Umsturz Anschluss suchen solle.[20] Fellgiebel sagte, eine vorherige Festlegung sei unmöglich, man müsse sehen, wer dann die Hand ausstrecke, aber: «Suchen müssen wir eine schnellstmögliche Verständigung mit der UdSSR, da diese allein ein Interesse an einer Erhaltung und Zusammenarbeit mit einem lebensfähigen Deutschland habe [sic]. Den Anglo-Amerikanern wird der Kontinent immer ein lästiger Konkurrent bleiben.» In Berlin kamen Kuhn und Fellgiebel mit Olbricht und Stauffenberg zusammen, die derselben Auffassung waren wie Fellgiebel, aber meinten, «dass inbezug auf eine verständnisvolle Haltung Russlands nach dem Umsturz keine Unterlagen vorliegen». Stauffenberg sagte ausserdem, auch über die Ziele des Nationalkomitees ‹Freies Deutschland› liegen noch keine bestätigten Unterlagen vor. «Wir alle waren der Meinung, dass eine vorhergehende Bindung mit einer Feindmacht innenpolitisch gefährlich sei. Der Badoglio-Staatsstreich hat in Deutschland einen schlechten Klang, den des Verrats, da vor dem Umsturz mit den Feinden konspiriert wurde. Auf keinen Fall darf uns daher etwas belasten, was den Schlag im Volke unpopulär machen kann. Stauffenberg bemerkte, dass das die Möglichkeit nicht ausschliesse, nach aussen Fühler auszustrecken, wozu man Verbindungen brauche. Noch sehe er aber nicht Verbindungen zu Russland, wohin die Notwendigkeiten der Orientierung dringend weisen.»[21] Stauffenbergs Ablehnung von Kontakten mit Kriegsgefangenen in der Sowjetunion, die mit dem Feind zusammenarbeiteten, war allerdings viel schärfer als Kuhn sie hier andeutet.[22]

Kuhn schrieb: «Zum 22. Dezember war ein gewisser Abschluss erreicht. Es fehlte die Gelegenheit zur Durchführung des Attentats selbst. Eine Bekleidungsvorführung sollte diese Gelegenheit bieten.» Die Vorführung sei aber immer wieder verschoben worden, einmal habe es geheissen, Hitler lehne Einheitsbekleidung ab, ein anderes Mal sei Rüstungsminister Speer, der unbedingt dabei sein wollte, krank gewesen. «Das waren die Vorbereitungen zum Umsturzversuch, soweit ich als Mitglied der Verschwörungsorganisation im Bilde bin.»[23]

Bei der Beschaffung des Sprengstoffs für das Attentat spielte Kuhn eine bedeutende Rolle, aber davon berichtet er nur wenig. Zunächst stand Sprengstoff aus erbeuteten Beständen zur Verfügung. Die englische Special Operations Executive veranlasste den Abwurf von Sprengstoffen und Zündern für die Untergrundbewegungen in Frankreich, Belgien und Holland, wovon ein beträchtlicher Teil von deutschen Militär- und Polizeikräften abgefangen wurde. Das Material wurde dann an eigene «Abwehr»- bzw. Sabotageorganisationen im Feld weitergeleitet.[24]

SPRENGSTOFFBESCHAFFUNG

Kuhn berichtet in seiner Niederschrift eher beiläufig: «Ein Ereignis wäre noch der Erwähnung wert, denn es hatte um ein Haar der ganzen Organisation das Leben gekostet. Immer wieder wies ich General Stieff darauf hin, dass das Aufbewahren der Munition [sic] in seinem Zimmer denkbar gefährlich wäre. Die Munition [sic] müsse anderwärts verborgen werden. Schließlich gab er mir hierzu Sprengstoff und Zünder. Es waren mehrere kg. eines angeblich sehr wirksamen Sprengstoffs und mehrere Flüssigkeitszünder von 6–30 Minuten Brenndauer. Nachdem alles in Papier und Dachpape [sic] gehüllt war, vergrub ich es zusammen mit dem Referenten der Org.Abt. Oberleutnant v. Hagen, einem besonders zuverlässigen Verschwörer innerhalb des Hauptquartiers. Tags darauf überprüften wir noch einmal die Tarnung und fanden sie in Ordnung. Als ich nach kurzer Reise zurückkehrte, rief mich General Fellgiebel zu sich und fragte, ob es mir bekannt sei, dass die GFP [Geheime Feldpolizei] im Lager vergrabenes [sic] Sprengstoff gefunden hat. Nie im Leben erschreckte [sic] ich derartig. Ich sah zwei Möglichkeiten in dieser Lage. Entweder den Sprengstoff als Versuchssprengstoff der Org.Abt. zu erklären, oder, was allerdings gefährlicher war, zu versuchen durch persönlichen Einsatz eine Untersuchung aufzuhalten. Ich entschloss mich zu Letzterem, denn in höchster Not fiel mir ein, dass Major Schrader, Bearbeiter für Abwehr III in seiner Grundeinstellung auf unserer Seite war. Aus dem Gespräch mit Major Schrader ergab sich, dass nachdem wir den Sprengstoff vergraben hatten, ein GFP-Beamter zufällig den Ort überprüfte und den Sprengstoff fand. Er hat sofort Hunde angesetzt, was jedoch keinen Erfolg zeigte. Major Schrader war bereit uns zu helfen und seine Massnahmen verhinderten die Aufdeckung der Verschwörung und vor allem die Weitergabe der Meldung an den SD [Sicherheitsdienst der SS]. So blieben wir verschont.»[1] Später berichtete Kuhn einem Mitgefangenen, er sei Tresckows Gehilfe gewesen bei Erprobungen verschiedener Sprengmittel.

Kuhns Bericht ist unvollständig. Die von der Geheimen Staatspolizei

Verhörten versuchten, möglichst wenig zu sagen, um Kameraden zu schützen und ihre eigene Rolle als möglichst geringfügig erscheinen zu lassen. Zwei Beteiligte, Rittmeister d. R. Hans Herwarth von Bittenfeld und Major Axel von dem Bussche, entgingen der Geheimen Staatspolizei und berichteten erst lange nach den Ereignissen. Herwarths Bericht ist in manchen Punkten vage, Bussches Bericht ist in den Einzelheiten präziser.[2] So ergibt sich folgendes Bild.

Am 15. November 1943 unterschrieb Hauptmann Richard Freiherr von Weizsäcker als Adjutant des Infanterie-Regiments Nr. 9, das zur 23. Infanterie-Division an der Ostfront gehörte, für Hauptmann von dem Bussche einen Erholungsurlaub «nach Thale (Harz) [und] Potsdam». Weizsäcker trug für die Zeit des Urlaubs keine Daten ein, was sonst Vorschrift war. Weizsäcker war der jüngste Sohn des Staatssekretärs im Auswärtigen Amt Ernst Freiherr von Weizsäcker, der 1938 und 1939 versucht hatte, den Krieg zu verhindern. Ein älterer Bruder war als Leutnant im Potsdamer Infanterie-Regiment 9 am 2. September 1939 gefallen. Weizsäcker wusste, wozu Bussche den Urlaub brauchte. Bussche, an der Front bei drei verschiedenen Einsätzen durch die Brust geschossen, Ritterkreuzträger, war am 5. Oktober 1942 bei Dubno Zeuge einer Massenerschiessung von Juden durch SS und ukrainische Miliz geworden. Damals hatte er erkannt, «hier passiert etwas, das ist <u>das</u> Ereignis des Jahrhunderts, Massenmord, organisierter Massenmord auf Befehl des Staatschefs».[3] Er suchte einen Weg, das zu beenden.

So fuhr Bussche im November in Urlaub und besuchte in Ponarien in Ostpreussen Konrad Graf von der Groeben, der mit einer Gräfin Lehndorff verheiratet war; Bussche wollte Heinrich Graf von Lehndorff in Steinort sprechen. Lehndorff wohnte in der Nähe des Führerhauptquartiers und des Hauptquartiers des Generalstabes des Heeres, und Ribbentrop wohnte in Lehndorffs Schloss, wenn Hitler in seinem Hauptquartier in Ostpreussen war. Bei seinem Gespräch mit Graf Lehndorff erwähnte Bussche die Notwendigkeit, Hitler zu beseitigen. Lehndorff sagte wenig, er kannte Bussche kaum. Er fuhr für zwei Tage nach Berlin, während Bussche in Steinort blieb. Als er zurückkam, sagte er Bussche, man habe ihn für vertrauenswürdig erklärt und legte ihm nahe, Schulenburg, der ein Regimentskamerad Bussches war, in Berlin aufzusuchen. Bussche tat es und wiederholte seine Überzeugung, dass Hitler zu beseitigen sei. Schulenburg brachte ihn darauf mit Stauffenberg zusammen, und Bussche stellte sich als Selbstmordattentäter zur Verfügung, der Anlass sollte eine Vorführung neuer Uniformen vor Hitler sein. Stauffenberg sagte Bussche, er solle sich bei Stieff wegen des Zugangs zu Hitler melden und bei Kuhn wegen der technischen Fragen.[4]

Stauffenberg gab Bussche die im Anhang abgedruckten für den Tag des Umsturzes entworfenen Dokumente mit, die er zu Stieff nach «Mauerwald» bringen sollte. Es waren die Entwürfe, die Tresckows Frau Erika, Margarethe von Oven und Ehrengard Gräfin von der Schulenburg auf der Maschine geschrieben hatten. Bussche fuhr mit einem von Stauffenberg unterzeichneten Dienstreisebefehl zum Oberkommando des Heeres in «Mauerwald» (Ostpreussen). Unterwegs las er den ersten Aufruf, der begann mit den Worten: «Der Führer Adolf Hitler ist tot. Eine verräterische Clique von SS- und Parteiführern hat es unter Ausnützung des Ernstes der Lage unternommen, der schwerringenden Ostfront in den Rücken zu fallen und die Macht zu eigennützigen Zwecken an sich zu reissen.» In allen Umsturzplänen seit 1938 hielt man die Fiktion, man verteidige das Regime gegen seine inneren Feinde, für ein unumgängliches Zugeständnis an die Popularität Hitlers. Aber Bussche war entsetzt über das seiner Meinung nach unkluge Eingeständnis einer fundamentalen politischen Schwäche durch die Lüge, eine Clique von SS- und Parteiführern habe den Führer gestürzt.[5] Bussche sollte das Opfer des Selbstmordattentäters bringen, während die Führer des Unternehmens nur halb an den Erfolg des Aufstands glaubten. Bussche, der im Vertrauen auf die Entschlossenheit der Mitverschwörer sein Leben zu opfern im Begriff war, war erzürnt über dieses unaufrichtige Vorgehen. Er wohnte in der Gästebaracke des Oberkommandos des Heeres, da aber der Attentattermin noch nicht feststand, fuhr er wieder nach Berlin.[6]

Stieff verfügte über Sprengstoff, «eine Originalpackung englisches Hexogen und alles erforderliche Zubehör», Tresckow hatte ihn beschafft, in Berlin Stauffenberg übergeben, und dieser hatte ihn Ende Oktober nach «Mauerwald» zu Stieff gebracht.[7]

Am 20. November fuhr Stieff auf Urlaub zu seiner Frau nach Thalgau bei Salzburg. Der Geheimen Staatspolizei gegenüber sagte er später aus, er habe Kuhn beauftragt, das Sprengmaterial zu Stauffenberg zu bringen. Auch nach Herwarths Bericht kam der Sprengstoff auf diesem Weg zu Stauffenberg. Doch Kuhn berichtete später, er habe Stieff gedrängt, den Sprengstoff sicher aufzubewahren, worauf er ihn am 28. November vergraben habe.[8]

Vom 22. auf 23. November erlebte Bussche in Berlin einen der grossen Luftangriffe und fuhr am nächsten Tag zu seiner Mutter, die Dänin war, nach Dänemark, wo er nie mehr als drei Tage blieb, um sie nicht in den Augen der Bevölkerung zu kompromittieren. Dann reiste er wieder nach «Mauerwald», wo er am 27. oder 28. November ankam.

Die Berichte über Beschaffung, Aufbewahrung, Versteck, Entdeckung, teilweise Rückgabe und weitere Aufbewahrung des Sprengstoffs stimmen in den wesentlichen Einzelheiten überein, sind jedoch chronologisch nicht in Einklang zu bringen, teils weil die Berichtenden der Geheimen Staatspolizei gegenüber vieles zu verschleiern suchten, teils wegen ungenauer Erinnerung, teils weil keiner der Berichtenden alle Vorgänge kannte. Unzweifelhaft ist, dass Kuhn über Sprengstoff verfügte, ihn Bussche anbot und dieser ihn wegen der zu komplizierten Handhabung ablehnte und anderen verlangte.[9]

Herwarth berichtet ähnlich, ein «von Oberst von Tresckow und Stauffenberg beschaffter Sprengstoff befand sich bei Generalmajor Helmuth Stieff». Es war ein englisches Fabrikat. «Stieff bewahrte den Sprengstoff unter seinem Bett auf.» Als Stieff im Oktober auf Urlaub gegangen sei (tatsächlich am 20. November), musste der Sprengstoff anderweitig untergebracht werden, damit er nicht während Stieffs Abwesenheit zufällig entdeckt würde. Der Sprengstoff lagerte nun eine Zeitlang unter Herwarths Bett, die Zündmittel unter dem von Köstring. Herwarth berichtet nicht, ob er den Sprengstoff von Stieff oder von Kuhn übernommen habe. Das zweite ist wahrscheinlicher angesichts der wachsenden Vertrautheit Kuhns mit der Verschwörung.

In den der Geheimen Staatspolizei und vor dem Volksgerichtshof gemachten Angaben sowie in Kuhns Bericht wird das Zwischenlager unter den Betten von Herwarth und Köstring nicht erwähnt; davon müssen Klamroth und Stieff nichts gewusst haben, oder sie verschwiegen es, wie vermutlich Hagen, da die Geheime Staatspolizei sie ohne Aussagen von Herwarth und Kuhn nicht damit konfrontieren konnte. Die Feststellungen der Geheimen Staatspolizei stützen sich auch auf die Geheime Feldpolizei-Gruppe 631, deren Streife Kuhn und Hagen beim Verstecken des Sprengstoffs beobachtete, ohne ihrer habhaft werden zu können. Demnach vergruben Kuhn und Hagen den Sprengstoff am 28. November; es war also genug Zeit für das Zwischenlager bei Herwarth und Köstring.[10]

Kuhn berichtet ohne Zeitangabe vom Vergraben des Sprengstoffs; Herwarth berichtet vage, im Herbst und Winter 1943 seien die Sprengmaterialien «noch mehrmals verlagert» worden, bis «schliesslich» beschlossen wurde, «den Sprengstoff aus den Unterkünften in ein sicheres Versteck zu bringen».[11]

Unweit der Baracke der Organisationsabteilung im Lager «Mauerwald» schoben Kuhn und sein Mitarbeiter Oberleutnant d. R. Albrecht von Hagen den Sprengstoff unter einen hölzernen Wachtturm; in ähnlicher Weise versteckten oder vergruben sie dort «besonders geheime Befehle für den Tag des Umsturzes». Sie wurden von einer Streife der Geheimen Feldpolizei beobachtet, konnten unerkannt entkommen, aber das Sprengstoff-Material (nicht die Befehle) wurde «entdeckt und sichergestellt», die Geheime Feldpolizei-Gruppe 631 gab es mit einem Bericht an die Heereswesen-Abteilung Gruppe Abwehr beim General z. b. V. beim OKH weiter. Die Streife hatte – anscheinend sofort – Hunde auf die Spur gesetzt, die sie jedoch zum Generalquartiermeister des Heeres General Wagner und dessen Privatklo mit Blick auf den Mauersee führten; der General warf sie hinaus.[12]

Der Chef der Heereswesen-Abteilung, Oberst i. G. Albert Radke, und sein Leiter der Gruppe Abwehr, Major Werner Schrader, vertuschten die Sache. Bussche berichtet, was ihm Kuhn erzählt hat: Oberst d. G. Georg Hansen, Chef der Abteilung OKW/Amt Ausland/Abwehr, bat Kuhn zu sich und sagte ihm, die zwei Pakete Sprengstoff «seien via Hund und Streife dienstlich zu ihm gelangt», eines müsse er für den SD behalten, das andere gab er Kuhn zurück mit Bemerkungen über den Kreislauf der Dinge.[13]

Die Sache war aber doch etwas dramatischer. Herwarth berichtet, Kuhn habe ihn in Lötzen in der Dienststelle von General Köstring angerufen und gebeten, nach «Mauerwald» zu kommen. Er sei sichtlich erregt gewesen, mit Herwarth ins Freie gegangen und habe ihm gesagt, die Geheime Feldpolizei habe ihn und Hagen bemerkt und den Sprengstoff gefunden. Kuhn wusste nicht, ob auch die Papiere entdeckt worden waren. «Kuhn handelte mit bemerkenswerter Gelassenheit, da jede vergeudete Minute zur Entdeckung der ganzen Verschwörung führen konnte.» Entsprechend einer vorsorglichen Anweisung Stauffenbergs verständigte Kuhn sofort Major Schrader in der Heereswesen-Abteilung, dem die Feldpolizei unterstand und der schon von dem Fund wusste. Als er hörte, dass der Sprengstoff von den Verschwörern versteckt worden war, ging er zum Chef des Generalstabes des Heeres, General Kurt Zeitzler, berichtete diesem von dem Fund mit der Erklärung, offenbar habe der englische Geheimdienst ein Attentat gegen Zeitzler geplant, liess Zeitzler das englische Fabrikat zeigen und überzeugte ihn, dass man besser eine militärische Stelle mit der Untersuchung befasse als die Geheime Staatspolizei. Schrader wurde damit beauftragt und liess die Sache im Sande verlaufen.[14]

Vermutlich am 27. November kam Bussche nach «Mauerwald». Kuhn bot ihm den von Tresckow besorgten englischen Sprengstoff mit Säurezündern an – denselben englischen Sprengstoff, den er und Hagen versteckt hatten, der entdeckt worden und durch Oberst d. G. Hansen wieder in Kuhns Besitz gelangt war. Die Säurezünder für zehn bis dreissig Minuten Zündverzögerung waren zwar geräuschlos, aber zeitlich ungenau, der Benutzer konnte den Sprengstoff nicht zu dem ihm richtig erscheinenden Zeitpunkt zur Explosion bringen. Die Zündverzögerung eines Zehnminutenzünders variierte zwischen etwa viereinhalb und dreizehn Minuten, je nach Temperatur, Säurekonzentration, Legierung des Spanndrahtes, Dichte der den Draht umgebenden Baumwolle, die die Säure aus einer zu zerbrechenden Ampulle mit dem Draht bis zu dessen Abreissen in Berührung halten sollte. Die Zehnminutenzünder waren wegen der möglicherweise kurzen Verzögerung überhaupt nur für Übungen bestimmt. Bussche musste Kontrolle über den Ablauf haben und bat Kuhn um deutschen Sprengstoff und Zünder mit der Verzögerung der viereinhalb Sekunden eines Handgranatenzünders, Dinge, mit denen er vertraut war: «Mein persönliches Problem war, dass ich mit dem englischen Gerät, was dann ja auch letztlich benutzt worden ist, nicht gern umgehen wollte: es war mir unbekannt.» Doch nicht nur das: er hatte auch Bedenken, dass das Material feucht und dadurch unbrauchbar geworden sein könnte. Kuhn versprach, Material mit anderen Eigenschaften zu beschaffen.[15]

Etwa zur selben Zeit – im November – war Kuhns alter Freund aus der Ulmer Pionier-Dienstzeit, Major Gerhard Knaak, einige Stunden in «Mauerwald». Knaak sagte bei der Vernehmung durch die Geheime Staatspolizei aus, Kuhn habe mit ihm von der Kriegslage gesprochen und erklärt, man müsse einen Ausgleich mit den Westmächten suchen, um aus dem Krieg «einigermassen gut davonzukommen» und den Führer beseitigen, um einen Verhandlungsfrieden zu erreichen; Stieff sei derselben Meinung. Da Knaak offenbar Kuhns Äusserungen nicht widersprach, bat Kuhn ihn, für einen Anschlag Sprengstoff zu beschaffen.

Knaak fuhr zurück an die Front und blieb eine Nacht im Hauptquartier der Heeresgruppe Mitte. Im Dezember 1943 wurde Knaak der Besuch Hagens angekündigt. Knaak, Kommandeur des Pionier-Bataillons 630, das östlich von Orscha lag, liess Hagen mit dem Auto abholen und übergab ihm Sprengmaterial. Nach Knaaks Aussage handelte es sich um Sprengbüchsen, die für ein Attentat nicht geeignet waren: damit habe Knaak sich beruhigt. Es war wohl ein letzter Versuch, die eigene Verantwortung herunterzuspielen. Die von Bussche gewünschte Handgranate konnte Knaak Hagen nicht geben, im Pionierdepot gab es keine Handgranaten.[16]

Kuhn zeigte Initiative und Energie bei der neuen Sprengstoffbeschaffung. Er liess im Auftrag seines unmittelbaren Vorgesetzten, Oberstleutnant i. G. Klamroth durch Stieff für Oberleutnant d. R. von Hagen eine Dienstreise zur Heeresgruppe Mitte in Minsk bzw. zum Armee-Oberkommando IV genehmigen. Hagen sagte vor dem Volksgerichtshof: «Der ganze Auftrag war ja an mich und Kuhn ergangen, und zwar von Klamroth.» Und Knaak sagte aus: «Hagen brachte neuen Sprengstoff von einem Heeres-Pionier-Bataillon.» Bussche erinnerte sich später: Hagen «flog in einen Pionierpark in Smolensk und besorgte mir die deutsche Standard-1 kg-Sprengstoffladung für Brückensprengungen», eine gelbe Masse in einer zellophanartigen Hülle, die den vermuteten Röntgendetektoren in der Umgebung Hitlers entgehen würde, dazu Zündschnüre, mit denen Bussche freilich nichs anfangen konnte. Er fuhr zum Ersatzbataillon seines Regiments nach Potsdam und besorgte sich durch den Adjutanten, Leutnant Helmut von Gottberg, eine Handgranate ohne Sprengstoff und verband den Zünder mit seinem Sprengstoff. Das viereinhalb Sekunden währende Zischen des Zünders wollte er mit einem Hustenanfall überdecken.[17]

Natürlich war das alles nicht so einfach. Wofür brauchte ein Adjutant eines in Garnison liegenden Ersatzbataillons eine einzelne Handgranate? Und was wollte Bussche damit?

Hagen kam einen Tag später zurück und meldete Kuhn, er habe den Sprengstoff mitgebracht. «Warten Sie zunächst ab», habe Kuhn gesagt. «Sie werden Befehl bekommen, was damit zu geschehen hat.» Dann sei Kuhn in den Weihnachturlaub gefahren oder jedenfalls abgereist. Anscheinend wurde Hagen der Besitz des Sprengstoffs ungemütlich, und er fragte Generalmajor Stieff, was damit geschehen solle. Stieff: «Geben Sie ihn mir her!» Dann hatte Hagen erst wieder im Mai 1944 mit dem Sprengstoff zu tun, als Klamroth und er ihn auf Weisung Stieffs zu Stauffenberg nach Berlin zu bringen hatten.[18]

Bussche fuhr wieder nach «Mauerwald» und meldete sich bei Stieff, wohnte in der Gästebaracke, wurde am zweiten Tag nervös, ging auf den Wiesen spazieren, traf sich mit Kameraden, blieb noch einen Tag, dann sagte ihm Stieff, sichtlich erleichtert, die Uniformen für die Vorführung seien zerstört. Darauf machte Bussche Stieff eine Szene und sagte ihm, Herr Oberst, wenn man dann den Termin absehen kann, dann kann ja die Uniform auch ohne mich vorgeführt werden; da Stieff den Termin im voraus wissen werde, könne er die Mitverschworenen verständigen und es selbst machen. Stieff wurde nervös und unangenehm. Bussche konnte seinen «Urlaub» nicht länger ausdehnen und musste als Bataillons-Kommandeur wieder an die Newa-Front. Am 31. Januar 1944 wurde ihm das linke Bein weggeschossen.[19]

Stieff sagte der Geheimen Staatspolizei und dem Volksgerichtshof nichts von seinem Sprengstoffbesitz vor dem Vergraben des Materials, sondern sprach *nur* von der Beschaffung – nicht Wiederbeschaffung, da er auch die früheren Vorgänge nicht erwähnte. Arglos habe er für diese Beschaffung Hagen eine Dienstreise genehmigt: «Nach zwei Tagen meldete sich der Oberleutnant von Hagen bei mir und überbrachte mir in einer Aktentasche diese Granatzünder, Zündschnüre, ein[e] Schachtel Sprengkapseln und zwei Einheitssprengkörper, die er auf Geheiss von Major Kuhn beim Heerespionierbataillon beim AOK geholt hatte. Kuhn war an diesem Tage nicht an einer Stelle, die ich nicht nennen will, anwesend, sondern in Königsberg beim Wehrkreiskommando I. Kuhn gab mir am nächsten Tage die Erklärung ab, dass er dieses Material in der Stauffenbergschen Angelegenheit besorgt hätte. Ich füge hinzu, dass Kuhn ein angeheirateter Vetter des Grafen Stauffenberg ist. Er bat mich, diese Gegenstände bei mir aufzubewahren. Ich habe die Zündmittel in einem Schreibtisch meiner Wohnung, die Sprengkörper bis zum März in einem Schreibtisch meines Büros, später nach meiner Übersiedlung nach Berchtesgaden in einer unverschlossenen Hutschachtel in meiner Wohnung aufbewahrt. Über die Aufbewahrung dieser Gegenstände habe ich den Oberstleutnant Klamroth unterrichtet, der auch mit im Komplott war. Nach meiner Schätzung im Mai d.Js. habe ich von Berchtesgaden aus Klamroth angerufen und ihn gebeten, diese Sachen fortzuschaffen.» Auf Fragen des Volksgerichtshofpräsidenten Roland Freisler: «Nach Berlin.» «Zu Stauffenberg. Was dann daraus geworden ist, weiss ich nicht.»[20]

OSTFRONT

Vom 8. März bis 5. April 1944 war Kuhn wegen recidivierender Cysto-
pyelitis im Reserve-Kurlazarett Bad Wildungen in Behandlung.[1]

Seit Dezember 1943 war er nicht mehr an der aktiven Vorbereitung
des Umsturzes beteiligt, er konnte nur bereit stehen. Kuhn berichtet, er
habe sich oft mit General Köstring und dessen Freund Herwarth getroffen. Eine bestimmte Funktion dieser Treffen im Rahmen der Umsturzvorbereitungen erwähnt er nicht. Aber er blieb in Verbindung mit Tresk-
kow und Stauffenberg. Tresckow erzählte ihm von seinem langen Gespräch mit Generalfeldmarschall von Manstein an dessen Bett am
25. November 1943. Im Mai 1944 hatte Kuhn ein längeres Gespräch
mit Stauffenberg. Er datiert sein letztes Gespräch mit Stauffenberg auf
den 3. Juni, wird aber wohl eines vom 18. Juni gemeint haben.[2]

Im Juni war Kuhn bei seinen Eltern in Bad Homburg v. d. H., seine
Versetzung zur Truppe stand bevor. Am 16. Juni, als er gegen Nachmittag mit seinen Eltern von der Jagd kam, erhielt er telephonisch Befehl,
die Stelle des 1. Generalstabsoffiziers (Ia) der 28. Jäger-Division zu übernehmen. Er solle am 17. abends den aus Paris kommenden Schlafwa-
genzug nehmen, in Berlin werde er mit dem Auto abgeholt.

Am Abend des 16. Juni sass er mit seinen Eltern zusammen, sie sprachen von Marie Gabriele, von Stauffenberg, von Joachims Kindheit, von
seinem Vater. Die Mutter schrieb in einem Brief vier Jahre danach: «Er
war so gern in Gedanken bei seiner Kindheit streifte so gern seine ganz
schweren Sorgen um uns und Vaterland ab, wenn sie auch immer durch-
brachen, so war er den Abend nur Kind, das einmal gern Mann und
Soldatsein ablegt, sich nur daran klammert, die Mutter wird mir helfen.
So klang auch dieser Abend aus mit der Bitte: ‹Bete, ach bete, ich möchte
so gern zu denen gehören, die übrig bleiben.›» Am 18. kam er in Berlin
an und fuhr zu Stauffenberg. Abends fuhr er mit dem Kurierzug weiter
nach Angerburg. Am 22. Juni meldete er sich beim Kommandeur seiner
Division, Generalleutnant Gustav Heisterman von Ziehlberg.[3]

Die 28. Jäger-Division gehörte zu den besten, kampferprobten Divisionen des Heeres, sie war Anfang 1944 wochenlang bei Leningrad in schweren Kämpfen eingesetzt. Kuhns Vorgänger war der altbewährte Oberstleutnant i. G. Christian Schaeder; Kuhn war jünger und kam aus dem Oberkommando des Heeres.[4] Kuhns Kommandierung zu dieser Division war also ehrenvoll und stellte hohe Anforderungen an sein Können, er würde fronterfahrene Offiziere und Soldaten zu führen haben und ihr Vertrauen erwerben müssen.

Auch der Kommandeur – Generalleutnant von Ziehlberg – war ein erfahrener Soldat. Er hatte im Ersten Weltkrieg in Truppenkommandos gedient, danach in den Grenzkämpfen im Osten, später im Reichswehrministerium, seit 1936 als Gruppenleiter I und von Dezember 1939 bis November 1942 als Chef der Zentralabteilung im Generalstab des Heeres. Seit Oktober 1936 wohnte Ziehlberg mit seiner Familie in der Goethestr. 7 in Berlin-Lichterfelde, neben General Beck, mit dem ihn auch seine Arbeit im Generalstab sowie gemeinsame Spaziergänge und Ansichten verbanden. Als Generalmajor Rudolf Schmundt, der Wehrmachtadjutant Hitlers, ab 1. Oktober 1942 Chef des Heerespersonalamts wurde, konnte Ziehlberg die neuen Kriterien für die Ausbildung und Qualifikation der Offiziere nicht mittragen: die fachlichen, ethischen und sozialen Kriterien waren von den politischen weitgehend verdrängt worden. Ziehlberg war dafür bekannt, «ein offen bekennender Gegner Hitlers», ja «ein wütender Gegner Hitlers» zu sein. Er übernahm nun ein Truppenkommando, zuerst als Kommandeur des Infanterie-Regiments 48 im Kessel von Demjansk und vom Mai bis zu seiner Verwundung im November 1943 als Kommandeur der 65. Infanterie-Division in Italien.[5]

Im November 1943 kämpfte die Division in der «Sangro-Schlacht» zwischen Ortona und dem Castel di Sangro östlich Rom in der Nähe der Adriaküste gegen eine englische Offensive. Die Engländer griffen mit Artillerie-, Panzer- und Bomberunterstützung mit drei Divisionen an. Am 27. November eroberte die 8. Indische Division einen Höhenausläufer einen Kilometer östlich der deutschen Stellungen in Mozzagrogna, die 2. Neuseeländische Division begann, den Sangro zu überschreiten. Am 28. November kurz nach Mitternacht nahm die 17. Indische Brigade Mozzagrogna ein, ein Gegenangriff misslang zunächst, erst am Nachmittag konnte ein Bataillon der 26. Panzer-Division die Inder aus Mozzagrogna werfen. Am Nachmittag geriet Ziehlberg, der immer weit vorn führte, auf einer Frontfahrt in einen Bombenteppich und verlor den linken Arm. Sein Adjutant hatte eine Hand verloren, ein Soldat einen Fuss, als Hilfe kam, bestand Ziehlberg darauf, dass er zuletzt, nach den anderen, verbunden wurde. Sein Bruder, Abwehroffizier Major Georg Heisterman von Ziehlberg beim Oberbefehlshaber Südwest, besuchte ihn am 4. Dezember im Lazarett in Aquila. Er schrieb später einen Teil der Familiengeschichte der Ziehlberg und hielt fest: «Er [Gustav] fand sehr harte Worte über Hitler und Göring, die das Deutsche Volk ins Verderben führten, aber wir sässen alle in demselben Boot und müssten durchhalten. Gustav war schon vor Kriegsausbruch sehr kritisch und negativ gegen das Nazi-System eingestellt, er hatte Einblick in viele üble Dinge, die der Masse vorenthalten wurden. Als ich mich verabschiedete, meinte er, es könne zum Aufstand gegen Hitler und Genossen kommen, er hoffe dann nur, dass wir alle dann auf der rechten Seite ständen.»[6]

Nach seiner Genesung musste er sich seit April 1944 als Kommandeur der 28. Jäger-Division mit dem ihm bisher fremden Kriegsschauplatz im Osten vertraut machen. Die Division gehörte zur 2. Armee, deren Generalstabschef Generalmajor von Tresckow war, die 2. Armee gehörte zum LV. Armee-Korps der Heeresgruppe Mitte.[7]

Als Kuhn sich bei Ziehlberg meldete und der Kommandeur nach seinen persönlichen Verhältnissen fragte, sagte er, er sei mit einer Cousine Stauffenbergs verlobt gewesen, die Verlobung sei aus religiösen Gründen im gegenseitigen Einvernehmen gelöst worden, er sei aber auch jetzt noch mit Stauffenberg befreundet.[8]

Am 22. Juni begann die sowjetische Offensive gegen die Heeresgruppe Mitte. In ihrem südlichen Teil lag das LV. Armee-Korps. In den ersten vier Tagen brachen sowjetische Truppen an mehreren Stellen durch und drängten die deutsche Front im Norden und Süden so zurück, dass der Mittelabschnitt um Orscha und Mogilew von der Einkesselung bedroht war. Am 29. Juni kündigte Generaloberst Zeitzler dem Oberbefehlshaber der Heeresgruppe Mitte, Generalfeldmarschall Walter Model, die Zuführung zweier Infanterie-Divisionen der Heeresgruppe Nord nach Minsk sowie der 28. Jäger-Division und der 7. Panzer-Division von der Heeresgruppe Nordukraine nach Baranowitschi an; die 28. Jäger-Division sollte der 9. Armee eingegliedert werden, wurde aber am 30. Juni der 2. Armee unterstellt. Am 3. Juli wurde sie

von links: Generalleutnant Hermann von Recknagel (Kommandierender General XXXXII. Armee-Korps), Oberst Oskar Roosen (Kommandeur, Artillerie-Regiment 28), Major Kurt Winter (Kommandeur, III. Bataillon, Jäger-Regiment 83), Generalmajor Gustav Heisterman von Ziehlberg (Kommandeur, 28. Jäger-Division)

von links: Oberstleutnant i. G. Christian Schaeder (1. Generalstabsoffizier der 28. Jäger-Division, Vorgänger von Major i. G. Joachim Kuhn), Oberst Bernhard Überschaer (Kommandeur, Jäger-Regiment 83), Oberst Oskar Roosen (Kommandeur, Artillerie-Regiment 28) Major i. G. Joachim Kuhn, Major Rudolf Repnik (Kommandeur, Nachrichten-Abteilung 28), Nordwestukraine, Juli 1944 nordöstlich Baranowitschi in den Kampf geworfen, um Verbindungswege offen zu halten und um die Positionierung einer neuen Hauptkampflinie zu unterstützen. Sie baute auf der Linie Nowy Swershen-Gorodeya eine Verteidigungsfront auf, musste vor dem überlegenen Gegner hinter die Usha zurückgehen, verhinderte am 4. Juli einen sowjetischen Vorstoss und kämpfte sich am 5. Juli nordwärts zur 12. Panzer-Division durch, um eine Frontlücke zu schliessen. Am 6. Juli drohte dem Nordflügel der Division die Umfassung, der Feind griff schon den Gefechtstand an. Am 7. Juli musste die Division ausweichen, der nördliche feindliche Umfassungsarm um Baranowitschi traf auf die Division, die jedoch den nach Südosten vorstossenden Feind zerschlug und mit Gegenangriffen nördlich Stolovichi trotz Rückzug einen Durchbruch verhinderte. Am Abend wurde der Division gestattet, auf die Linie westlich Gorodishche bis nördlich Novaja Mysh zurückzugehen. Am 8. Juli übernahm das LV. Armee-Korps den Befehl über die 28. Jäger-Division. Diese empfing zum zweitenmal in zwei Tagen den Hauptstoss des sowjetischen Angriffes, war zum Ausweichen gezwungen und wurde in der Mitte und am rechten Flügel ihrer Front in schwerem Kampf durchbrochen, erlitt hohe Verluste, ihre Kampfgruppen waren erschöpft und isoliert. Ziehlberg meldete dem Korps, seine Division stehe vor dem Zusammenbruch, der Nachschub sei nicht gelungen. Am Abend kämpfte die Division, nahezu eingekesselt, in verzweifelter Lage. Am 9. Juli konnte sie sich gruppenweise und schliesslich nur noch ungeordnet nach Westen durchschlagen. Nach Mitternacht erreichte Ziehlberg den Gefechtstand des LV. Armee-Korps und meldete, seine Division, «eine der besten des Heeres» sei «zerschlagen», hinter ihr sei keine Brücke gebaut worden, die letzten paar hundert Mann versuchten jetzt durch die Shara zu schwimmen. Statt Ersatz, Munition und Entsatz bekam die Division schliesslich ein Lob. Am 12. Juli wurden die 28. Jäger-Division und ihr Kommandeur, Generalleutnant von Ziehlberg, im Wehrmachtbericht genannt: Die Division habe sich unter Ziehlbergs Führung im Raum Baranowitschi «in Angriff und Abwehr hervorragend bewährt».

Am 18. Juli beschlossen Ziehlberg und Kuhn ohne Befehl der 2. Armee, die Division zurückzunehmen.[9]

Am 19. Juli besuchte Tresckow die 28. Jäger-Division und hatte, wie er dem Chef des Generalstabes der Heeresgruppe Mitte, Generalleutnant Hans Krebs, am Abend um halb elf sagte, einen «ausgezeichneten Eindruck heute». Er kam nur mit einem Fahrer, begrüsste Offiziere und Männer einzeln und liess sich von Ziehlberg und Kuhn anhand der Karte über die Lage unterrichten. Anschliessend fuhr Tresckow mit Kuhn in den Frontabschnitt der Division. Unterwegs kündigte Tresckow Kuhn das Attentat auf Hitler für einen der nächsten Tage an, es seien dann die Befehle von Generaloberst Ludwig Beck zu befolgen.[10]

Später an diesem Tag besuchte Major i. G. Peter Sauerbruch, Ia der benachbarten 4. Panzer-Division, die 28. Jäger-Division, um von Ziehlberg und Kuhn zu erfahren, wo die Kräfte ihrer Division lagen und um Massnahmen zur Partisanenbekämpfung mit ihnen abzustimmen. Sauerbruch kannte Ziehlberg aus der Zeit, als Ziehlberg Gruppenleiter bzw. Chef der Zentralabteilung des Generalstabs des Heeres und Sauerbruch als Rittmeister 2. Adjutant des Chefs des Generalstabs des Heeres war. Kuhn wusste, dass Sauerbruch mit Stauffenberg befreundet war, und er wusste auch, dass Oertzen nach Berlin gefahren war, woraus er auch auf das Bevorstehen des Attentats schloss, das Tresckow angekündigt hatte. Sauerbruch nahm Kuhn beiseite, und dieser sagte ihm, «dass es bald los geht».[11] Kuhn war in Erwartung des Umsturzes in der höchsten Spannung.

Um dreiviertel elf teilte der Generalstabschef des LV. Armee-Korps Oberst i. G. Johannes Hölz mit: «Am Nordflügel der 28. Jäg.Div. greift der Russe mit sehr starkem Stalin-Orgel-Feuer an; Einbrüche.» Eine Viertelstunde später sagte Tresckow zu Krebs, die Division sei in sehr schwerem Kampf, sie könne sich nicht im Wald als Zwischenlinie halten und sie müsse gleich auf die Linie Zabludowo-Lapczyn ostwärts Bialystok zurückgehen. Am nächsten Tag wurden Teile der 367. Infanterie-Division, bei der Tresckow am 19. Juli keinen guten Eindruck gehabt hatte, der 28. Jäger-Division unterstellt. Am Abend des 20. Juli war, wie der Kommandierende General des LV. Armee-Korps, General der Infanterie Friedrich Herrlein, dem Oberbefehlshaber der 2. Armee, Generaloberst Weiss, gegen 23 Uhr sagte, das Waldgebiet gegen die einströmenden Russen aufgegeben: «Es ist nun so, dass in dem Waldgelände nicht gehalten werden kann.» Man müsse die ganze Front des Armee-Korps zurücknehmen. Weiss konnte das wegen eines entgegenstehenden Befehls von Feldmarschall Model nicht genehmigen, Herrlein könne nur unter Feinddruck vollendete Tatsachen schaffen; Herrlein sagte, das könne nicht nur in einem Teil der Front geschehen; denn da die 28. Jäger-Division und die 12. Panzer-Division halten, würde die Front durch Aufgabe des Waldgeländes zu lang. Herrlein und Hölz beschlossen, die noch haltende Front soweit zu schwächen, dass sie schon bei einem leichten Feindangriff zurückgeworfen würde: «Auf diese Weise wird ein gleichzeitiges Zurückgehen im Kampf von allen Teilen der Korps-Front zwangsläufig eintreten.» Weiss war einverstanden.[12]

Sowjetische Truppen griffen den nördlichen Flügel der Division in der Nacht vom 19. auf 20. Juli mit Artillerie heftig an und erzielten mehrere Frontdurchbrüche. Das LV. Korps berichtete, bei der 28. Jäger-Division werde schwer gekämpft, die Division müsse sich auf eine Linie östlich von Bialystok zurückziehen. Auf dem rechten Flügel der Division war der Feind eingebrochen. Gegen Abend des 20. Juli erfuhr Tresckow vom Kurier-Unteroffizier seines Stabes, Oberst Stauffenberg habe ein Attentat auf Hitler verübt, das gescheitert sei. Tresckow verstand, widersprüchliche Meldungen liessen ihn und Leutnant d. R. von Schlabrendorff, seinen Ordonnanzoffizier, noch hoffen, aber Hitlers Rundfunkansprache in der Nacht brachte Gewissheit. Tresckow beschloss, sich zu töten.[13]

Auf dem ganzen Südflügel der Armee war die Lage kritisch. Im letzten Gespräch der Nacht um halb eins früh am 21. Juli sprachen der Chef des Generalstabes der 4. Panzer-Armee Oberst i. G. Schulze-Büttger und Tresckow von dem Projekt, das VIII. Korps wieder der 2. Armee zu unterstellen. Tresckow meinte: «Wäre nicht schön. Etwas reichlich im Augenblick.»[14]

Am 21. Juli um 8.30 Uhr sagte Tresckow dem 1. Generalstabsoffizier der Armee Oberst i. G. Lassen, er wolle zum LV. Korps fliegen, «um Eindruck über die Kampfverhältnisse in dem Waldgelände zu vertiefen». Zehn Minuten danach hatte Tresckow mit Krebs ein Führungsgespräch. Krebs teilte mit, er habe bei der Heeresgruppe Nordukraine verlangt, «dass Anschluss genommen werde». Tresckow sagte, «Wiking» habe leider nicht im Morgengrauen angegriffen, obwohl es befohlen war; für die Brückenstelle bei Siematycze werde die Lage gefährlich. «Sonst ist die Lage bei LV. Korps unangenehm. Ich will dort heute selbst nochmals hin.» Krebs meinte, beim linken Nachbarn der 2. Armee sei «es inzwischen besser gegangen». Darauf wollte Tresckow wissen, was mit dem VIII. Korps geschehen solle. Krebs sagte, der Feldmarschall wolle die Unterstellung der 2. Armee zunächst noch nicht zumuten; Tresckow wollte die Bautruppen «jetzt endlich mal wieder für längere Zeit in der gleichen Stellung bauen lassen», ob die Armee sie in der Narew-Weichsel-Schutzstellung einsetzen könne? Krebs sagte nein, diese Stellung solle bekanntlich erst erkundet, nicht ausgebaut werden. Dann bat Tresckow noch um Sturmgeschütze und Panzer, wofür die Armee «viele Besatzungen übrig» habe. Am Schluss des Gesprächs steht: «General Krebs orientiert über das Attentat im Führerhauptquartier am 20.7.»[15]

In einem Telephongespräch mit Generaloberst Weiss sagte Tresckow etwa um 9 Uhr: «Will zu 28. Jg. Div., 12. Pz.Div. und LV. A. K. nochmals hinfliegen um mir ein ganz genaues Bild machen zu können. Auf beiden Seiten von Brest ist ein Entschluss notwendig.» Weiss war einverstanden, gegen halb zehn kündigte Tresckow dem Generalstabschef des LV. Korps, Oberst i. G. Hölz, seinen Besuch an: «Ich will jetzt zu Ihnen kommen. Fahre aber erst zu den Divisionen im Kraftwagen.» Kurz vor zehn sagte Tresckow Oberst i. G. Lassen, er werde wahrscheinlich nicht fliegen, sondern mit dem Auto fahren. Um 10.30 Uhr fuhr Tresckow ab, mit dem Ziel, Generalleutnant Gustav Harteneck, den Kommandeur des Kavallerie-Korps, die 28. Jäger-Division und das LV. A. K. zu besuchen.[16]

Um 15.45 Uhr meldete Hölz: «General von Tresckow ist bei Erkundungsfahrt bei 28. Jäger-Div. gefallen im Wald nordostwärts Nowosiolki.» Um 16 Uhr gab General Herrlein an Generaloberst Weiss dieselbe Meldung.[17]

Kuhn erfuhr von den Vorgängen des 20. Juli am 21. Juli um sieben Uhr. Gegen Mittag des 21. kam Tresckow zum Gefechtsstand der Division und erbat sich Kuhn zur Begleitung für die Fahrt zu den gefährdeten Frontabschnitten.[18] Er ging zuerst mit Kuhn ein Stück zu Fuss, wobei Tresckow Kuhn seine Absicht mitteilte. Kuhn versuchte vergeblich, Tresckow davon abzubringen und schlug ihm vor, sich mit ihm hinter der russischen Front nach Finnland durchzuschlagen. Nach dem kurzen

Gang zu Fuss bat Tresckow Kuhn in seinen Wagen, Tresckow sass vorn, Kuhn auf dem Rücksitz; Kuhns Wagen mit dem Ia-Gefechtfahrer fuhr hinterher.[19]

Tresckows Fahrer Dassler fand Kuhn blass und nervös, er habe auf Tresckows Fragen kaum oder verwirrt geantwortet und einen abwesenden Eindruck gemacht. Ziel der Fahrt war die vorderste Linie. Als man einen Soldaten passierte, der sich eingegraben hatte und vielleicht der letzte Vorposten war, erklärte Kuhn, dies sei wohl der vorderste deutsche Posten gewesen und man sei nun im Niemandsland direkt vor den russischen Linien. Tresckow befahl umzukehren, und kurz darauf, rechts abzubiegen. Der Wald war undurchsichtig und an beiden Seiten der Strasse dicht mit Unterholz bewachsen, Kuhn erschien Dassler noch nervöser und unruhiger. Tresckow liess halten, stieg mit Kuhn aus und beide gingen zu Fuss weiter. Plötzlich kam Kuhn zurückgelaufen und rief Dassler zu, Tresckow wünsche die Karte, Dassler reichte sie Kuhn und erschrak über dessen Leichenblässe. Im selben Augenblick, es war etwa 3 Uhr nachmittag, hörten Kuhn und die Fahrer Schüsse und eine Detonation, alle warfen sich seitwärts der Strasse zu Boden. Als es danach ruhig blieb, sagte Dassler, sie müssten sofort nach Tresckow suchen, Kuhn und Dassler krochen sichernd vorwärts, Kuhn erschien auffallend verwirrt und planlos, Dassler musste die Führung übernehmen und fand Tresckow an einer Böschung mit ausgebreiteten Armen auf dem Rücken liegend, seine Pistole neben sich, sein Kopf war zerschmettert. Dassler berichtete, eine Handgranate habe ihn getötet, aber das konnte er natürlich nicht mit Sicherheit wissen. Die Situation und Kuhns eigenartiges Verhalten machten Dassler nachdenklich, er ahnte wohl die Wahrheit, schwieg aber darüber.[20]

Kuhn und Dassler trugen Tresckow zu seinem Wagen und legten ihn auf die hinteren Sitze, Kuhn fuhr in Tresckows Wagen mit zurück und setzte eine schriftliche Meldung auf, Tresckow sei bei einem Partisanenüberfall gefallen. Es sei im Wald nordöstlich von Nowosiolki geschehen, meldete Oberst i. G. Hölz dem 1. Generalstabsoffizier der 2. Armee: «General von Tresckow ist bei Erkundungsfahrt bei 28. Jäger-Div. gefallen im Wald nordostwärts Nowosiolki.» Tresckows Ordonnanzoffizier Leutnant d. R. von Schlabrendorff, der nicht dabei war und dem vermutlich Tresckows Fahrer berichtet hatte, schrieb, Tresckow habe sich mit einer Gewehrsprenggranate das Leben genommen.[21]

Kuhns Gehilfe, der 1. Ordonnanzoffizier (O 1) im Stab der Division, Rittmeister Graf von Stolberg-Wernigerode, schrieb später: «Es war übrigens eine besonders kameradschaftliche Tat von Kuhn in welcher Weise er den ehrenvollen Abgang von Treskow [sic] gedeckt hat.» Allerdings war sie auch geeignet, Verdacht von Kuhn abzulenken. Stolberg wurde jedenfalls klar, wie schwer diese Tage für Kuhn gewesen sein mussten, «ganz auf sich gestellt, mit der Notwendigkeit das Gesicht zu wahren». Tatsächlich gab Kuhn sich alle Mühe, seine Gedanken zu verbergen. In seinem Tagebuch (das später dem Reichskriegsgericht vorlag) hielt er ein Gespräch mit Ziehlberg fest, in dem der Kommandeur die Tat des 20. Juli scharf verurteilte und Kuhn seiner Anschauung beipflichtete. Gleichwohl erwartete er, durch das Regime verfolgt zu werden.[22] Die Briefe von Marie Gabriele in seinem Gepäck hätten ihm als Verbindung zur Familie Stauffenberg allein schon gefährlich werden können. Der Kriminalkommissar Franz Xaver Sonderegger, der Tante Guttenberg verhörte, sagte es Marie Gabriele. Noch schlimmer war – doch dieser Brief scheint Kuhn nicht mehr erreicht zu haben –, dass Gräfin Stauffenberg ihm einen Satz aus einem Artikel der Münchner Neuesten Nachrichten vom Juni 1944 zitiert hatte, um ihm Mut zu machen beim Bestehen der schweren Kämpfe an der Front: Der Artikel sollte der Kriegsmüdigkeit im Volk entgegenwirken und schloss mit der Mahnung, «Deutsch sein» heisse «innig sein» und «die Fülle es Reiches in sich selber hegen. Dann wird uns die Tat gelingen.» Man hat aber bei den Verhören den Satz Gräfin Stauffenberg nie vorgehalten. Ihre Briefe von Joachim Kuhn hat sie nach dem 20. Juli an Lili von Schönau-Wehr in Freiburg im Breisgau übergeben, doch diese hat sie wenige Tage darauf vernichtet.[23]

Kuhn

Die Division lag weiter in schweren Kämpfen. «Zwischen Bialystok und Grodno sowie nordöstlich Kauen scheiterten alle Durchbruchsversuche der Sowjets in harten Kämpfen», hiess es am 25. Juli im Wehrmachtbericht. Am Tag der Kämpfe um Bialystok, dem 26. Juli, forderte Kuhn Stolberg zu einem Spaziergang auf, um sich ein wenig von der ständigen Anspannung zu erholen.[24] Bei diesem Gang besprachen Kuhn und Stol-

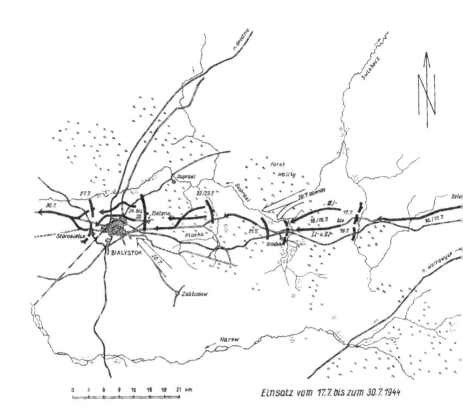

Einsatz vom 17.7. bis zum 30.7.1944

Karte aus [Dietrich Graf zu] Stolberg[-Wernigerode], «General v. Ziehlberg,»
masch., o. O., Oktober 1974, im Besitz seiner Tochter Bettina Freifrau von
Uslar-Gleichen

berg «recht tiefgehende politische und geistige Probleme». Kuhn sprach
«mit Wehmut von einer gelösten Verlobung», aber das Gespräch ging
mehr um politische Fragen. Kuhn machte Andeutungen, die Stolberg
erst später verstand, als er die Zusammenhänge kannte. Nachträglich
hatte Stolberg den Eindruck, Kuhn hätte ihn gern eingeweiht und war
ihm dankbar, dass er es nicht getan hatte. Er sagte Kuhn am Ende ihres
Gesprächs, er lehne zwar den politischen Mord ab, doch könne er sich
denken, «dass das Attentat später einmal das wichtigste Beweisstück
für die Ablehnung des Hitlerregimes durch bestimmte Kreise werden
könnte und damit auch eine Rechtfertigung für uns». Kuhn habe darauf
impulsiv Stolbergs beide Hände ergriffen und gesagt: «Ich danke Ihnen
für dies schöne Wort!» Stolberg war etwas überrascht, verstand die

Äusserung erst später, verschwieg aber das ganze Gespräch bei den Vernehmungen.[25]

Am 21. Juli wurden Generalmajor Stieff und Oberleutnant d. R. von Hagen verhaftet. Am 22. sagte Stieff aus, Stauffenberg habe ihm vor Weihnachten 1943 gesagt, er suche jemand, der einen ständigen Zugang zum Führer habe und der geeignet sei, einen Anschlag auszuführen.[26]

Am 21. Juli wurde auch Oberstleutnant i. G. Klamroth verhaftet. Die Sonderkommission 20.7.44 berichtete Hitler am 26. Juli, aus den Aussagen Klamroths an diesem Tage ergebe sich, dass der Major i. G. Joachim Kuhn, «damals Referent in der Gruppe II der Organisationsabteilung, jetzt 1. Generalstabsoffizier der im Osten liegenden 28. Jägerdivision», schon «Ende 1943» in den durch Stauffenberg zu verübenden Anschlag gegen Hitler eingeweiht war. Klamroth hatte also fünf Tage lang den Verhörmethoden der Geheimen Staatspolizei standgehalten. Von den Plänen für den Herbst 1943 wusste die Kommission noch nichts.[27] Aber Hitler wusste genug über Kuhn, um seine sofortige Verhaftung zu befehlen.

Am 26. Juli war die 2. Armee weiter schwer bedrängt, an vielen Stellen der Front drohte ein sowjetischer Durchbruch, bei der 28. Jäger-Division begann gegen 14 Uhr ein sowjetischer Angriff, die Verteidiger schossen in den ersten Minuten sieben Panzer und ein Flugzeug ab, ein weiterer feindlicher Angriff begann auf der Rollbahn nördlich Wasilkow. In der Nacht auf den 27. Juli sollten Teile der Armee sich vom Feind lösen und rückwärtige Stellungen beziehen, um Kräfte zu sparen, durften die Verteidiger von Brest sich auf einen inneren Ring zurückziehen. Der Kommandierende General des zur 2. Armee gehörenden XXIII. Armee-Korps, General Tiemann, riet dringend, die Besatzung von Brest in der Nacht hinter den Bug zurückzuführen; wenn sowjetische Panzer durchstiessen, könne er die Brücke nicht halten. Der Armee-Oberbefehlshaber Weiss sagte, die Räumung von Brest komme erst am 27. Juli in Frage, Tiemann antwortete, nicht er diktiere die Entschlüsse, sondern der Feind. Dieser drang gegen Abend mit Panzern in Bialystok ein.[28]

Um 20.40 Uhr teilte Generaloberst Weiss General Herrlein einen Befehl der Heeresgruppe mit, «wonach Major i. G. Kuhn sofort festzunehmen u. unter Bedeckung von 2 Offz. u. Feldgendarmen nach Berlin zu bringen ist». Herrlein: «Ist mir unverständlich. K. ist ein vorzüglicher Mann, war allerdings früher einmal beim OKH.» Und nach einigen weiteren Lageerörterungen und Rückzugbefehlen: «H[errlein]: Kuhn ist sehr schwer zu entbehren, da ein ausgezeichneter Mann. [Armee-]O[ber-].B[efehlshaber Generaloberst Weiss]: Dagegen ist nichts zu machen. Gründe sind uns nicht genannt worden. Ich kann auch keinen zeitlichen Nachlass gewähren. H[errlein]: Dann muss also übernommen werden. O. B.: Ja. Schönau muss hin. War Kuhn früher beim OKH? H.: Ja, bei Org.Abt. Es kann aber auch sein, dass er einen belastenden Brief geschrieben hat.»[29]

Der 1. Generalstabsoffizier des LV. Armee-Korps, Major i. G. Werner Freiherr von Schönau-Wehr, hatte in einer dem Korps unterstellten Infanterie-Division die Ia-Stelle vorübergehend übernehmen müssen und kam am 26. Juli zum Korps-Stab zurück. Gegen Abend liess ihn Herrlein zu sich rufen, Hölz stand neben dem General und las Schönau den Befehl der Heeresgruppe vor. Um die Geheimhaltung zu gewährleisten, hatte Hölz den Befehl handschriftlich niedergeschrieben, statt ihn durch einen Stabsschreiber auf der Schreibmaschine schreiben zu lassen. Dann tat Hölz den Befehl in einen Umschlag und gab ihn Schönau, damit dieser ihn unverzüglich Ziehlberg überbringe und Kuhns Stelle übernehme. Schönau fuhr die Nacht hindurch und traf um 5.30 Uhr auf dem Gefechtstand der 28. Jäger-Division ein.[30]

Die Reste der Division mussten sich vom 26. zum 27. Juli in nächtlichem Eilmarsch vom Feind lösen und zugleich mit ihren geschwächten Kräften einen übermässig breiten Abschnitt gegen den nachstossenden Gegner sichern. Westlich Bialystok sollte sie eine neue Hauptkampflinie aufbauen. Die unübersichtlichen Wälder und das Stadtgebiet von Bialystok machten die Aufgabe für den Führungstab zu einer harten Probe, für die Truppe opferreich und strapaziös. Die kritischen Phasen der Bewegung schienen an diesem Morgen planmässig abgeschlossen. Ziehlberg und Kuhn hatten in schlaflosen Nächten mit Anspannung aller Kräfte eine grosse Leistung vollbracht. Am 27. Juli wurde Ziehlberg auf Vorschlag von Generaloberst Weiss das Ritterkreuz des Eisernen Kreuzes verliehen, weil es Ziehlberg «durch das Vorbild seiner persönlichen Tapferkeit und den mitreissenden Schwung seiner in vorderster Linie von ihm selber geleiteten Massnahmen gelungen sei, seine Truppe aus der Umfassung und der drohenden Vernichtung zu befreien».[31]

Die neue Front der Division war etwa fünfzehn Kilomater breit, zugleich mussten die beiden Flügel der geschwächten Division verstärkt werden; so entstand in der Mitte der Front eine etwa fünf Kilometer breite Lücke, die nur durch einige Posten und Spähwagen gesichert war. Das Korps sagte am Abend des 26. Juli Unterstützung durch Teile der 19. Panzer-Division zu. Das Korpskommando teilte zugleich mit, Schönau werde ein persönliches Schreiben von Herrlein an Ziehlberg überbringen.[32] Die Mitteilungen an den Stab der Division erreichten Kuhn, er wusste also von dem angekündigten Schreiben.[33] Das war ungewöhnlich. Kuhn konnte nichts vom Inhalt des Schreibens wissen, aber er rechnete jeden Tag mit seiner Verhaftung, war also am Abend des 26. Juli gewarnt.

Im Stab der Division wartete man unterdessen auf die Meldung, dass die Nachrichtenverbindungen für den etwa fünfzehn Kilometer westlich vorbereiteten Gefechtstand bereit seien. Ziehlberg legte sich gegen 2 Uhr in seinem Wohnwagen zum Schlafen. Die Offiziere seines Stabes waren die Nacht durch bis 5 Uhr noch nicht zum Schlafen gekommen und wollten sich gerade für ein paar Stunden hinlegen, da kamen gegen 5.30 Uhr Major i. G. von Schönau vom Korpskommando und der Kommandeur der Panzer-Kampfgruppe an.[34]

Der Zwischengefechtstand lag in einem aus mehreren Gebäuden bestehenden Forstgutshof etwa zehn Kilometer südwestlich Bialystok. Schönau ging zu einem beleuchteten Haus, Kuhn kam ihm aus dem Gebäude, in dem der Gefechtstand war, entgegen. Vor dem Gebäude stand der Unterkunftwagen des Kommandeurs. Kuhn sah «total bleich», unausgeruht und angespannt aus und wirkte nervös.[35]

Kuhn weckte den Kommandeur, der bat Kuhn, Schönau und den Kommandeur der Kampfgruppe in seinen Wagen und besprach mit dem Kommandeur der Kampfgruppe und Kuhn die Lage und den Einsatz der Kampfgruppe, der um 8 Uhr zu beginnen habe, und verabschiedete den Kommandeur.[36]

Ziehlberg, Kuhn und Schönau blieben an dem kleinen Tisch im Wohnwagen Ziehlbergs sitzen und Schönau übergab Ziehlberg den verschlossenen Brief des Kommandierenden Generals. Der Brief enthielt den Befehl, «auf höchsten Befehl» Kuhn «sofort» zu verhaften und «unter Geleit in das Zentralgerichtsgefängnis Berlin» einzuliefern, Einspruch sei zwecklos, der Überbringer vertrete Kuhn vorläufig als 1. Generalstabsoffizier der Division. Schönau fügte hinzu, General Herrlein und Generaloberst Weiss hätten bereits vergeblich Einspruch erhoben. Schönau sollte zusätzlich den mündlichen Befehl überbringen, der Adjutant (IIa) der Division sei mit dem Geleit Kuhns zu beauftragen, und dieser sei zunächst zum Korps-Gefechtstand zu bringen.[37]

Ziehlberg las den Brief mehrmals durch und überlegte, wie nachteilig es für die Division sein werde, ihren Führungsoffizier zu verlieren. Es widerstrebte ihm auch, wie Stolberg berichtet, was ihm zugemutet wurde, nämlich «seinen engsten Mitarbeiter, mit dem er soeben in vertrauensvoller Weise einen schwierigen Kampfauftrag erfolgreich durchgeführt hatte, von einer Minute zur anderen, wie einen Verbrecher festnehmen und abführen zu lassen». Ziehlberg reichte Kuhn den Brief, Kuhn las ihn durch und liess keine Erregung erkennen. Einige Wochen danach gab er den Inhalt so wieder: «Auf höchsten Befehl ist Major i. G. Kuhn zu verhaften und dem Landespolizeigefängnis Berlin zuzuführen. Einspruch zwecklos.»[38]

Ziehlberg fragte Kuhn, ob er mit dem 20. Juli zusammenhänge, Kuhn sagte sehr bestimmt «nein». Unmittelbar war er nicht beteiligt. Kuhn erinnerte aber daran, dass er Ziehlberg bei seinem Dienstantritt gemeldet hatte, er sei mit einer Cousine Stauffenbergs verlobt und mit Stauffenberg selbst befreundet gewesen; nur dadurch könne er sich den Befehl erklären.[39]

Ziehlberg, so erinnerte sich Stolberg 1948, «behandelte die Angelegenheit in seiner ritterlich-kameradschaftlichen Weise». Ziehlberg sagte zu Kuhn: «Wir wollen alles so offiziersmässig wie möglich erledigen. Sie haben sich zum Korps zu begeben.» Er befahl Kuhn, Schönau die Ia-Geschäfte zu übergeben. Der Adjutant (IIa) der Division, Major Wiontzek, werde Kuhn nach Berlin geleiten. Zu Schönau sagte er: «Sie fahren mit mir zu den beiden Kampfgruppen der Division.» Ziehlberg ging in seinen Wohnwagen, um sich fertig zu machen, ging dann wieder in die Ia-Unterkunft und sah, dass Kuhn die Geschäfte an Schönau übergeben hatte.[40]

Ziehlberg hatte also Kuhn nicht sofort verhaften lassen, einen dahingehenden «höchsten Befehl» missachtet, und Kuhn gesagt, er erwarte, dass er sich wie ein Offizier verhalten werde. Ziehlberg schrieb seinem Bruder Georg wenige Tage nach dem Vorgang, er habe Kuhn gesagt: «Wenn Sie beteiligt sind, dann wissen Sie, was Sie zu tun haben, wenn

Sie unbeteiligt sind, dann lassen Sie sich nach Berlin überführen.»⁴¹ Später sagte Kuhn einem Mitgefangenen, Ziehlberg habe noch bemerkt, dass Kuhn wohl wisse, «was er zu tun habe». Kuhn habe daraus geschlossen, «dass er ihm freie Hand gegeben hätte zu tun, was er für richtig halte».⁴²

Kuhn führte Schönau, seinen Nachfolger, in das Gebäude des Stabes und bat um Verständnis dafür, dass er ihn nicht selbst in die Lage der Division einweise und dies einem Ordonnanzoffizier überlasse. Er wolle sich noch von den Offizieren des Stabes verabschieden, vor allen von dem 1. Ordonnanzoffizier Graf Stolberg. Kuhn machte nach dem Gespräch mit Ziehlberg «einen tief verstörten Eindruck». Ein Schwimmwagen mit einem Oberjäger und Kuhns Fahrer stand für Kuhn bereit.⁴³

Kuhn ging zu Stolberg in das Gebäude, in dem der Stab lag, schickte alle anderen hinaus und sagte: «Es ist soweit, ich soll verhaftet werden.» Der Anlass sei wohl seine Tätigkeit bei Stauffenberg im OKH und seine Verbindung zu dessen Familie. Was er nun tun solle? Da Stolberg nicht wusste, ob Kuhn am 20. Juli beteiligt war, sagte er ihm, er müsse sich dem Haftbefehl fügen, um sich nicht ins Unrecht zu setzen. Stolberg erinnerte sich 1948: «Wir waren beide sehr übermüdet, K. dazu in einer begreiflichen Erregung, so dass es schwer fiel einen klaren Gedanken zu fassen.» 1974 schrieb Stolberg ausführlicher: «Major Kuhn machte nach dem Gespräch mit dem General einen tief verstörten Eindruck, dazu wirkte die Übermüdung von den vorangegangenen Tagen nach. Da er ohnehin keine stabile Konstitution besass, schien momentweise die Gefahr einer nervlichen Überbelastung zu bestehen. Dennoch gab er leidlich gefasst die erforderlichen Informationen und Anordnungen weiter und verabschiedete sich von den Angehörigen der Führungsstaffel. Aus seinen wenigen Äusserungen hätte man entnehmen können, dass er sich einer gnadenlosen, politischen Justiz ausgeliefert fühlte, die unterschiedslos alles vernichten wolle, was in ihren Sog geriet.» Damals sei es jedenfalls für die Denkweise des Frontoffiziers naheliegend gewesen, «die Verhaftung als unerträgliche Entehrung für sich und die nächsten Angehörigen zu empfinden und sich den Tod zu wünschen». So dachte wohl auch Ziehlberg; dieser habe vor seiner Frontfahrt noch zu Kuhn gesagt: «Kuhn, machen Sie keine Dummheiten!» Dann fuhr Ziehlberg mit Schönau zur Front. Während der Fahrt sagte er nichts, mit dem Kommandeur des Jäger-Regiments 49 sprach er nur kurz.⁴⁴

Hauptmann Franz-Josef von Löbbecke, 1942 (im Juli 1944 Quartiermeister (Ib) der 28.Jäger-Division)

Nachdem der General weggefahren war, besprachen Kuhn und Stolberg die Situation nochmals. Dann kam noch der 2. Generalstabsoffizier (Ib, Quartiermeister) Major i. G. von Löbbecke dazu. Den gerichtlichen Aussagen Löbbeckes und Stolbergs zufolge fragte Kuhn beide nach ihrer Meinung, «ob er sich nicht durch den Tod vor dem Feind seiner Festnahme entziehen solle, um seiner Mutter die Schande seiner Verhaftung zu ersparen». Beide hätten ihm abgeraten: «Ein solcher Tod könne für Kuhn selbst wie für das Offizierskorps als Bekenntnis einer Schuld gedeutet werden.» In einem späteren, von Stolberg zitierten Bericht schrieb Löbbecke, er habe Kuhn allein gefunden; Kuhn begann «sofort von seiner Geschichte zu erzählen», und auf Löbbeckes Frage, ob er etwas mit dem Attentat zu tun habe, habe er nein gesagt und auf seine persönlichen Beziehungen zur Familie Stauffenberg verwiesen; ob er nach Berlin fahren solle oder nicht? Löbbecke habe dazu geraten, weil verwandtschaftliche Beziehungen allein nicht zu einer Verurteilung führen könnten und Kuhn «anderenfalls das Offizierkorps der Division unnötig belasten würde». Kuhn habe den Kopf geschüttelt und Löbbecke auf der Karte eine Stelle gezeigt, «auf der die Lage verworren eingezeichnet war» und Löbbecke «nahm fest an, er wolle dort den Tod im Kampf suchen». 1957 gab Löbbecke zu

Rittmeister Dietrich Graf zu Stolberg-Wernigerode (1. Ordonnanzoffizier im Stab der 28. Jäger-Division), bei Lomza, August 1944

Protokoll, auf seinen Rat an Kuhn, nach Berlin zu fahren, wenn er sich unschuldig fühle, habe Kuhn gesagt, die SS oder die Gerichte würden ihn bestimmt aufhängen, ob er schuldig sei oder nicht. Auf die Frage, an welche Alternative er denke, habe Kuhn mit einer Handbewegung auf die Lagekarte gewiesen, Löbbecke habe daraus entnommen, dass Kuhn an der Front fallen wolle. In einer Aufzeichnung der 1980er Jahre zitiert Löbbecke Kuhn auf die Frage nach seiner Beteiligung am Umsturzversuch: «K. erwidert, nein, ist nur [sic] die angehende Verwandtschaft, aber wenn ich nach Berlin fahre, dann weiss ich genau, dass mir der Strick gedreht wird und zwar richtig.» Auf die weitere Frage Löbbeckes, was er tun wolle, schwieg Kuhn, «nimmt die Karte, erklärt mir mit einem Finger die Lage und zeigt auf die Stelle, wo der General v. Tres[c]kow gefallen ist. Ich denke schnell mit, ja, jetzt habe ich es kapiert, Tres[c]kow ist absichtlich gefallen, hat jedenfalls den Tod gesucht, das will K. jetzt auch.» Löbbecke habe noch einmal gefragt, ob wirklich nur die Verlobung der Grund für die Verhaftung Kuhns sein könne, Kuhn habe das bestätigt, Löbbecke habe darauf gesagt: «‹Dann müssen Sie fahren, mit dem anderen da, – ich zeige auf die Karte – da belasten Sie nur die Offiziere der Division und die haben doch nichts damit zu tun.› Er schaut mich lange an, dann gibt er mir lange und fest die Hand und steigt in's Auto, ab geht die Fahrt, wie er wollte, zur Frontlücke.»[45]

Stolbergs wie auch Löbbeckes Eindruck war, dass Kuhn sich auf irgendeine Weise das Leben nehmen wollte, «da er die Absicht äusserte nochmal nach vorne fahren zu wollen, um sich von einigen Kommandeuren zu verabschieden». Stolberg hielt es für seine «selbstverständliche kameradschaftliche Pflicht ihn an diesem Entschluss nicht zu hindern»; denn «er allein war ja in der Lage die Situation in ihren wahrscheinlichen Konsequenzen zu beurteilen». Kuhn bat Stolberg, sich die Anschrift seiner Mutter aufzuschreiben, damit seine Sachen nachhause geschickt werden könnten, Ziehlberg hörte es. Kuhn zeigte nun Anzeichen starker, nur äusserlich beherrschter Erregung.[46]

Stolberg erinnerte sich 1948: «An die Möglichkeit des Ausweichens auf russ. Seite hatte ich allerdings nicht gedacht, weil dieser Gedanke für einen alten Russlandkämpfer zu fern lag.» In seiner späteren Aufzeichnung stellte Stolberg fest, Kuhn sei übergelaufen.[47]

Ziehlberg trank noch mit Schönau, Kuhn und Stolberg Kaffee und verabschiedete Kuhn mit den Worten: «Lieber Kuhn, nun lassen Sie den Kopf nicht hängen, auch Schweres lässt sich ertragen und muss ertragen werden. Da Sie sich unschuldig fühlen, muss ja alles glatt ausgehen. Fahren Sie jetzt mit Stolberg zum neuen Div.-Gefechtsstand, wo der IIa sich bereits befindet, und machen Sie sich reisefertig. Ich fahre jetzt mit Schönau zum Jäg.Reg. 49 und spreche Sie dann anschliessend nochmals.»[48]

Da Ziehlberg immer vorne führte und ohnehin zu den Kommandeuren fahren wollte, nahm er Schönau gleich mit, um ihn mit der Lage und den Kommandeuren bekannt zu machen, was deshalb wohl vertretbar war, auch wenn es gegen die Übung verstiess, dass Kommandeur und 1. Generalstabsoffizier nicht zusammen zur Front fuhren. Stolberg schrieb 1974: «Da nunmehr der Ia ausfiel, musste sich der General selbst sofort in den neuen Kampfabschnitt begeben, um sich bei den Einheiten über die Lage orientieren zu lassen.» Schönau berichtete 2003: «Der General beabsichtigte dorthin [zum neuen Gefechtstand der Division] über die Gefechtsstände der beiden Kampfgruppen der Division mit Major i.G. von Schönau-Wehr zu fahren. Am neuen Gefechtstand [sic] werde der General bezüglich Major Kuhn die weiteren Massnahmen ergreifen, die sich aus dem überbrachten Befehl ergaben.»[49]

Ziehlberg erklärte vor dem Reichskriegsgericht: «Als er den ihm vom Ia des Korps übergebenen Befehl zur Festnahme Kuhns gelesen habe, sei sein erster Gedanke gewesen, wie misslich es für die Division sei, gerade in dieser schweren Gefechtslage ihren eingearbeiteten Ia abzugeben.»[50]

Kuhn verabschiedete sich noch vor Ziehlbergs Abfahrt zur Front von jedem der Offiziere des Stabes mit Handschlag. Schönau stand am Ende der Reihe und versuchte, Kuhn einige beruhigende Worte zu sagen. Darauf äusserte Kuhn sich besorgt, in das Räderwerk der Geheimen Staatspolizei zu kommen, auch wegen seiner Verlobung mit einer Cousine Stauffenbergs. Dann fuhr er mit seinem Gefechtfahrer, Oberjäger Tiffert und Leutnant Mutzenbecher, der zur Begleitung befohlen war, im Schwimmwagen zur Kampfgruppe des Obersten Bayer, wie er sagte, um von dort zum neuen Gefechtstand der Division zu fahren.[51]

Das weitere Geschehen bei der Division ist in den Quellen gut belegt. Allerdings beruhen die Feststellungen des Reichskriegsgerichts in seinen Urteilen gegen Ziehlberg und Kuhn (Todesurteil 6. Februar 1945, in Abwesenheit) weitgehend auf den Aussagen von Ziehlberg selbst und auf denen von Löbbecke und Stolberg. Schönau war bei den Verhandlungen gegen Ziehlberg und Kuhn nicht geladen bzw. wegen einer Gelbsucht nicht anwesend. Die persönlichen Erinnerungen von Schönau, Löbbecke und Stolberg weichen voneinander ab, weil sie nicht genau dieselben Erlebnisse hatten. Schönau war am Morgen des 27. Juli, nach durchfahrener Nacht, von etwa 6 bis 8 Uhr mit Ziehlberg bei den Regimentern der Division unterwegs. Er erinnert sich, noch gesehen zu haben, wie Kuhn abfuhr. Da Kuhn nach den Feststellungen des Reichskriegsgerichts im Urteil gegen Ziehlberg erst um 7.30 Uhr weggefahren ist, irrt Schönau in diesem Punkt. Da Stolberg und Löbbecke der Vorwurf der Beihilfe zur Flucht Kuhns drohte, sind ihre Aussagen vor dem Reichskriegsgericht auch unter diesem Gesichtspunkt zu bewerten.[52]

Zunächst fuhr Kuhn um 7.30 Uhr in Richtung Bialystok, und liess dann den Fahrer in Richtung zur Front abbiegen, zu der Stelle in der Frontlücke, wo die zugeführte Kampfgruppe eingesetzt werden sollte. Er liess halten und äusserte seinen Unwillen darüber, dass jetzt, um 8.10 Uhr, die Kampfgruppe noch nicht da sei, die um 8 Uhr hätte hier sein sollen. Dann stieg er aus und ging ostwärts in ein Getreidefeld, in dem er dann nicht mehr zu sehen war. Der Fahrer und der Begleiter warteten, wie befohlen, wurden aber «nach längerer Zeit» unruhig und, so die Version für das Reichskriegsgericht, begannen nach Kuhn zu suchen. Ihre Rufe wurden nicht erwidert, sie hatten keine Schüsse gehört. Nach zwei Stunden Warten und Suchen fuhren sie zum neuen Gefechtstand und meldeten den Vorgang. Nach Mutzenbechers späterer Erinnerung warteten er und Tiffert etwa eine Stunde, wollten dann nach Kuhn suchen, als ein Feldwebel der Feldpolizei mit dem Motorrad erschien, nach Kuhn fragte und mitteilte, Kuhn hätte schon verhaftet sein sollen. Mutzenbecher fuhr zurück und berichtete Ziehlberg, der ihn sofort zu einer Versorgungseinheit versetzte und seinen Namen in seinem Bericht über die Vorgänge nicht erwähnte. Mutzenbecher erscheint weder in den Berichten der Sonderkommission der Geheimen Staatspolizei, noch in den Anklagen und Urteilen des Reichskriegsgerichts gegen Ziehlberg und Kuhn, auch nicht in den Erinnerungen Stolbergs, Löbbeckes und Schönaus. Ebenso väterlich-kameradschaftlich bewahrte Ziehlberg Leutnant Wolfgang Schult vor dem Kriegsgericht, dessen Vater nach dem 20. Juli als Sozialdemokrat verhaftet worden war und der deshalb den Frontdienst quittieren wollte. Ziehlberg und Schult schrieben an den Hamburger Gauleiter Karl Kaufmann, daraufhin kam der Vater wieder frei.[53]

Ziehlberg war um 6 Uhr mit Schönau weggefahren und kam nach der Frontfahrt gegen 8 Uhr zum neuen Gefechtstand. Schönau: «Als wir beim neuen Gefechtstand eintrafen, standen einige Offiziere vor dem Stabsgebäude. Der General fragte vom Wagen aus den vorne stehenden Rittmeister Graf Stolberg: ‹Ist Kuhn eingetroffen?› Als Stolberg dies verneinte, sagte der General sofort: ‹Dann ist er übergelaufen.›» Das blieb Ziehlbergs Meinung. Ende August schrieb er an seine Mutter: «In der Vertrauensbruchsache höre ich nichts mehr. Es war mein Ia, Kuhn, der sich der Verhaftung durch Flucht zu den Russen entzog. Die von mir gentlemanlike Verhaftung missbrauchte er. Dafür wird man mich wohl noch zur Rechenschaft ziehen.»[54]

Den Feldurteilen des Reichskriegsgerichts zufolge kamen der Fahrer Tiffert und Kuhns «Bursche» erst zum neuen Gefechtstand, «nachdem sie über zwei Stunden gewartet und alles abgesucht hatten», also frühestens gegen 10 Uhr, und meldeten den Vorfall. Inzwischen war Ziehlberg gegen 8 Uhr im neuen Gefechtstand angekommen und hatte Kuhn nicht vorgefunden. Das Reichskriegsgericht stellte fest, Ziehlberg habe den Adjutanten seines Stabes, Major Wiontzek, der Kuhn nach Berlin hätte geleiten sollen, nach Kuhn gefragt, Wiontzek habe nichts über dessen Verbleib gewusst. Ziehlberg habe darauf eine Suche durch die Gendarmerietruppe der Division angeordnet.[55] Eine zweistündige Wartezeit erscheint jedoch nicht plausibel und noch weniger dann, wenn Tiffert und Mutzenbecher schon nach einer Stunde von dem Feldwebel nach Kuhn gefragt wurden.

Die Ferngespräche des Oberkommandos der 2. Armee enthalten die Mitteilung des Adjutanten (IIa) Oberstleutnant Koller an den neuen Generalstabschef Oberst i. G. Macher, Ziehlberg habe die Verhaftung Kuhns vorgenommen, aber «anschliessend Major Kuhn während des Gefechtsstandwechsels allein fahren» lassen und Kuhn sei auf dem neuen Gefechtsstand nicht angekommen. «Um 10 Uhr wurde dies an das Korps gemeldet. Der Divisionskommandeur ist sich über die Folgen seiner Handlungsweise klar.» Das Reichskriegsgericht stellte fest: «Gegen 10 Uhr meldete er [Ziehlberg] dem Kdn.Gen. den Vorfall. Er äusserte die Vermutung, dass Kuhn Selbstmord begangen habe oder zum Feind übergelaufen sei. Auf Befehl des Kommandierenden Generals wiederholte er diese Meldung um 10.52 Uhr durch Fernschreiben.»[56]

Löbbecke berichtet, kurz nachdem er auf dem neuen Gefechtstand angekommen sei, habe ihn Ziehlberg angerufen und gefragt, ob er wisse, wo Kuhn sei.[57] Löbbecke sei zum Kommandeur geeilt, habe ihn in seinem Befehls- und Wohnwagen, einem umgebauten Lastwagen, beim Rasieren angetroffen, habe die Szene mit Kuhn beschrieben und auf die bewusste Stelle auf der Karte gedeutet, da habe Ziehlberg auf den Tisch gehauen und gesagt: «Mensch, der ist übergelaufen.» Dann sassen sich Ziehlberg und Löbbecke schweigend gegenüber, bis es klopfte, die Ordonnanz den Fahrer von Major Kuhn meldete und dieser berichtete, nach Löbbeckes Erinnerung: «‹Wir fuhren immer weiter durch den Wald, dann liess K. halten, ich glaube, es war etwa dort, wo neulich der General ausstieg, der dann fiel. Ich wartete und beobachtete. Dann sah ich Major K. mit der Karte winken aber nicht zu uns, nein in Richtung Feind, dann lief er darauf zu. Kein Schuss fiel, ich glaube, er ist ’rüber gelaufen, ich kann es mir alles nicht erklären, vorgestern der General tot, heute dort der Major weggelaufen, was ist denn los?› Wir schauen den armen Kerl an. Ist doch dieser Fahrer ein besonders vertrauter und ausgesuchter, der die Offiziere des Stabes nun seit

Jahren sicher durch alle Gefahren fuhr. Ziehlberg gibt ihm die Hand, dankt ihm für die schnelle Nachricht, dann setzt er sich hin, es ist wie auf der Bühne. Jetzt muss ja der nächste Akt kommen. Erst diese Meldung nach der Armee, ich kann den Major nicht schicken, er ist mir entwischt.» Stolberg zitiert keinen weiteren Beitrag Löbbeckes zum Bericht der Vorgänge. Stolberg und Schönau waren aber offenbar beim Kommandeur während des Berichts der beiden Soldaten, die Kuhn begleitet hatten.

Ziehlberg

Die Stabsoffiziere der 28. Jäger-Division sprechen von ihrem Kommandeur mit der grössten Hochachtung und Verehrung. Ziehlberg war mit Leib und Seele Soldat, und er hatte den Mut, seinen christlichen Glauben und seine «Gewissensverantwortung gegenüber einer göttlichen Ordnung» offen zu bekennen, und «er widerstand bewusst der Versuchung des persönlichen Ehrgeizes, die so manchen im Krieg verführt hat», und die das Bild mancher ruhmreicher militärischer Führer getrübt hat. Und schliesslich fand er sich in einer Lage, die eine politische Haltung «ausserhalb des Bereiches militärischer Lehrmeinungen» von ihm forderte. Dem Besuch des Generalstabchefs der 2. Armee, Generalmajor von Tresckow, am 19. Juli folgte der Anschlag gegen Hitler am 20. Juli, Tresckows Tod im Frontabschnitt der Division am 21. Juli, und schliesslich der Befehl zur Verhaftung seines 1. Generalstabsoffiziers am 27. Juli – alles inmitten schwerer Kämpfe und besonders schwieriger, kampfreicher nächtlicher Absetzbewegungen.[58]

Angesichts der mit Tresckows Tod vergleichbaren Situation verlangte der Korpsstab die Vernehmung der Soldaten, die am 21. Juli mit Kuhn und Tresckow an die Front gefahren waren. Inzwischen war bekannt, dass Tresckow sich das Leben genommen hatte. Die Sonderkommission 20.7.44 glaubte zunächst, Tresckow, General Fritz Lindemann und Kuhn seien zu den Russen übergelaufen. Im Bericht der Sonderkommission vom 27. Juli heisst es jedoch, Tresckow habe wahrscheinlich den Tod gesucht.[59] Tresckows Leiche wurde exhumiert und Schlabrendorff musste sie identifizieren.[60]

Am selben Tag, dem 27. Juli, verlieh Hitler Ziehlberg das Ritterkreuz zum Eisernen Kreuz. Der Kommandierende General des LV. Armee-

Korps überreichte es ihm am 3. August. Ziehlberg behielt auch zunächst die Führung der 28. Jäger-Division.[61]

Einige Tage später besuchte der Oberkommandierende der Heeresgruppe Mitte, Generalfeldmarschall Model, den Gefechtstand der 28. Jäger-Division. Nach der Lagebesprechung begann er, ohne die anderen anwesenden Offiziere hinauszuschicken, Ziehlberg wegen seines Verhaltens gegenüber Kuhn zu beschimpfen.[62]

Am 9. September verfügten der Präsident des Reichskriegsgerichts Admiral Bastian und der Oberreichskriegsanwalt Generalstabsrichter Dr. Kraell die Anklage gegen Generalleutnant von Ziehlberg wegen Ungehorsams. Am 2. Oktober musste sich Ziehlberg, wie er erwartet hatte, vor dem Reichskriegsgericht in Torgau verantworten. Stolberg war mit Ziehlberg in Torgau, Schönau und Löbbecke waren nicht vorgeladen.[63]

Nach dem milden Urteil – neun Monate Haft auf Bewährung – kam Ziehlberg zurück und führte seine Division in den schweren Kämpfen bei Lomzscha. Im Oktober wurde ihm die Führung des XXVII. Armee-Korps in Ostpreussen übertragen. Für Ziehlberg bedeutete die Rangerhöhung auch die Rehabilitierung.

Aber Hitler hob das Urteil auf und befahl eine neue Verhandlung. Stolberg spricht von «Rache aus fanatischem, politischen Hass bis zur Rechtsbeugung», vom «Verfolgungswahn des Staatsoberhauptes». Erst lange nach dem Krieg sei «aus dem Aktenmaterial und Zeugenberichten» ersichtlich geworden, dass Ziehlbergs Zusammenarbeit mit Generaloberst Beck, als dieser Chef des Generalstabes des Heeres und Ziehlberg Gruppenleiter in dessen Zentralabteilung war, die wahre Belastung für Ziehlberg waren, während der Vorgang mit Major i. G. Kuhn ein willkommener Anlass gewesen sei, «um einen höheren Offizier mehr auszuschalten, dessen unbestechliches Urteil und Mut zur Wahrhaftigkeit man fürchtete». Stolberg nennt das Aktenmaterial nicht im einzelnen, es kann sich nur um das 2. Feldurteil des Reichskriegsgerichts handeln.

Hitlers Rachsucht gegenüber einem Befehlshaber, der seinen, Hitlers, Befehl nicht ausgeführt hatte, den Verschwörer zu verhaften, der den Sprengstoff für Stauffenbergs Attentat beschafft hatte, war der Anlass für das zweite Verfahren. Das geht aus dem Brief des Senatspräsidenten des Reichskriegsgerichts, Generalstabsrichter Dr. Schmauser, vom 14. November 1944 an den Oberreichskriegsanwalt hervor, in dem

Schmauser nach Begründungen für ein anderes Urteil suchte: «Als Grundlage des vom Führer geforderten neuen Urteils des Reichskriegsgerichts halte ich noch eine Reihe von Ergänzungen teils für notwendig, teils für dringend erwünscht.» Man konnte wohl nicht dasselbe Urteil nur mit einer anderen Strafe abschliessen. Der Präsident versuchte, sozusagen einen neuen Tatbestand der *bewussten* Nichtbefolgung des Verhaftungsbefehls zu konstruieren nach der Aussage Stolbergs, dass Kuhn ihm die Adresse seiner Eltern diktiert habe wegen der Nachsendung ihm gehörender Gegenstände, und durch weitere Fragen an die Zeugen Major i. G. von Löbbecke und Major i. G. Freiherr von Schönau. Weiter stellte der Senatspräsident schon in diesem Brief fest: «Art und Höhe der Strafe werden voraussichtlich wesentlich von der Klärung von Fragen beeinflusst werden, die zwar ausserhalb des Verschuldens (im engeren Sinn) des Angeklagten liegen», die aber entscheidend seien, weil sie einen Überblick über den Schaden erlauben, der «für Wehrmacht und Reich durch das Verhalten des Angeklagten entstanden ist oder wenigstens hätte entstehen können». «Hätte entstehen können»: Schmauser stellte nämlich weiter fest, dass weder das angebliche Überlaufen Kuhns noch die Annahme, er habe eine Lagekarte mitgenommen, durch Quellen gesichert sei. «Im übrigen beziehe ich mich auf die heutige persönliche Rücksprache mit Ihnen.»[64]

Schönau, Löbbecke und Stolberg waren zu dem zweiten Prozess am 21. November als Zeugen geladen. Schönau wurde vom zuständigen Militärarzt wegen seiner Gelbsucht für nicht reisefähig erklärt. Generalleutnant von Ziehlberg wurde am 19. November von zwei Generalen in Zivil bei seiner Familie in Wusseken plötzlich abgeholt und kam nach Torgau in Untersuchungshaft. Nun stand er vor Gericht ohne Uniform und Ehrenzeichen, nach seiner und der als Zeugen anwesenden Stabsoffiziere «wie ein Verbrecher».

Ziehlberg erklärte dem Gericht, er pflege in schwierigen Lagen seine Entscheidungen zu überdenken, ehe er sie ausführe. Er habe den Brief des Kommandierenden Generals mehrere Male durchgelesen. Der Befehl, «dass ‹auf höchsten Befehl› Kuhn ‹sofort festzunehmen› und unter Geleit nach Berlin zu bringen sei», sei eindeutig gewesen, «er habe den Befehl natürlich verstanden», er sei aber «gar nicht richtig in sein Bewusstsein durchgedrungen», weil seine Gedanken und Sorgen der Frage galten, wie es den Regimentern der Division während der Nacht ergangen sei und ob es wohl gelingen werde, rechtzeitig die Lücke in der Mitte der Division zu schliessen». Als erstes sei ihm der Gedanke durch den Kopf gegangen, «wie nachteilig es für die Division sei, dass sie gerade jetzt ihren eingearbeiteten Ia abgeben müsse». Er habe dann sofort vermutet, dass der Befehl mit Stauffenbergs Sprengstoffanschlag zusammenhänge. Er habe Kuhn den Brief zu lesen gegeben und ihn dabei scharf beobachtet, Kuhn habe keine Betroffenheit gezeigt und auf seine Frage «bestimmt und sicher» bestritten, «am 20. Juli in irgend einer Weise beteiligt» gewesen zu sein. Er habe Kuhn geglaubt. Als er sich nach dem Gespräch mit Kuhn in seinem Wohnwagen rasiert habe, «sei ihm allerdings blitzartig der Gedanke durch den Kopf geschossen, dass Kuhn, wenn er vielleicht doch in die Vorkommnisse des 20. Juli verwickelt gewesen sei, die Gelegenheit benützen könne, sich zu erschiessen. Gleichwohl sei er nicht sofort in die Ia-Unterkunft zurückgegangen. Er habe sich gedacht, dass nichts dagegen einzuwenden sei, wenn Kuhn auf diese Weise die Folgen ziehe.» Als er nach kurzer Zeit in das Haus des Ia zurückgegangen sei und Kuhn dort im Gespräch mit Schönau und Stolberg angetroffen habe, sei er «völlig beruhigt» gewesen. «Denn er habe sich gedacht, dass Kuhn, wenn er vielleicht doch beteiligt gewesen sei, sich sicher inzwischen erschossen hätte.» Dann habe er ihm noch väterlich zugeredet, alles Schwere werde und müsse ertragen werden, wenn Kuhn unschuldig sei, werde sich seine Unschuld auch herausstellen. «In diesem Vertrauen habe er davon abgesehen, Kuhn ‹wie einen Gannoven [sic]› sofort festnehmen und überwachen zu lassen.» Er sei sich klar gewesen, dass er den Befehl nicht seinem Wortlaut entsprechend ausführte. Aber erst nach seiner Frontfahrt, als Kuhn auf dem neuen Gefechtstand nicht erschienen war, sei er zu der Erkenntnis gekommen, «wie Kuhn ihn auch persönlich belogen und betrogen habe».[65]

Sicher gingen Ziehlberg widersprüchliche Gedanken durch den Kopf, er konnte nicht rechtfertigen, Kuhn weiterhin ohne Bewachung gelassen zu haben, wenn er sich nicht durch Kuhns Verhalten beruhigt gefühlt hätte. Ziehlberg hat aber Kuhn bewusst einen Kameradschaftsdienst erwiesen, indem er ihm die Gelegenheit gab, sich zu erschiessen. Er wusste, was ihm selbst bevorstand, wenn Kuhn stattdessen die Flucht wählte.

Ziehlberg hat am 27. Juli zunächst General Herrlein berichtet und danach eine schriftliche Meldung diktiert. Als sie zur Unterschrift in seinen Unterkunftwagen gebracht wurde, stand Major i. G. von Schönau neben ihm. Ziehlberg sagte: «Schönau, jetzt unterschreibe ich mein Todesurteil.»[66]

Stolberg bestreitet «die in späteren Verhandlungen vor dem Kriegsgericht vertretene Version, Kuhn habe durch Verrat des Frontverlaufs und deren Besetzung der eigenen Truppe schweren Schaden zugefügt». Das Gericht behauptete aber nun, dem abgekarteten Prozessplan Schmausers entsprechend, dass durch Kuhns Entkommen «das Wohl und die Sicherheit des Reichs schwer gefährdet und ernst geschädigt» worden seien; denn «die Staatsführung wollte und musste Kuhn lebend in die Hände bekommen, um durch seine Vernehmung zu klären, wer neben ihm selbst noch an der Vorbereitung oder Durchführung des Anschlags beteiligt war», und zu verhindern, «dass an einer vielleicht sogar massgebenden Stelle noch irgend ein Beteiligter unentdeckt belassen blieb». Wie man zu solchen Erkenntnissen kommen könnte, wenn Kuhn doch erwiesenermassen nicht die Wahrheit sagte, liess das Gericht offen. Die Nachteile, die der Division durch die Enthebung Kuhns von seiner Stelle als 1. Generalstabsoffizier entstanden, würdigte das Gericht nicht.[67]

Es zitierte vielmehr ferner die Aussagen von zwei Rückkehrern aus sowjetischer Gefangenschaft, beide deutsche Unteroffiziere, aus einem russischen Kriegsgefangenenlager etwa 75 Kilometer östlich von Bialystok, die mit Zersetzungsaufträgen zurückgekommen waren und sich bei ihrer Ankunft auf deutscher Seite enttarnten. Sie berichteten, Kuhn habe schon am 31. Juli seine Bewacher «ersucht, sofort nach Moskau weitergeleitet zu werden, da er eine wichtige Aussage zu machen habe». Kuhn selbst berichtete, er habe sich am 4. August an einen russischen Stabsoffizier im Lager Wolkowyssk gewandt und habe seinen «Wunsch wichtige Aussagen zu machen» geäussert, darauf sei er nach Moskau gebracht worden. Der andere Rückkehrer berichtet, am 31. Juli in dem betreffenden Lager beobachtet zu haben, «wie ‹ein deutscher Major Kuhn› mit Generalstabsabzeichen im Wagen eingebracht wurde» und «ein deutscher Leutnant, der zur bolschewistischen Bearbeitung von Kriegsgefangenen eingesetzt war, die mit russischen Aufträgen nach Deutschland zurückgeschickt werden sollten, habe ihnen später gesagt, dass dieser Major Kuhn Verbindung mit den am Anschlag vom 20. Juli

Beteiligten gehabt habe. Sie dürften deshalb nach ihrer Rückkehr nach Deutschland auch nichts von seiner Ankunft sagen.» Das Gericht akzeptierte diese Aussage, so unglaubhaft es war, dass man Kriegsgefangene mit Sabotage- und Zersetzungsaufträgen zurückschickte und ihnen vorher absichtlich Dinge mitteilte, die sie verschweigen sollten. Das Gericht stellte ferner fest: «Es ist anzunehmen, dass er [Kuhn] dem Feind a l l e s preisgegeben hat, was er wusste.»[68]

Nicht nur Ziehlberg, auch seine anderen Stabsoffiziere, vor allen Löbbecke und Stolberg, fanden sich am 27. Juli in einer existentiellen Grenzsituation. Sie machten sich Vorwürfe und standen im Verdacht der Begünstigung Kuhns durch Unterlassen einer vielleicht angemessenen Aufsicht. Die Zeugen der Vorgänge konnten, auch wenn sie es gewollt hätten, nichts verschleiern. Der General selbst beantwortete aufrecht und klar alle Fragen. Stolberg erinnerte sich, dass Ziehlberg «sich auch nicht die kleinste Formulierung gestattete, die als entlastende Verharmlosung seiner Entscheidungen an dem Tage des Haftbefehls gegen Major Kuhn hätte erscheinen können. Auch wies er alle vom Gericht nahegelegten Möglichkeiten zurück, auf andere Personen die Mitverantwortung abzuwälzen. Unbeirrt und mutig stand er im Angesicht eines unrühmlichen Todes zu seinem Wort und zu seiner alleinigen Verantwortung als Kommandeur.» In der Begründung des Todesurteils habe sich der Vorsitzende bemüht, von Sühne für eine Verstrickung statt von Strafe zu reden. Die Begründung des Urteils vom 21. November sprach allerdings von der Strafe, auch von «persönlichen wie sachlichen Milderungsgründen», von der «Ehrenhaftigkeit der persönlichen Gesinnung Gen. Lts. v. Z.». Das Urteil schloss, es komme «als soldatische Sühne nur der T o d in Betracht». Löbbecke erinnert sich wirr und mit widersprüchlichen Details, der «Generalrichter» – d. h. der Vorsitzende Schmauser – habe erklärt, «das Gericht könne sein Handeln verstehen, das Gericht sehe auch ein, dass kein ehrenrühriges Handeln vorgelegen habe», dass aber, «so leid es allen täte, der Führer und oberste Kriegsherr der Vertreter der Anklage sei und dieser habe auf Todesstrafe durch den Strang erkannt, dagegen sei leider nichts zu machen, das Gericht müsse sich diesem Urteil anschliessen».[69]

Tatsächlich lautete das Urteil auf «Tod». Ziehlberg wurde am 30. November von Torgau nach Berlin-Moabit verlegt. Hitler bestätigte das Urteil durch Erlass vom 13. Januar 1945. Stolbergs Erkenntnis, dass man Ziehlbergs «unbestechliches Urteil und Mut zur Wahrhaftigkeit» fürchtete, bezog sich auf die Entscheidung, Ziehlberg erschiessen zu lassen. Diese fiel offenbar im Januar 1945. Generalmajor Westphal, der frühere Generalstabschef beim Oberbefehlshaber Süd, Generalfeldmarschall Kesselring, gibt die Mitteilung des Chefs des Reichssicherheitshauptamts Kaltenbrunner wieder, dieser habe Hitler die Begnadigung Ziehlbergs vorgeschlagen, worauf Hitler die sofortige Exekution Ziehlbergs befohlen habe. Am 27. Januar 1945 bestimmte «Der Präsident des Reichskriegsgerichts als Gerichtsherr», General der Infanterie von Scheele, der die Verfügung unterzeichnete, dass die Vollstreckung durch Erschiessen zu erfolgen habe. Ziehlberg wurde am 2. Februar 1945 in der Murellenschlucht in Berlin-Spandau erschossen.[70]

1959 bekannte sich die Bundeswehrführung zur Ehrfurcht vor dem Opfer der Männer des 20. Juli. Am 20. Juli 1959 legte eine Abordnung der Bundeswehr in Zivil (so üblich bis zur Wiedervereinigung) im Hof des Bendlerblocks einen Kranz nieder. Die Abordnung bestand aus General Cord von Hobe, Major Georg Lejeune-Jung, Oberleutnant Berthold Schenk Graf von Stauffenberg und Oberleutnant Georg-Erich Heisterman von Ziehlberg.[71] Lejeune-Jung, Stauffenberg und Ziehlberg waren Söhne hingerichteter Hitler-Gegner. Damit war Ziehlbergs Feindschaft gegen Hitler anerkannt.

GEFANGENSCHAFT

Die Geheime Staatspolizei fahndete unter dem 4. August 1944 nach Kuhn «im Zusammenhang mit den Ereignissen des 20. Juli 1944» und erwartete, ihn in Deutschland anzutreffen. Unter dem 10. August 1944 bezeichnete ein Bericht der Sonderkommission 20.7.44 der Geheimen Staatspolizei, den SS-Obergruppenführer Ernst Kaltenbrunner an Martin Bormann leitete, Kuhn als den «zu den Bolschewisten übergelaufene[n] Major Kuhn». Eine vom Heerespersonalamt Ende August 1944 zusammengestellte Liste der im Zusammenhang mit dem 20. Juli 1944 verhafteten oder gesuchten Offiziere bezeichnet Kuhn als «vor Festnahme geflüchtet; z. d. Russen übergelaufen», und eine weitere Liste des Heerespersonalamts führt ihn als am 4. August 1944 auf Vorschlag des Ehrenhofes des Heeres aus der Wehrmacht ausgestoßen.[1]

Kuhns Mutter erhielt von der Geheimen Staatspolizei am 11. September 1944 die Mitteilung, ihr Sohn sei vom Volksgerichtshof in Abwesenheit zum Tode und zur Enteignung seines Vermögens verurteilt worden. Kuhns Haus in Bad Homburg war mit der gesamten Einrichtung und allen Wertgegenständen eingezogen, dazu seine Bankkonten und ein 2-Liter BMW. Die Vermögensgegenstände ausser Geld und Immobilien wurden versteigert.[2] Kuhns Eltern kamen in «Sippenhaft» nach Bad Reinerz in Schlesien, dann in die Konzentrationslager Buchenwald, Schönberg, Dachau, schliesslich kam Vater Kuhn noch nach Südtirol, wo die Häftlinge Ende April befreit wurden. Frau Kuhn musste wegen schlechter Gesundheit in Dachau zurückbleiben.[3] Kuhn, aus der Wehrmacht ausgestossen, wurde gleichwohl am 6. Februar 1945 in Abwesenheit vom Reichskriegsgericht zum Tode verurteilt.

Kuhn hat seine Erinnerungen an sein Verhalten und seine Erlebnisse mehrfach wiedergegeben: 1944 am Anfang seiner Gefangenschaft, 1951, als er wegen Kriegsverbrechen angeklagt wurde, und in den Monaten und Jahren seit seiner Heimkehr im Januar 1956 in Eingaben an die Behörden. Zeitpunkte und Perspektiven erklären manche Unterschiede in den Versionen. Der Lebensabriss vom Beginn der Gefangen-

schaft ist trotz Kuhns Tendenz zu hoher Selbsteinschätzung am auf-
schlussreichsten. Die nach der Heimkehr 1956 verfassten Versionen
dienten der Erlangung von Wiedergutmachung und Pension; Kuhns Vater und andere Anwälte waren an den Formulierungen beteiligt.[4]

Kuhn war ein mutiger und tapferer Soldat, er fürchtete den Tod an
der Front nicht, obwohl er natürlich hoffte, zu überleben. Wie Tresckow wollte er sich nicht foltern und hängen lassen, zur Selbsttötung
konnte er sich nicht entschliessen, so blieb nur die Flucht. Nach der
Eröffnung Ziehlbergs, er solle Kuhn «auf höchsten Befehl» verhaften
und er solle sich zum neuen Gefechtstand begeben, gab Kuhn in den
oben beschriebenen Gesprächen mit Schönau, Löbbecke und Stolberg
vor seiner Abfahrt Hinweise darauf, dass er weder die Verhaftung noch
den Selbstmord wollte.[5]

Tresckow hatte zwar Schlabrendorff gesagt, er werde sich das Leben nehmen, weil man seine Beteiligung sicher entdecken würde und
er verhindern müsse, dass die Namen anderer Beteiligter aus ihm
herausgepresst würden. Am 21. Juli sagte er Kuhn etwa dasselbe:
«Sie wissen, vor Stauffenberg war ich unter Beck der geistige Vorarbei-
ter dessen, was gestern fehlschlug. Ich kenne jede Einzelheit der
Organisati[o]n und fühle wie Beck und Stauffenberg die Mitverantwortung für das Geschehene. So ist auch meine Uhr abgelaufen.»
Kuhn konnte sich aber auf Tresckows Zureden berufen, er solle versuchen, am Leben zu bleiben. In der Tat hatte Tresckow 1944 Wolf
Graf Baudissin in die Kriegsgefangenschaft geschrieben, er sei froh,
dass wenigstens einer der Gleichgesinnten mit Sicherheit überleben
werde. Am Tag seines Todes hatte er Schlabrendorff zugeredet, am
Leben zu bleiben, solange es zu rechtfertigen sei. Als Tresckow an dem
Tag zur 28. Jäger-Division kam, schlug Kuhn ihm vor, sich mit ihm
«zu den Polen durchzuschlagen und dort zu verstecken, um irgendwie
nach Norden in Richung Skandinavien zu kommen»; Tresckow lehnte
ab. Er sagte aber zu Kuhn, wie dieser berichtet: «Adieu, Sie haben,
wenn es Ihnen gelingt am Leben zu bleiben und wenn es an der Zeit
ist, zu sagen, was wir gewollt haben.»[6]

Nach seiner Gefangennahme gab Kuhn diese Erklärung seines Verhaltens: «Wenige Minuten blieben, um einen Entschluss zu fassen. Ich
durfte mit meiner Kenntnis von Zusammenhängen und Personenkreis
der Verschwörung nicht in die Hände des Himmlerschen Sicherheits-

dienstes fallen. Selbstmord, hatte ich mir vorgenommen nur zu verüben, wenn keine andere Möglichkeit bestand, mich der Verfolgung zu
entziehen. Überlaufen war das Richtigste, es stand jedoch im Widerspruch zu den Begriffen und Traditionen, in denen ich erzogen war. Es
blieb, den Tod durch die feindliche Kugel zu suchen. Dies konnte nichts
Schreckendes haben, da uns am Umsturz Beteiligte täglich der Gedanke
an ein schnelles Ende begleiten musste.» Der im selben Bericht enthal-
tene Hinweis auf die von Tresckow eingeräumte Möglichkeit, es könnte
Kuhn gelingen am Leben zu bleiben, steht im Widerspruch zu den eben
zitierten Sätzen. 1951 sagte Kuhn einem Mitgefangenen, dass sein Divisionskommandeur ihm gesagt habe, er solle ihn festnehmen, und ihm
die Möglichkeit gegeben habe, nach eigenem Ermessen zu handeln.
Kuhn habe sich in das Auto gesetzt, mit dem er zurückgefahren werden
sollte und dem Fahrer befohlen, ihn an die Front zu bringen. So sei er in
einer Frontlücke nach Osten gegangen und habe sich zunächst bei Polen
in einem Haus versteckt. Gleichwohl bestand Kuhn 1944, 1951 und
später immer darauf, er sei nicht übergelaufen.[7]

Am 27. Juli blieben Kuhn also nicht nur «wenige Minuten»; denn er
hatte einen Plan für den Fall der drohenden Verhaftung. Allerdings liegt
kein Widerspruch in Kuhns Feststellung, dass die Haltung Ziehlbergs
und der anderen Offiziere ihm «praktisch ermöglichte der Verhaftung
zu entgehen»; diese wäre schimpflich gewesen und hätte ihm nicht die
Möglichkeit gegeben, den Tod durch eine feindliche Kugel zu suchen.[8]

1944 in Moskau schrieb Kuhn, auf der Fahrt zum Gefechtstand sei
er zur Front abgebogen und habe sich «rasch auf die russische Linie zu»
bewegt. Weitere Einzelheiten, etwa was er seinem Fahrer sagte, erwähnte er nicht. «Im Dorf Starosielce hielt ich mich auf, um das Weitere
zu überlegen, wurde aber, durch polnische Bauern angegeben von einer
russischen Streife im Keller eines Bauernhauses überraschend gefangen
genommen.» In einer Aufzeichnung von 1983 gab ein Mitgefangener
seine Erinnerung an Kuhns Erzählung so wieder: «Er setzte sich in seinen Wagen und fuhr mit seinem Fahrer an eine Frontlücke, liess Fahrer
und Wagen dort zurück und schlug sich durch die offenen Linien durch.
Zunächst habe er sich bei Polen versteckt gehalten und geschlafen, da er
total erschöpft gewesen sei. Doch nicht lange, da hätten die Sowjets ihn
entdeckt und gefangen genommen.»[9]

Am 17. Januar 1956, dem Tag nach seiner Entlassung aus der Gefangenschaft, sagte Kuhn aus: «Da ich befürchten musste, als Mitwisser [der Verschwörung Stauffenbergs] in diesen Strudel mit hineingezogen zu werden, besorgte ich mir Zivilkleider und wollte versuchen, bei Polen unterzukommen, um dann später in das neutrale Ausland zu gelangen. Ich wurde von einem Polen an die Russen verraten.» Er fügte hinzu: «Ich kam somit in Bialystock in russ. Gefangenschaft. Bei meiner Vernehmung bei der russ. Truppe gab ich an, dass ich beim Erkunden der HKL abgeschnitten wurde und somit in Gefangenschaft kam.» Kuhn wurde nach der Gefangennahme in seiner Uniform mit Stiefelhosen und Sturmgeschützbluse, die er am 27. Juli 1944 trug, photographiert, verfügte also höchstwahrscheinlich nicht über Zivilkleider.[10]

Im August 1956 schrieb Kuhn an den Historiker Bodo Scheurig: «Ich bin in keiner Beziehung zur russischen Front übergewechselt, sondern wurde bei einem russischen Vorstoss gefangengenommen.»[11] Und in Niederschriften Kuhns vom Juli und Dezember desselben Jahres über seine militärische Laufbahn und die Gefangenschaft steht: «Am 27. Juli 1944 wurde der Division der Führerbefehl übermittelt, den Antragsteller zu verhaften. Die Verhaftung erfolgte nicht. Vom dienstlichen Auftrag entbunden verbarg sich der Antragsteller in einem diesseits der deutschen Front liegenden Bauernhause in der Absicht, von dort in Zivil sich nach Schweden durchzuschlagen, bei polnischen Bauern. Während der nachfolgenden Kampfhandlungen besetzten Russen dieses Bauernhaus. Infolge Verrats des sich verborgen haltenden Antragstellers durch die Polen erfolgte seine Gefangennahme durch die Russen.»[12] Hier sind die Formulierungen des Anwalts deutlich. Gewiss war Kuhn vom dienstlichen Auftrag entbunden, da Major i. G. von Schönau ihn ersetzt hatte, aber er war nicht aus dem Heer entlassen. Das Bauernhaus lag auch nach allen früheren Aussagen Kuhns nicht diesseits der deutschen Front, und von Kampfhandlungen ist sonst in keinem Bericht die Rede.

Von Kuhn selbst ist kein detaillierter Bericht über seine Gefangennahme bekannt. In seinen verschiedenen skizzenhaften Versionen gibt es erhebliche Widersprüche. Er macht Angaben wie Starosielce oder Bialystok als Ort seiner Gefangennahme; diesseits der deutschen Hauptkampflinie oder «auf die russische Linie zu»; oder «beim Erkunden der HKL abgeschnitten», also auf der sowjetischen Seite; oder «im Dorf Starosielce [...] von einer sowjetischen Streife im Keller eines Bauernhauses überraschend gefangen genommen». Diese unterschiedlichen

Angaben lassen die Frage offen, ob Kuhn im wörtlichen Sinn übergelaufen sei mit der Absicht, sich in Gefangenschaft zu begeben.[13]

Auf der sowjetischen Seite sind die Berichte ebenso unpräzis. Der erste feststellbare Bericht über Kuhns Gefangennahme kam vom deutschsprachigen Sender Moskau, dass bei schweren Kämpfen der Generalstabsmajor der 28. Jäger-Division gefangen genommen worden sei.[14] Der nächste stammt von Leutnant Diedrich Willms, «einem Frontbevollmächtigten des Nationalkomitee ‹Freies Deutschland›» in der 2. Staffel der «Aufklärungsabtl. des Ob.d.LW». Willms sprach mit Kuhn am 28. Juli. Das muss im Lager Lunna etwa 75–80 Kilometer nordöstlich von Bialystok gewesen sein, wo einer der erwähnten beiden «Rückkehrer» aus sowjetischer Gefangenschaft Kuhn am 31. Juli gesehen hat. Am 4. August befand sich Kuhn nach seiner Aufzeichnung vom 2. September 1944 im Lager Wolkowyssk.[15]

Leutnant Heinrich Graf von Einsiedel, ein Enkel Bismarcks, der als Jagdflieger über Stalingrad abgeschossen, in der Gefangenschaft grausam gequält worden war und sich dem prosowjetischen Nationalkomitee «Freies Deutschland» angeschlossen hatte, las den Bericht im Haus des Nationalkomitees in Lunowo am 22. August 1944 (am Tag einer Plenarsitzung des Nationalkomitees und des Geburtstags von General der Artillerie Walter von Seydlitz-Kurzbach). 1949 schrieb Einsiedel in einem Brief, alles was er wisse, sei, «dass er [Kuhn] nach seiner Flucht zur Roten Armee mit dem damaligen Bevollmächtigten des Komitees Lt. Dieter Wilms [sic] gesprochen hat, und dann im Flugzeug nach Moskau transportiert wurde». Nach Einsiedels späterer Erinnerung (2002) hatte Willms in dem Bericht, den Einsiedel im August 1944 gelesen hat, geschrieben, «der Offizier [Kuhn] habe sich in dem Dorf versteckt, um sich gefangen nehmen zu lassen».[16]

Ein weiterer Zeuge auf der sowjetischen Seite, der erste, der mit Kuhn am Tag seiner Gefangennahme sprach, ist der Schriftsteller Lew Kopelew. Er war damals Major der 7. Abteilung der Zentralen Politischen Verwaltung der Roten Armee (GLAWPURKKA). Im März 1945 wurde er als «Oberinstruktor für die ‹Arbeit unter den Truppen des Gegners und in der Feindbevölkerung›» an der Zweiten Belorussischen Front aus der Partei ausgeschlossen: «Parteiausschluss wegen ‹mangelnder Wachsamkeit und bürgerlich-humanitärer Einstellung in Form von Mitleid mit den Deutschen›». Im Januar 1945 erzählte er Einsiedel

(nach der Erinnerung Einsiedels 2002), Kuhn habe am Tag seiner Gefangennahme erklärt, er sei ein Mitverschwörer des 20. Juli; Willms
habe am Tag nach Kuhns Gefangennahme im ersten Durchgangslager
mit Kuhn gesprochen. Auch Jesco von Puttkamer, der Ende Januar 1943
als Oberleutnant und Ordonnanzoffizier in der 24. Panzer-Division in
Stalingrad in Gefangenschaft geraten war und sich dem Nationalkomitee angeschlossen hatte, gab 1949 diesen Bericht über Willms' Gespräch
mit Kuhn wieder. Nur wurde Kuhn nicht sofort nach Moskau gebracht,
sondern, wie Kopelew Einsiedel erzählte, erst in das Durchgangslager
Wolkowyssk.[17] Auch Puttkamer hatte seine erste Kenntnis über Kuhns
Gefangennahme von Willms, seine Erinnerung daran stimmt allerdings
eher mit Kuhns Darstellung überein: «Nachdem er bei dem ersten höheren Stab erzählt hatte, wer er war, und gleichzeitig die Bitte vorgebracht
hatte, mit Seydlitz in Verbindung zu kommen, wurde er sofort isoliert.
Er kam in das grosse Moskauer NKWD-Gefängnis Lubjanka. Mit Seydlitz hat er nie sprechen können. Ihm wurde eine Verbindungsaufnahme
mit dem damals noch nicht aufgelösten Komitee überhaupt nicht gestattet.»[18]

Im Januar 1945 traf Kopelew Einsiedel an der 2. Belorussischen
Front. Einsiedel war dorthin geschickt worden, um mit Flugblättern
deutsche Truppen zu bewegen, sich gefangen zu geben. Kopelew fragte
Einsiedel nach Kuhn und wunderte sich, dass die Mitglieder des Nationalkomitees bzw. des Offizierbundes nie mit Kuhn Kontakt bekommen
hätten. Einsiedel über Kopelews Bericht: «Er stand mit zwei Kameraden
auf der Dorfstrasse einer nicht lange vorher von der Roten Armee er-
oberten Ortschaft als eine Dorfbewohnerin zu den russischen Offizieren
kam, und ihnen erklärte, in ihrem Hause habe sich ein deutscher Offizier versteckt, der sich gefangen geben wolle.» Kopelew habe die Geschichte genau so erzählt, wie sie schon der Frontbevollmächtigte des
Nationalkomitees «Freies Deutschland», Leutnant Willms, im August
1944 dem Nationalkomitee in Moskau gemeldet hatte. Einsiedel schrieb
aber 1949 in einem Brief: «Wir haben aber Kuhn nie zu Gesicht bekommen. Auch auf mehrere Nachfragen von Seydlitz bei den sowjetischen
Offizieren, die uns betreuten, haben wir keine weiteren Auskünfte mehr
über ihn erhalten.» Übrigens, berichtet Einsiedel weiter, sei auch «ein
anderer zur Roten Armee geflohener Teilnehmer am Aufstandsversuch
Major Trittel (?) (Regierungsrat bei Helldorf)» zuerst in einem Lager,

dem Offiziergefangenenlager 150 gewesen, von ihm stammten die Kenntnisse des Nationalkomitees über den 20. Juli, doch sei auch er noch im Jahr 1944 nach Moskau transportiert worden «und verschwand für uns», das Nationalkomitee. Kopelew habe auch berichtet, dass Kuhn «spontan bei der Gefangennahme» den Wunsch geäussert habe, zu Seydlitz gebracht zu werden. Kopelew sagte Einsiedel nach dessen Erinnerung im Januar 1945, Kuhn habe ihm von seiner Rolle in der Erhebung gegen Hitler berichtet. Darauf habe er, Kopelew, Kuhn mit einem Begleitoffizier nach hinten zu höheren Dienststellen geschickt «mit Begleitpapieren, die die besondere Bedeutung dieses Gefangenen klar machten». Kuhn sei dann aber, immer nach Kopelew, in ein normales Durchgangslager gekommen, von wo Kopelew ihn erneut nach hinten geschickt habe. Kuhn selbst berichtete in einem Lebenslauf 1956, er habe nach der Gefangennahme «zwei Frontkriegsgefangenenlager durchlaufen». In seiner Niederschrift vom 2. September 1944 erwähnte er nur Wolkowyssk, das offenbar das zweite war.[19]

Obwohl Kopelew sich später erinnert hat, Kuhn habe sich schon vor dem 20. Juli 1944 in Gefangenschaft begeben, worüber er mit Einsiedel uneins wurde, bezeichnet Einsiedel Kopelew als zuverlässig in seiner Darstellung der Umstände von Kuhns Gefangennahme: «der Kern seines Berichts, unter welchen Umständen er Kuhn in Empfang genommen hat, ist auch bei diesem Streit nie in Frage gestellt worden».[20]

Es scheint aber, dass Kopelews Erinnerung an die Daten auch hier ungenau war. Kuhn hat Ende August/Anfang September 1944 in Moskau berichtet: «In der Gefangenschaft entschloss ich mich, zunächst keine Aussagen über meine Teilnahme an der Verschwörung gegen Hitler zu machen, aber die Art, wie ich als Kriegsgefangener behandelt wurde und die Gespräche mit sowjetischen Offizieren, sowie mit meinen kriegsgefangenen Kameraden, haben mich aufgeklärt. Am 4. August wandte ich mich an einen im Lager Wolkowyssk anwesenden russischen Stabsoffizier und äusserte ihm meinen Wunsch wichtige Aussagen zu machen.»[21]

Nach Einsiedels Erinnerung berichtete ihm Kopelew 1945 etwas anderes: Kuhn habe ihm, also schon in Starosielce, dasselbe gesagt, was Willms in seinem Bericht im August geschrieben hatte, nämlich, «er sei ein Mitverschwörer des 20. Juli, und wolle sich nun Seydlitz, d. h. dem Offiziersbund bzw. der Bewegung Freies Deutschland anschliessen».

Dies widerspricht sowohl Kuhns eigener Aussage, er habe bis zum 4. August 1944 keine Aussagen über seine Beteiligung an der Verschwörung gemacht, als auch seinem Bericht gegenüber einem Mitgefangenen im Butirka-Gefängnis im Oktober 1951, den er 1956 in einem Lebenslauf wiederholte: die Sowjets hätten ihn unbedingt in das Nationalkomitee Freies Deutschland drängen wollen, aber er habe das «immer abgelehnt».[22]

Es sind keine Gründe zu erkennen für einen Zweifel an Kuhns Darstellung vom 2. September 1944, wonach er sich erst am 4. August als Verschwörer zu erkennen gegeben habe. Diese Darstellung und Einsiedels und Puttkamers Berichte von 1949 liegen dem Ereignis näher als die achtundfünfzig Jahre spätere Erinnerung Einsiedels an den Inhalt der Berichte Willms' und Kopelews. Einsiedel wie Puttkamer datierten 1949 Kuhns Offenbarung als Verschwörer des 20. Juli nicht, aber ihre implizite Chronologie steht nicht im Widerspruch zu Kuhns Darstellung, die damals weder Einsiedel noch Puttkamer bekannt war.

Kuhn wurde nach dem 4. August nach Moskau gebracht, aber nicht in ein Lager für kriegsgefangene Offiziere. Vom 11. August bis 1. März 1947 war er im NKWD-Gefängnis (Gefängnis des Kommissariats des Innern) Lubjanka in Moskau. In dieser Zeit war er immer mit anderen Deutschen zusammen, meist mit Generalen, und wurde vernommen.[23] Sein Status und die Behandlung als Kriegsgefangener wurden ihm vorenthalten. Erst 1951, nach sieben Jahren Haft in NKWD- und MGB-Gefängnissen, wurde er «verhaftet».

Für seine Heimkehrer-Karteikarte machte Kuhn 1956 die folgenden Angaben, die mit den russischen Akten übereinstimmen:
11.8.44–1.3.47 Lubjanka; 1.3.47–22.4.48 Nähe Moskau interniert; 22.4.48–4.5.50 Lefortowo-Gefängnis, Moskau; 5.4.50–10.11.51 Butirka-Gefängnis, Moskau; Nov. 51–20.9.55 Alexandrowsk-Gefängnis; Sept. 55–7.1.56 Entlassungslager Perye Uralsk.[24]

Die sowjetische Regierung betrachtete die Verschwörer des 20. Juli als Feinde. Sie wusste spätestens seit 1943, dass die Verschwörer bei ihren Kontakten mit Vertretern der Westmächte anboten, den Kampf im Westen einzustellen und die Front zu öffnen, im Osten aber die Front möglichst zu halten. Das Protokoll der Moskauer Konferenz vom Oktober und November 1943 enthielt als Punkt 13 die Vereinbarung der Regierungen des Vereinigten Königreichs, der Vereinigten Staaten von

Amerika und der Union der Sozialistischen Sowjet-Republiken, sich gegenseitig sofort über Friedensfühler zu informieren, die sie etwa von Gruppen oder Personen in einem Land erhielten, mit dem sie sich im Kriegszustand befanden. Der Direktor des Office of Strategic Services (OSS) der Vereinigten Staaten, Oberst William J. Donovan, schrieb in einem Memorandum über einen Kontakt mit Helmuth James Graf von Moltke im Dezember 1943, die Verschwörer hätten vorgeschlagen, Deutschland unter Ausschluss der Sowjetunion durch die Westmächte besetzen zu lassen. Am 14. Mai 1944 teilte das amerikanische Aussenministerium der englischen und der sowjetischen Botschaft in Washington die Substanz von Moltkes Ansinnen mit.[25]

Damit war für die sowjetische Regierung klar, dass «die Teilnehmer dieser Verschwörung das Ziel verfolgten, Hitler zu vernichten, mit England, Frankreich und den USA einen Separatfrieden zu schliessen und mit diesen Ländern gemeinsam den Krieg gegen die Sowjetunion fortzusetzen».[26]

Kuhn stand schon bald nach seiner Gefangennahme, womöglich sofort, unter dem Verdacht, dass er «von den Deutschen auf unsere Seite mit gewissen speziellen Zielen eingeschleust ist». So jedenfalls steht es in einem Brief des Chefs der Hauptverwaltung Gegenaufklärung SMERSH, Generaloberst Abakumow vom 23. September 1944 an das Mitglied des Staatlichen Verteidigungskomitee der UdSSR (GKO), Malenkow.[27]

Kuhn bestand immer darauf, er habe jede Aussage über militärische Dinge verweigert. In seinem Lebenslauf vom 10. Juli 1956 schrieb er: «Nach der Gefangennahme wurden zwei Frontkriegsgefangenenlager durchlaufen. In dort stattfindenden Verhören wurde jede Aussage über Abschnitts- und Frontlage und sonstige militärische Dinge verweigert.» Der 1. Ordonnanzoffizier der 28. Jäger-Division, Stolberg, bestätigt dies: So erschütternd Kuhns Flucht gewesen sei, «unmittelbar negative Folgen entstanden für die Truppe, soweit nachweisbar, dadurch nicht. Das Feindverhalten änderte sich in dem besonders gefährdeten Abschnitt gegenüber den Vortagen nicht. Die in späteren Verhandlungen vor dem Kriegsgericht vertretene Version, Kuhn habe durch Verrat des Frontverlaufes und deren Besetzung der eigenen Truppe schweren Schaden zugefügt, lässt sich nach dem Kampfverlauf der nächsten Tage nicht aufrechterhalten.»[28]

In seinem Lebenslauf vom 10. Juli 1956 berichtete Kuhn weiter: «Anfang August 1944 Überführung in das Moskauer NKWD Gefängnis Lubjanka. Dort wurde mit Rücksicht auf die frühere Zugehörigkeit zum O.K.H. Generalstab des Heeres gefordert, militärische Aussagen zu machen, was verweigert wurde. Wegen dieser Weigerung und Verweigerung der Teilnahme am nationalen Komitee Freies Deutschland Festhalten in der Lubjanka 2 ½ Jahre lang. März 1947 Überführung in eine Datsche (Malachowka 30 km südostwärts Moskau). Dort wieder Versuch zu militärischen Aussagen und militärischer Mitarbeit in Russland oder besetztem Gebiet zu veranlassen. Der Versuch unterstützt durch bessere Verpflegung. Es erfolgte wiederum Ablehnung. Darauf nach 13 Monaten, 22. April 1948, Überführung in Gefängnis Leforto, Moskau, in Einzelhaft bei sehr mangelhafter Verpflegung. Nach 3 Jahren, im Januar 1951, erneuter Versuch, wahrscheinlich im Hinblick auf die inzwischen erfolgte Gründung der DDR, Antragsteller zur Mitarbeit zu gewinnen. Nach Ablehnung weiteres ½ Jahr Einzelhaft. Herbst 1951 Untersuchungsverfahren, das abschloss mit der Mitteilung, dass die Untersuchungskommission die Nichtbelastung festgestellt habe. Darauf nach ca. 8 Tagen Verlesung eines Urteils durch einen Gefängnisoffizier in russischer Sprache ohne Dolmetscher, dahingehend, dass Antragsteller zu 25 Jahren Gefängnis verurteilt sei. Anschliessend November 1951 Abtransport nach Ostsibirien, Zentralgefängnis Alexandrowsk bei Irkutsk. Dort zwei Jahre schlechteste Verpflegung bis zur völligen Dystrophie. Etwa Dezember 1952 nochmalige Befragung, ob Antragsteller jetzt bereit sei in Moskau militärische Angaben zu machen. Als wieder abgelehnt wurde, Verbleiben im Zentralgefängnis Alexandrowsk bis September 1955.»[29]

Kuhn erwartete auf seine Erklärung hin, er sei am Attentat gegen Hitler beteiligt gewesen, gute Behandlung. Seine Erwartung erfüllte sich zunächst, weil die Sowjets vieles von ihm erfahren wollten über das Führerhauptquartier in der Wolfschanze sowie über die Vorbereitungen zum Attentat und die daran Beteiligten. Kuhn berichtete ausführlich Ende August/Anfang September 1944. Zwei seiner Mitgefangenen berichteten im Juni 1945 von ihrer Zeit mit Kuhn im Lazarett des Butirka-Gefängnisses – Kuhn war mit einer starken Grippe zeitweise in dieses Lazarett verlegt worden. Sie wussten von Kuhn, «er habe über den 20.7. einen Bericht für Stalin persönlich machen müssen». Die Mitgefangenen bekamen auch den «Eindruck, dass man ihn auf den Kommunismus umzuschulen bestrebt war, in der Absicht ihn mal in der Ostzone einzusetzen. Dafür sprachen auch geringfügige Mehrzuteilungen an Verpflegung u. Rauchwaren, die er bekommen haben soll.»[30] Allerdings durfte er auch in der Zeit der verhältnismässig guten Behandlung nie nachhause schreiben.[31]

Am 23. September 1944 übersandte der Chef der Hauptverwaltung Gegenaufklärung Smersh, Generaloberst Abakumow, die russische Übersetzung eines Berichts von Kuhn an das Staatliche Verteidigungskomitee der UdSSR (GKO) und dessen Vorsitzenden Stalin, mit einem Brief an Malenkow. Auf der letzten Seite der russischen Übersetzung des «Eigenhändige Aussagen» überschriebenen Berichts von Kuhn steht: «Notiz. Erstes Exemplar zur Kenntnis an GKO. Offizier der 2. Abt. der Hauptverwaltung ‹Smersh› Hauptmann Kopeljanskij.» Abakumow schrieb, aus der Presse sei bekannt, dass «beim Prozess über das Attentat auf Hitler der Major der deutschen Armee KUHN, Joachim, als einer der aktiven Teilnehmer der Verschwörung» genannt wurde; «das deutsche Gericht verurteilte ihn in Abwesenheit zum Tode». Die Deutschen hätten auch gemeldet, «Kuhn sei zur Roten Armee übergelaufen und in diesem Zusammenhang zu einem Heimatverräter gestempelt [...] Nach Moskau, in die Hauptverwaltung ‹smerš› gebracht und gründlich verhört, legte KUHN in seinen eigenhändigen Aussagen das, was er von der Verschwörung gegen Hitler und von seiner eigenen Teilnahme daran wusste, dar. Von besonderem Interesse sind die Aussagen KUHNS in bezug auf die ihm bekannten Teilnehmer an der Verschwörung bzw. die mit der Verschwörung Sympathisierenden, die von Hitler nicht Repressionen ausgesetzt waren und bis zuletzt auf führenden militärischen Posten standen [...] Seine hohe Informiertheit bezüglich der Verschwörung und seine engen Verbindungen mit hochgestellten Personen im deutschen Oberkommando erklärt KUHN mit seiner Dienststellung im Generalstab, der Vergangenheit seiner Eltern (der Grossvater war General der Kavallerie) und damit, dass die Vorgesetzten in ihm einen fähigen und vielversprechenden Offizier sahen. Im Hinblick darauf, dass KUHN in Deutschland zum Verräter und einem aktiven Teilnehmer des Komplotts erklärt wurde, zudem in seinen Aussagen seine eigene Rolle etwas hervorkehrt, ist es nicht ausgeschlossen, dass er unter all diesen Vorwänden von den Deutschen auf unsere Seite mit gewissen speziellen

Zielen eingeschleust ist [...] Über das Obendargelegte ist dem Genossen Stalin berichtet worden. Hierbei lege ich eine Übersetzung von KUHNS eigenhändigen Aussagen bei.»[32]

Zwei russische Forscher schreiben: «Am 2. September 1944 tippte der Kriegsgefangene KUHN in Moskau, in der Hauptverwaltung der Spionageabwehr der Roten Armee ‹SMERŠ› [Tod den Spionen], ‹Eigenhändige Aussagen› auf einer deutschen Schreibmaschine und setzte unter jede Seite seinen Namen ‹KUHN›».[33] Die Angabe, Kuhn habe seine Niederschrift selbst auf der für das in den Akten befindliche Exemplar benützten Schreibmaschine geschrieben, ist aus mehreren Gründen irrig. Dies ergibt sich aus der Analyse von Form und Inhalt der Niederschrift, die dem Abdruck im Anhang dieses Buches beigefügt ist.

Kuhn verfasste, wie die bisher zugänglichen Akten zeigen, Ende August/Anfang September und Oktober 1944 drei ausführliche «Aussagen». Von der ersten liegt ein auf einer deutschen Schreibmaschine geschriebenes Exemplar vor, von der zweiten und dritten Kuhns eigene Handschrift.

Kuhn hat sich wenige Tage nach seiner Gefangennahme als Teilnehmer der Verschwörung gegen Hitler zu erkennen gegeben. Natürlich wurde er sofort intensiv verhört, ehe und nachdem er Anfang August «Gespräche mit sowjetischen Offizieren» hatte, die ihn überzeugten, weitgehende Aussagen zu machen. Generaloberst Abakumow schrieb an Malenkow: «in die Hauptverwaltung ‹SMERŠ› gebracht und gründlich verhört, legte KUHN in seinen eigenhändigen Aussagen das, was er von der Verschwörung gegen Hitler und von seiner eigenen Teilnahme daran wusste, dar».[34] Nach hergebrachter Übung wird Kuhn durch Wochen zermürbender Haft aussagebereit gemacht und «gründlich verhört» worden sein. Er wird auch, seiner Aussage nach der Entlassung zufolge, und wie Stolberg vor dem Reichskriegsgericht bestätigte, die Aussage über taktisch verwendbare Kenntnisse verweigert haben, bis diese Kenntnisse angesichts der veränderten Lage unbrauchbar waren. Wahrscheinlich hat er auch Aussagen über die ihm bekannten Persönlichkeiten der Verschwörung zunächst verweigert. Die Kuhn vernehmenden Offiziere wussten schon vieles von dem, was er dann unter dem 2. September zu Protokoll gab.[35] Vermutlich haben sie ihn damit konfrontiert. Natürlich wollten sie sofort alles eventuell Verwendbare von ihm erfahren und wandten dabei die bewährten Mittel an. Die Aufzeichnung zur Vorlage für Stalin musste aber von Kuhn selbst verfasst, mit vielen Einzelheiten über möglichst viele Personen versehen und zugleich sorgfältig geprüft und redigiert werden. Sie bereiteten also die Aufzeichnung mit ihm vor, Vorgaben sind leicht erkennbar; denn es war ein Bericht «für Stalin», den man Kuhn nicht allein schreiben liess.[36]

Im Gegensatz zu den handschriftlich überlieferten, etwas später datierten Niederschriften Kuhns, die allerdings thematisch begrenzter waren, ist die Darstellung vom 2. September 1944 nur beschränkt zusammenhängend. Kuhn beginnt seinen Bericht mit Tresckows Besuch bei der 28. Jäger-Division am 19. Juli 1944, der Nachricht vom Attentat und vom Tod Tresckows am 21. Juli, Kuhns Abwarten der «Entwicklung der Repressalien Hitlers», seiner Gefangennahme, dann noch mit wenigen Zeilen über seine Lebensgeschichte und dem Hinweis auf seinen Grossvater mütterlicherseits, den General der Kavallerie, um sogleich den Blick auf Stauffenberg zu richten, die Persönlichkeit also, von der die verhörenden SMERSH-Offiziere und Stalin am wenigsten wissen konnten. Dabei steht Kuhn selbst als Erzähler im Mittelpunkt und stellt sich, den Major, immer wieder als Gesprächspartner von Generalen wie Stieff, Olbricht, Fellgiebel dar. Das nächste wichtige Thema ist «die Frage der aussenpolitischen Orientierung Deutschlands nach dem gelungenen Umsturz. Hierüber unterhielt ich mich mit General FELLGIEBEL im Zuge Hauptquartier-Berlin in den ersten Dezembertagen 1943.» Fellgiebel hatte geantwortet (was den Verhörenden willkommen sein musste und der sowjetischen politischen Linie entsprach): «Suchen müssen wir eine schnellstmögliche Verständigung mit der UdSSR, da diese allein ein Interesse an einer Erhaltung und Zusammenarbeit mit einem lebensfähigen Deutschland habe. Den Anglo-Amerikanern wird der Kontinent immer ein lästiger Konkurrent bleiben.»[37] In Berlin haben Kuhn und Fellgiebel nach Kuhns Bericht «die Unterhaltung in Gegenwart von General OLBRICHT und STAUFFENBERG» fortgesetzt: «STAUFFENBERG bemerkte, dass das die Möglichkeit nicht ausschliesse nach aussen Fühler auszustrecken, wozu man Verbindungen brauche. Noch sehe er aber nicht Verbindungen zu Russland, wohin die Notwendigkeiten der Orientierung dringend weisen.» Diese Aussage widerspricht dem, was über Stauffenbergs aussenpolitische Orientierung bekannt ist, lässt also eine «Zusammenarbeit» Kuhns mit den Vernehmern vermuten.

Darauf folgt in Umrissen die weitere Umsturzplanung: Attentat mit Hilfe von Sprengstoff, «der in Frankreich durch Abwehr III aus zu Sabotagezwecken abgeworfenen englischen Sprengmitteln sichergestellt» worden war (etwa dieselbe Angabe, es seien durch «unsere Leute in der Abwehr III Munition und Zünder» beschafft worden, folgt weiter unten noch einmal, ohne dass Kuhn auf seine eigene Rolle bei der Sprengstoffbeschaffung eingeht); vorgesehene Termine; Vorbereitungen in den Wehrkreisen für die Übernahme der Macht durch das Ersatzheer (den nach Berlin «nächstwichtigen Wehrkreis I (Ostpreussen – Hauptquartiere)» habe er selbst zu bearbeiten gehabt, doch sei diese Bedeutung des Wehrkreises I am 20. Juli 1944 infolge der Verlegung der Hauptquartiere Hitlers, Himmlers und Görings überholt gewesen); die für die Wehrmacht- und Heeresführung vorgesehenen Persönlichkeiten, unter denen er Witzleben, Hoepner, Manstein und Zeitzler nannte; Kuhn selbst sollte die Nachricht vom Erfolg des Attentats (d. h. also solange er noch in der Organisationsabteilung in «Mauerwald» war) nach Berlin durchgeben und sich dann Feldmarschall von Witzleben zur Verfügung stellen. Demnach wusste Kuhn nur, dass Hitlers Hauptquartier (im März 1944) aus Ostpreussen auf den «Berghof», aber nicht, dass es am 14. Juli 1944 wieder in die «Wolfschanze» verlegt worden war.[38] Die Information der «Führung der Organisation über das Kriegspotenzial Deutschlands» habe Kuhn selbst besorgt, er habe sich durch den Personalbearbeiter der Organisations-Abteilung des Generalstabes des Heeres, Major i. G. Hans Semper, unter einem dienstlichen Vorwand darüber informieren lassen und nannte Zahlen, die er in seinem Bericht vom 7. September 1944 weiter ausführte.

Schliesslich berührte Kuhn doch noch seine Tätigkeit bei der Verwahrung und beim Verstecken des Sprengstoffs, den «unsere Leute der Abwehr III» beschafft hatten, am Rande der Schilderung seiner Rolle in der Verschwörung, als Nachgedanke – es «wäre noch der Erwähnung wert».[39] Seine Intervention führte zum Verlust des vorhandenen Vorrats, seine Rolle bei der Beschaffung von neuem Sprengstoff erwähnt er nicht, er nennt auch Bussche nicht, wohl aber Stieff und Meichssner, die sich für das Attentat zur Verfügung stellten, aber ihre Zusage zurückzogen.

Der Bericht ist eine Schilderung in der Rangfolge, in der sich nach Einschätzung der SMERSH-Offiziere Stalin für den Inhalt interessieren würde.[40]

Kuhn beginnt den Teil seiner Niederschrift, in dem er «die handelnden Personen und solche die der Bewegung nahe standen» charakterisiert, mit der Bemerkung: «Die anderen Offiziere [neben Stauffenberg und Tresckow], die am 20. Juli handelten, sind inzwischen Hitlers Opfer geworden. Sie zu charakterisieren, gehört nicht in diesen Bericht. Es folgen Angaben über Personen, die nach meinem Wissen dem Hitlerterror entgangen sind und in der Zukunft eine Bedeutung haben können.»[41]

Deshalb also, weil sie nach Kuhns oder seiner Vernehmer Kenntnis dem Hitlerterror entgangen seien und «in der Zukunft eine Bedeutung haben können», gehörten sie und nicht die Toten in den Bericht. Die von Kuhn Erwähnten waren demnach «dem Hitlerterror entgangen», damit Kuhn über sie berichten konnte. Kuhn hat, offenbar unter Druck, in der Vernehmung Persönlichkeiten beschrieben, die «dem Hitlerterror entgangen» waren – er wusste natürlich, dass er die Genannten aufs Äusserste gefährdete. Die Logik seiner «Aussagen» ist brüchig: Wenn Kuhn die dem Hitlerterror Entgangenen durch seine «Aussagen» ums Leben brachte, konnten sie in der Zukunft keine Bedeutung haben. Man sagte ihm, er sei am 4. August in Deutschland zum Tode verurteilt worden, vielleicht aus Mangel an zuverlässigen Kenntnissen – oder um ihm klar zu machen, dass er gegenüber dem Reich keine Loyalität mehr zu wahren brauche, oder gar mit der Drohung, man werde ihn zurückschicken, da er auf sowjetischer Seite im Verdacht stand, ein agent provocateur zu sein.[42] Aus den Akten geht nicht hervor, wodurch Kuhn tatsächlich veranlasst wurde, viele Persönlichkeiten als Gegner oder Kritiker Hitlers zu benennen, die nicht oder nicht unmittelbar in die Verschwörung verwickelt oder ganz unbeteiligt waren. Sowjetische Verhörtaktiken sind zwar insgesamt gut dokumentiert, nur nicht speziell im Einzelfall Kuhns.

Wie gefährlich Kuhns Aussagen für die Betroffenen waren, zeigt die Nennung von Generalfeldmarschall von Brauchitsch: er habe nicht an der Verschwörung teilgenommen, doch habe ihn zweifellos sein Neffe, Oberleutnant d. R. Werner von Haeften «über den kommenden Umsturz unterrichtet».[43] Kuhn berichtete über Generalfeldmarschall von Kluge, von dessen Selbstmord er offenbar nichts wusste, dass er sich «restlos auf die Seite der Umsturzorganisation gestellt» habe und «voll eingeweiht» gewesen sei, was sich Kuhn im Oktober oder November

1943 «in einer 2-stündigen Unterhaltung» mit dem Feldmarschall in Minsk bestätigt habe. Darauf folgen Einzelheiten des Gesprächs mit Kluge, in denen Kuhn Oberst Georg von Boeselager und Major i. G. von Oertzen als Mitwisser belastete. Dem Generalfeldmarschall von Manstein habe Tresckow in einem Gespräch im November oder Dezember 1943 von dem Umsturzplan berichtet. Generalfeldmarschall von Weichs stehe der Umsturzorganisation nahe, ja sogar ganz auf ihrer Seite, wie General Lindemann Kuhn gesagt habe; Generalfeldmarschall von Küchler werde nicht selbst die Initiative ergreifen, aber «wenn wir handeln, stehen er und sein Chef des Generalstabs – Generalmajor KIENZEL voll auf unserer Seite.» Generaloberst Zeitzler sei Hitler-Gegner und über den Umsturzplan unterrichtet; Zeitzler sei am 10. Juli 1944 beim Vortrag bei Hitler ohnmächtig geworden und durch Generaloberst Guderian ersetzt worden. General Wöhler und dessen Stabschef Generalleutnant Speidel seien bereit, nach Hitlers Tod sich unter den Befehl von Generaloberst Beck zu stellen. Generaloberst Halder sei nicht in die Organisation eingeweiht, doch habe Kuhns damaliger Vorgesetzter, Oberst i. G. Müller-Hillebrand behauptet, Halder habe sich «im engen Kreis seiner Vertrauten gegen Hitler geäussert». Generalleutnant Heusinger sei nach Aussagen von Oberst i. G. Graf von Kielmansegg, Stieff und Stauffenberg «überzeugter Hitlergegner», und Stauffenberg habe erzählt, «dass HEUSINGER die Notwendigkeit des Umsturzes voll versteht, aber, dass er nur nach dem Beginn des Handelns aktiv wird». Reichsminister von Neurath «denkt wie wir». Einen Herzog von Ratibor – welchen, ist nicht klar – kannte Kuhn persönlich, er habe «mit ihm oft in Bad Kudowa verkehrt» (wo Kuhn im Frühjahr 1944 einen Kuraufenthalt verbracht hatte), der Herzog habe «scharf das Hitlersche System der Verwaltung in besetzten Gebieten kritiziert [sic]», doch habe Kuhn ihn nicht über das Umsturzvorhaben unterrichtet. General Stapf sei «ein besonders scharfer Hitlergegner», sei «nicht in die Organisation eingeweiht», habe aber im Frühling 1944 «seine Hoffnung auf kommenden Umsturz geäussert», und «in Gesprächen mit mir und anderen vertrauten Personen betonte STAPF die Unvermeidlichkeit des Umsturzes», Stauffenberg habe Kuhn im Januar 1944 gesagt, «dass General STAPF nach dem Umsturz als neuer Eisenbahnminister eingesetzt wird». Mit General Köstring, dem früheren Militärattaché in der Deutschen Botschaft in Moskau, und mit seinem Freund, Legationssekretär und

Rittmeister d. R. Dr. Herwarth von Bittenfeld, habe Kuhn sich oft getroffen. Köstring sei für Zusammenarbeit mit Russland, und «folglich ist er der Gegner der Hitlerpolitik»; Herwarth sei ein Freund Russlands, Kuhns eigene freundschaftliche Beziehungen zu ihm beruhen auf gleicher politischer Einstellung, und Herwarth «war durch mich in die Organisation eingeweiht und wollte aktiv an den Umsturzvorbereitungen mitmachen». In der Führung der Luftwaffe habe Unzufriedenheit mit Göring geherrscht, der «Inspektor der Nachtjagd – Oberst FALK» (Kommandeur des Nachtjagdgeschwaders 1 Oberst Wolfgang Falck) habe es Stauffenberg berichtet. Schliesslich kam Kuhn noch einmal auf sein letztes, dreistündiges Gespräch mit Stauffenberg (vom 18. Juni 1944) zurück, in dem er diesem wichtige Ratschläge gegeben habe. Kuhn habe gegenüber Stauffenberg den Standpunkt vertreten, dass «die Breite der Organisation» zu gering sei, «die Masse muss irgendwie in die Vorbereitung eingeschaltet werden», Stauffenberg habe gesagt, die Frage sei «besonders oft in Anwesenheit von BECK und OLBRICHT besprochen» worden, aber es seien keine konkreten Schritte unternommen worden. «STAUFFENBERG betonte, dass die ernsteste Gefährdung der ganzen Aktion erlaubt nicht die breiten Massen der Bevölkerung in die Umsturzvorbereitungen einzuschalten. In diesem Gespräch äusserte Stauffenberg seinen festen Entschluss zur endgültigen Aktivierung», da schnellstens Frieden benötigt werde. Kuhn habe den Inhalt dieser Unterredung mit Stauffenberg Albrecht von Hagen erzählt, von dem er hoffe, dass er nicht verhaftet sei.

Die «Aussagen» werfen Fragen auf, die man ohne genauere Kenntnis der angewandten Verhörmethoden nicht eindeutig beantworten kann. Die Protokolle der Vernehmungen Kuhns vom Tag seiner Gefangennahme bis zum 2. September 1944 sind bisher nicht gefunden bzw. nicht zugänglich. Die Moskauer Archive könnten Unterlagen bergen, aus denen zu entnehmen wäre, wann Kuhn der Folter unterworfen wurde, von der er 1951 einem Mitgefangenen berichtete.[44]

Zwei weitere Niederschriften sind in Kuhns Handschrift überliefert.[45] Die erste der beiden ist datiert «Lubianka, Moskau, 7.9.44» und trägt die Überschrift «Personelles». Sie beginnt mit der Feststellung, es sei «für den engen Kreis der Umsturzorg.» erforderlich gewesen, immer über personelle und materielle Entwicklungen unterrichtet zu sein. Kuhn sei dafür günstig platziert gewesen im Generalstab des Heeres/Organisationsabteilung/Gruppe III, «einen grossen Teil der Zeit als Gruppenleiter», er hatte «fast täglich» Generalmajor Stieff vorzutragen und im Auftrag Stieffs oder Zeitzlers sich auf jeder Reise bei den Oberbefehlshabern und deren Generalstabschefs zu melden. So habe er die Kenntnisse «über Personen von Bedeutung» gesammelt, über die er an anderer Stelle (in den Mitteilungen vom 2. September 1944) berichtet habe. Besonders habe er sich darüber orientiert, wie lange Deutschland noch Menschenreserven zur Kriegführung haben werde. Kuhns Feststellungen im Dezember 1943 ergaben monatliche Verluste zwischen 150000 und 200000 Mann, durchschnittlich 180000 Mann, bei der damaligen Ersatzzuführung von monatlich 70000 und Rückkehr von monatlich 60000 Genesenen schwinde die Kampfkraft des Heeres jeden Monat um 50000 Mann. Zwar mögen inzwischen «durch rigorose Massnahmen» fünfzig Prozent mehr Ersatz gefunden worden sein, aber dieses Mehr sei «durch die inzwischen im Osten wie im Westen eingetretenen Zusammenbrüche bei weitem aufgezehrt», eine weitere «Katastrophe» an der Ostfront oder an der Westfront würde zur Aushebung Jugendlicher führen und weiteren Katastrophen Vorschub leisten». Im Dezember 1943 verzeichneten die Divisionen durchschnittlich 3000 Mann Fehlstellen, auch ohne grosse Rückschläge würde sich diese Zahl dreiviertel Jahre später auf 6000 erhöht haben; bei 6000 Mann Fehlstellen sei eine deutsche Division «als ausgebrannt zu bezeichnen». Allein wegen der hohen Menschenverluste müsse Deutschland bis Frühjahr 1945 militärisch zusammenbrechen. Fehler der Führung, der Ausfall der rumänischen Ölfelder, das Absinken der Rüstungsproduktion machten die geschilderten Zustände noch kritischer.

Die letzte der bisher bekannten Niederschriften Kuhns ist vom 15. Oktober 1944 datiert und trägt die Überschrift «Etwas über national-sozialistische Führungsorganisation».[46] Hierüber, schrieb Kuhn einleitend, könne er das berichten, was für ihn durch die Befehle erkennbar gewesen sei, die seine, die 28. Jäger-Division, erreicht hätten. Er sei schon gegen Ende 1943 von dem Plan unterrichtet worden, da die Organisationsabteilung mit der Ausführung befasst worden sei. Hitler habe die Einrichtung einer Organisation befohlen, die für nationalsozialistische Denkweise im Heer verantwortlich zu sein habe.[47] Nationalsozialistische Führungsoffiziere (N.S.F.O.) wurden für alle Stäbe der Divisionen, Armeen und Heeresgruppen vorgesehen. Für die sachliche

Arbeit der N.S.F.O. war der Chef des Allgemeinen Wehrmachtamtes General Reinecke verantwortlich, im übrigen unterstand sie Hitler als dem Oberbefehlshaber unmittelbar. Die N.S.F.O. hatten nach der Auffassung des Generalstabes des Heeres lediglich die innere Haltung der Truppe zu stützen, sie sollten auch nicht der Überwachung der Soldaten und Offiziere dienen und auf die Kampfführung oder den Truppendienst keinerlei Einfluss haben. Ob dies den Absichten Hitlers entsprochen habe, wisse Kuhn nicht. In der 28. Jäger-Division sei der Leutnant d. Res. Reinhard Möslinger N.S.F.O. gewesen.[48] Dieser war, schreibt Kuhn, «im Zivilleben hauptamtlicher S. A. Brigadeführer», gehörte zum Stab der Division, wurde vom Kommandeur nominiert und vom Oberkommando des Heeres befohlen. Als er Kuhn im Juni 1944 über seine Tätigkeit vortrug, sagte er selbst, er lehne die oft unterstellte Auslegung ab, wonach der N.S.F.O. eine überwachende Tätigkeit habe, er sehe die Schulung und Betreuung der Truppe (Zeitungen, Bücher, Kino, Zusatzportionen wie Schokolade, Obst) als seine Aufgabe an und handle nur nach den Befehlen des Divisions-Kommandeurs. Er halte, wohlgemerkt im Einvernehmen mit den Bataillons-Kommandeuren, vor der Truppe Vorträge «über nat.soz. Zeitfragen», so über den Einfluss der Feldpost auf die Stimmung der Heimat, die Krisen des Siebenjährigen Krieges und ihre Überwindung, oder den Aufschwung Deutschlands durch Massnahmen des Nationalsozialismus. Allerdings schien die Truppe nach den Erkenntnissen Kuhns diese Vorträge nicht ernst zu nehmen, die Schlagworte wirkten nicht mehr.

Die Nationalsozialistischen Führungsoffiziere waren also nur eine zaghafte Nachahmung des sowjetischen Systems der politischen Kommissare in der Roten Armee[49], ohne deren weitreichende Machtbefugnisse, offenbar ein Akt der Verzweiflung zu diesem späten Zeitpunkt des Krieges.

Im Oktober 1951 erzählte Kuhn im Butirka-Gefängnis in Moskau einem Mitgefangenen, man habe ihn im Februar 1945 mit dem Flugzeug des damaligen Volkskommissars für innere Angelegenheiten (Staatssicherheit) der UdSSR Berija nach Ostpreussen geflogen, wo er in der «Wolfschanze» seinen Bewachern die Bunker Hitlers und der anderen Angehörigen des Hauptquartiers zeigen sollte. Dort sei alles gesprengt gewesen. Anscheinend sagte Kuhn nichts von den Umsturzdokumenten, deren Versteck er seinen Bewachern in «Mauerwald» zeigen musste.[50]

Über die Behandlung, die Kuhn seit 4. bzw. 11. August (Überführung in die Lubjanka) zuteil wurde, gibt es den schon erwähnten Bericht zweier Mitgefangener: Diese berichteten einem Dritten, Oberst von Tempelhoff, der im März und April 1945 Kommandeur der 28. Jäger-Division war, im Juni 1945 über ihre mit Kuhn gemeinsam im Lazarett des Butirka-Gefängnisses verbrachte Zeit. Den beiden Mitgefangenen erzählte Kuhn soviel, dass sie den Schluss daraus zogen, er sei «wegen des 20.7. zum Russen übergegangen». Ferner wussten sie von Kuhn, «er habe über den 20.7. einen Bericht für Stalin persönlich machen müssen».[51]

Kuhns Beteiligung am Umsturzversuch wurde ihm bald zur Belastung, da die Sowjets darin einen Versuch sahen, sich mit den Westmächten zu arrangieren, um dann mit diesen gemeinsam gegen die Sowjetunion zu kämpfen. Nachdem Kuhn seine Kenntnisse den Vernehmern mitgeteilt hatte und die Versuche, ihn für die sowjetische Politik zu gebrauchen, misslungen waren, hat man ihn im Lefortovo-Gefängnis in Einzelhaft getan und «mit allen verfügbaren Mitteln zwingen wollen, sich dem Komitee schliesslich doch noch anzuschliessen. Unter allen anderen Misshandlungen, denen er ausgesetzt wurde, waren es besonders die Kältezellen, wo ihm immerzu Wasser auf den Kopf tropfte, und Hitzezellen, die ihn dem Wahnsinn nahebrachten. Aber dann hat man ihn wieder irgendwo eingesperrt, wo er zu sich kommen konnte.» In dieser Zeit hat er ein Buch über die Pfalzgrafen von Zweibrücken geschrieben: «Um sich über Wasser zu halten» und dem Verrücktwerden zu entgehen, das Manuskript habe ihm der Kommissar abgenommen.[52]

Das Schlimmste für Kuhn waren die Kälte- und Hitzezellen in der Lubjanka, die dort schon in den 1920er Jahren benützt wurden und die Alexander Solschenizyn neben vielen anderen Foltermethoden beschreibt. Gefangene, gegen die nichts vorlag, mussten ihre Geschichte erzählen, aus der man dann eine Anklage konstruierte, sie wurden geschlagen, durch Schlafentzug, Essenentzug, tagelanges Stehen in einer Zelle, in der man weder liegen noch sitzen konnte, wurden sie mürbe.[53]

Zwei russische Forscher berichten: «Am 17. Februar 1945 fanden SMERŠ-Offiziere (SMERŠ – Hauptverwaltung der Spionageabwehr der Roten Armee) nach Kuhns Angaben im Mauerwald bei Rastenburg (Ostpreussen) im früheren Hauptquartier des OKH die von Kuhn auf Stauffenbergs Weisung im Herbst 1943 in der Erde versteckten Glas-

und Metalldosen. In den Dosen war die geheime Dokumentation der Anti-Hitler-Verschwörung versteckt.» Generaloberst Abakumow schlug im Februar 1945 vor, die gefundenen Dokumente der Verschwörung in der UdSSR zu veröffentlichen, es kam aber nicht dazu.[54]

Während Kuhns Gefangenschaft im Innengefängnis des NKWD in der Lubjanka vom 11. August 1944 bis 1. März 1947 gab Abakumow zwei Weisungen, vom 15. Februar 1945 und vom 28. Februar 1947, für «operative Arbeit» mit Kuhn.[55] Die erste «operative Arbeit» war der Flug nach Ostpreussen, die Besichtigung von Hitlers Hauptquartier «Wolfschanze» und das Auffinden der in «Mauerwald» versteckten Dokumente.

Im Juni 1945 lag Kuhn im Lazarett der Butirka, wo auch die Kranken der Lubjanka behandelt wurden. Dort war er mit einem sudetendeutschen Ingenieur und einem deutschen Röhrenforscher namens Dr. Busse zusammen. Dieser berichtete «etwa im Juni 45» dem mitgefangenen Oberst von Tempelhoff in der Butirka, er habe Kuhn im Lazarett angetroffen und der habe gesagt, er führe den Namen seiner Mutter, von Malowitz, früher habe er den Namen Kuhn geführt, er habe «über den 20.7. einen Bericht für Stalin persönlich machen müssen» und studiere nun in der Zelle Geschichte, er hatte auch im Lazarett Lektüre dazu bei sich. Bei der Gelegenheit erfuhr Kuhn von Dr. Busse, dass Generalleutnant von Ziehlberg erschossen worden sei, weil er Kuhn nicht wie befohlen sofort verhaftet habe. Kuhn war darüber «sehr betroffen», es muss ein grosser Schock für ihn gewesen sein.[56]

Die Zuweisung eines «Decknamens» im NKWD-Gefängnis hat bei Kuhn das Identitätssyndrom ausgelöst: «‹Aus operativer Notwendigkeit heraus› trug er in der Haft einen anderen Namen. In den Gefängnisakten wurde KUHN als Joachim Malowitz geführt.»[57]

In seiner Lubjanka-Zeit kam Kuhn auch einmal wegen einer Sehschwäche ins Lazarett, wo er mit lauter deutschen Generalen zusammen war, die sehr elend oder sogar sterbenskrank waren. Da Kuhn nicht schwer krank war, konnte er die Generale pflegen, um die sich so gut wie niemand kümmerte.[58]

Vom 1. März 1947 bis 22. April 1948 war Kuhn auf Weisung Abakumows zwecks «operativer Arbeit» in einem «Sonderobjekt» des NKWD, einer Datscha in Malachowka, etwa dreissig Kilometer südöstlich von Moskau. Er wohnte dort mit einem jungen Kommissar im Rang eines

Leutnants, eine Frau kochte für beide, das Essen war gut, ein NKWD-Soldat war ständig zur Bewachung da. Der Kommissar sprach fliessend deutsch, ging mit Kuhn in der Umgebung spazieren und ins Kino, zwischendurch wurde Kuhn zu einer Stadtführung nach Moskau gebracht, allerdings begleiteten ihn dann zwei Kommissare in Zivil und hielten ihn an beiden Armen fest. In der Datscha las ihm der Kommissar aus sowjetischen Zeitungen vor, Kuhn durfte sie nie selber lesen. Bei einer Zahnärztin in Malachowka wurden ihm die Zähne in Ordnung gebracht. Während des Aufenthalts in der Datscha versuchte man, Kuhn zu indoktrinieren und für eine Funktion im sowjetisch besetzten Teil Deutschlands vorzubereiten. Kuhn lehnte die Zusammenarbeit mit den Sowjets schliesslich ab.[59]

Am 21. April 1948 befahl das Ministerium für Staatssicherheit die Überführung Kuhns in das interne Gefängnis des Ministeriums, das Lefortovo-Gefängnis in Moskau. Dies geschah am nächsten Tag mit dem Bescheid an den Gefängnisleiter Oberstleutnant Ionow, Kuhn sei in den «Empfangsbereich für Verhaftete» [der Lubjanka] gebracht worden und sei zu weiterer Haft in der Zelle 156 im Lefortovo-Gefängnis unterzubringen. Er sei als Kriegsgefangener zu verpflegen und habe Zusatzverpflegung nach der Norm «A» zu erhalten. Am 22. April wurde Kuhn im internen Gefängnis des MGB untersucht und für gesund befunden, am selben Tag wurde er im Lefortovo-Gefängnis noch einmal untersucht. Er kam allein in die Zelle 148 und wurde auf Verpflegung der Norm «B» gesetzt. Am 23. April «empfing» der Aufbewahrungsverwalter des Gefängnisses Kuhns Armbanduhr und Kuhn wurde unter strenge Aufsicht in seiner Zelle gestellt. Am 10. September 1948 verfügte Oberstleutnant Waindorf vom MGB, dass Kuhn 25 Blatt Papier, zwei Bleistifte und «zehn Seiten Notizen in einer fremden Sprache» gegeben werden sollen. Die brauchte er, um sein Buch über die Pfalzgrafen von Zweibrücken zu schreiben. Seit Kuhns Einlieferung in das Lefortovo-Gefängnis hat niemand mehr mit ihm gesprochen, bis er 1951 zur Vernehmung in die Butirka kam. Er war in Einzelhaft «bei sehr mangelhafter Verpflegung».[60]

Zwei Jahre war er in Einzelhaft und wurde nicht vernommen. Ein Mitgefangener berichtet: «Kuhn kam in ein Gefängnis. Dort hat man ihn mit allen verfügbaren Mitteln zwingen wollen, sich dem [National-] Komitee [Freies Deutschland] schliesslich doch noch anzuschliessen.»[61]

Mit allen verfügbaren Mitteln! Was das heisst, darüber gibt es zahlreiche Berichte aus den Zeiten der sowjetischen «Repression». Solschenizyns *Der Archipel* GULAG wurde schon zitiert. Andreas Hilger, der in der Frage der in der Sowjetunion nach 1945 befindlichen deutschen Kriegsgefangenen forscht, konstatiert: «Psychischer Druck und physische Folterungen sind in vielen Fällen belegt oder sehr wahrscheinlich, und wissentliche Falschaussagen sind in den Akten der operativen Organe selbst nachweisbar.» Als der Herzog zu Mecklenburg im Butirka-Gefängnis des MGB im Jahr 1951 ein nicht korrektes Protokoll seiner Vernehmung nicht unterschreiben wollte, drohte man ihm mit Stockhieben.[62]

Die sowjetische Innenpolitik und die internationale Entwicklung wirkten sich auf das Schicksal der Kriegsgefangenen in der Sowjetunion aus. Polen war seit 1945 fest in sowjetischer Hand, der König von Rumänien und der Zar von Bulgarien wurden im Dezember 1947 gestürzt, am 25. Februar 1948 fiel die tschechoslowakische Regierung durch einen kommunistischen Staatsstreich. Ende Februar bis Anfang März 1948 tagte die Londoner «Sechs-Mächte-Konferenz» der Westmächte mit Belgien, den Niederlanden und Luxemburg und empfahl, in Westdeutschland ein föderatives Regierungssystem zu errichten, also einen deutschen Teilstaat zu gründen. Am 17. März schlossen England, Frankreich, Belgien, die Niederlande und Luxemburg einen gegen die Sowjetunion gerichteten Fünf-Mächte-Pakt. Aus Protest gegen diese Beschlüsse verliess der Militärgouverneur für die sowjetisch besetzte Zone General Sokolowskij am 20. März den Alliierten Kontrollrat in Berlin, der seitdem nicht mehr getagt hat. Die Westalliierten beschlossen die Währungsreform für Westdeutschland, am 1. April begannen die sowjetischen Behinderungen des Verkehrs zwischen den von britischen, amerikanischen und französischen Truppen besetzten Zonen und Berlin, sie mündeten im Juni in die vollständige Blockade aller Land- und Wasserwege nach Berlin.

In der Sowjetunion begann die Zeit der Massenverurteilungen deutscher Kriegsgefangener. Dies geschah teils, um die Gefangenen als Arbeitskräfte zu behalten, teils, um sie an propagandistischer Tätigkeit gegen die Sowjetunion zu hindern. In einem Brief an Stalin vom 24. Dezember 1949 begründeten der sowjetische Aussenminister Wyschinski und der Stellvertretende Volkskommissar für Innere Sicherheit Kruglow die Notwendigkeit, einen Teil der gefangenen Generale wegen ihrer feindlichen und «revanchistischen» Gesinnung zu verurteilen, weil sie sich nach der Heimkehr «am Kampf gegen demokratische Elemente in Deutschland» beteiligen wollten. Der Ministerrat beschloss am 17. März 1950 die Verurteilung der Generale, aber Abakumow führte den Befehl des Ministerrats nicht aus, keiner der achtzehn Generale, die 1951 im MGB-Gefängnis sassen, war verurteilt worden.[63]

Von einem so prominenten Gefangenen wie Kuhn befürchtete man offenbar beträchtlichen Schaden. Kuhn war als Verschwörer gegen Hitler ohnehin in einer Kategorie der «Feinde» der Sowjetunion, liess auch wissen, er wolle in den Westen, und schliesslich weigerte er sich standhaft, mit den Sowjets zusammenzuarbeiten. Damit war sein Schicksal besiegelt.

Am 5. April 1950 kam Kuhn in die Butirka.[64] Eine ärztliche Bescheinigung vom selben Tag erklärte ihn für arbeitsfähig. Am 27. August 1950 forderte Kuhn, vernommen zu werden. Er sei drei Jahre lang nicht verhört worden. Von seiner Bedeutung überzeugt, war Kuhn doch wohl demoralisiert und auch durch die erlittenen Qualen inzwischen das Opfer von Wahnvorstellungen. Am 7. September verhielt er sich beim Gefängnisspaziergang «im Zusammenhang mit einer grossen nervösen Störung ungehorsam gegenüber dem Aufseher und weigerte sich, seinen Gang fortzusetzen». Er wurde verwarnt, am folgenden Tag gab es eine Untersuchung, und Kuhn entschuldigte sich. Am 2. November, Kuhn war in die Zelle 281 verlegt worden, berichtete die Gefängnisleitung, Kuhn mache systematisch Lärm, äussere sich schreiend und unverständlich in deutscher Sprache, er täusche eine Psychose vor, man habe ihn für vierundzwanzig Stunden in den Karzer getan. Am 4. November war er wieder im Karzer, diesmal für sechsunddreissig Stunden, am 6. Januar 1951 berichtete der Blocksergeant, Kuhn behaupte, er sei seit drei Monaten nicht verhört worden und verlange eine Vernehmung. Darauf wurde er mehrere Male von einem Oberst des MGB vorgeladen, zuerst am 8. Januar.

Am 1. Februar ersuchte der Untersuchungsoffizier Hauptmann Wuwnow auf Anweisung des stellvertretenden Chefs der Untersuchungsabteilung der 2. Hauptabteilung des Ministeriums für Staatssicherheit (MGB) den stellvertretenden Gefängnisleiter der Burtirskaja Oberst Koltunow um Erlaubnis, dem Kriegsgefangenen Kuhn fünf Packungen Zigaretten und 2 Schachteln Zündhölzer zukommen zu lassen. Nach seiner Heimkehr erinnerte sich Kuhn: «Nach 3 Jahren, im Januar 1951, erneuter Versuch, wahrscheinlich im Hinblick auf die inzwischen erfolgte Gründung der DDR», ihn zur Mitarbeit zu gewinnen.[65]

Am 3. Februar wurde Kuhn über Generalleutnant Heusinger verhört.[66] Der Angriff Nordkoreas auf Südkorea im Juni 1950 hatte die Weltlage verändert, im September entschied Präsident Truman, die Bundesrepublik Deutschland solle zur Verteidigung des Westens beitragen. Heusinger war seit dem nordkoreanischen Überfall mit anderen früheren Offizieren der Wehrmacht intensiver als bisher schon mit der deutschen Wiederbewaffnung befasst, das war offenbar der Anlass für dieses Verhör.[67] In der Aufzeichnung vom 2. September 1944 steht als Aussage Kuhns, Generalleutnant Heusinger sei nach Aussagen von Oberst i. G. Graf von Kielmansegg, Stieff und Stauffenberg «überzeugter Hitlergegner», und Stauffenberg habe erzählt, «dass HEUSINGER die Notwendigkeit des Umsturzes voll versteht, aber, dass er nur nach dem Beginn des Handelns aktiv wird».[68] Nun begann das Verhör mit der Frage, wie lange Kuhn im deutschen Generalstab tätig gewesen sei, und auf die Antwort «Mitte 1942 bis Anfang 1944», sagte der Vernehmer, dann müsse Kuhn Generalleutnant Heusinger gekannt haben. Kuhn antwortete, er habe Heusinger nicht persönlich gekannt. «Aus Gesprächen mit Kollegen» sei ihm bekannt, dass Heusinger «ein fähiger, belesener Mitarbeiter des Generalstabs war», der Generaloberst Halder bei dessen Abwesenheit vertreten und mehrfach Hitler vorgetragen habe. Hitler «achtete und schätzte Heusinger als ergebenen Nazi-General, und ich muss sagen, dass Hitler dazu allen Grund hatte.»

Der scheinbare Widerspruch zu Kuhns Äußerungen von 1944 löst sich bei genauer Betrachtung auf. Etwa im Oktober 1943 berichtete diesen zufolge Stauffenberg Kuhn von seinem misslungenen Versuch, Heusinger für die Verschwörung zu gewinnen. Hitlers Weg habe Deutschland in eine Sackgasse gebracht, habe Heusinger eingeräumt, habe aber geglaubt, man müsse Hitler zur Einsicht bewegen. «Daraufhin sagte ihm Stauffenberg unverblümt, dass es unmöglich sei, Hitler zur Vernunft zu bringen und der einzige Ausweg darin läge, ihn zu eliminieren und das Schicksal Deutschlands in die verlässlichen Hände des Militärs zu geben. Dabei schlug Stauffenberg Heusinger direkt vor, sich der Verschwörung anzuschliessen. Heusinger erwiderte, dass er sich nicht gegen den Führer wenden, sondern ihm bis zum Schluss treu bleiben werde. In diesem Zusammenhang äusserte Stauffenberg die Besorgnis, Heusinger, seiner Natur nach ein ruhmsüchtiger Mensch, könne ihn an Hitler verraten, um seine eigenen Interessen zu fördern.» Stauffenberg hatte im Sommer und Herbst 1942 und im Januar 1943 versucht, höhere Führer der Ostfront für den Umsturz zu gewinnen und sich so exponiert, dass es für ihn und seine Gesprächspartner gefährlich geworden war.[69]

Die sowjetischen Vernehmer erfuhren von Kuhn, was sie vermutlich hören wollten, dass Heusinger ein Hitler treu ergebener «Nazi-General» gewesen sei. Kuhn widersprach damit nicht seiner früheren Aussage; Heusinger teilte wohl die Überzeugung der Verschwörer, dass Hitler beseitigt werden müsse, hielt sich aber gegenüber den Verschwörern konsequent zurück. Er versagte sich auch dem Ansinnen, dass Tresckow ihn während eines Urlaubs verträte, um so selbst Zugang zu Hitler zu erhalten.[70]

Nachdem der Vernehmer das Verhörprotokoll ins Reine geschrieben hatte, wurde es Kuhn in deutscher Übersetzung vorgelesen, dann musste er jedes Blatt des handgeschriebenen russischen Verhörprotokolls mit seinem Namen abzeichnen. Kuhn wurde danach erst wieder am Beginn seines «gerichtlichen» Verfahrens im August verhört.

Anfang April 1951 wurde Kuhn ohne Ergebnis durchsucht. Am 31. Juli berichtete ein Aufseher dem Leiter der Butirka, Oberst Shokin, er habe Kuhn befohlen, sein Bett vorschriftsmässig ans Fenster zu stellen, alle Betten müssten einheitlich aufgestellt sein. Kuhn habe nicht gehorcht, habe geschrien, mit den Zähnen geknirscht und sich angeschickt, gegen den Aufseher tätlich zu werden; er beantrage, Kuhn wegen Ungehorsams zu bestrafen. Darauf wurde Kuhn erneut durchsucht und kam in den Karzer.

Verurteilung

Eine Forschergruppe des Instituts für Archivauswertung und des Hannah-Arendt-Instituts für Totalitarismusforschung an der Technischen Universität Dresden dokumentiert 31 284 Verurteilungen deutscher Kriegsgefangener in der Sowjetunion für die Jahre 1941–1955. Dazu kommen noch rund 3000 bisher nicht aufgearbeitete Strafakten, so dass die bisher gesicherte Gesamtzahl etwa 34 000 beträgt. Allein in den Jahren 1949–1950 wurden 20 789 deutsche Kriegsgefangene verurteilt. Es sind nur 28 Freisprüche bekannt.[71]

Während des Krieges schon hatten weder die Schutzmacht Bulgarien, noch der Delegierte des Internationalen Komitees vom Roten Kreuz Möglichkeiten, für die korrekte Behandlung der deutschen Kriegsgefangenen in der Sowjetunion wirksam zu intervenieren. Auch Versuche schwedischer und amerikanischer Diplomaten, zwischen der deutschen und der sowjetischen Führung zu vermitteln und die Behandlung der Kriegsgefangenen beider Seiten nach den Regeln der Genfer Konvention von 1929 zu erreichen, schlugen fehl. Viele der deutschen Kriegsgefangenen in der Sowjetunion wurden nicht als Kriegsgefangene, sondern als politische Häftlinge des sowjetischen Polizeistaates mehr oder minder grausam behandelt. Nach dem Ende der Feindseligkeiten 1945 und der Rückführung der sowjetischen Kriegsgefangenen, während hunderttausende deutsche Kriegsgefangene noch in der Sowjetunion zurückgehalten wurden, galt es für die Führung der Sowjetunion, teils einander entgegengesetzte wirtschaftliche und politische Interessen abzuwägen, das Zurückhalten der Kriegsgefangenen setzte die Sowjetunion internationalem Druck aus.[72]

Die Führung der Sowjetunion fürchtete eine Allianz des amerikanischen mit dem deutschen Kapitalismus. Nach 1918 hatte sich Deutschland in wenigen Jahren erholt und 1941 die Sowjetunion beinahe zerstört, es würde sich womöglich nach dem zweiten Weltkrieg noch rascher erholen, vermutete Stalin.[73] So wünschte die Sowjetführung das Fortbestehen des Bündnisses mit den Westmächten, die gemeinsame Verwaltung eines einheitlichen Deutschland, eigenen Einfluss auf die Ruhr-Industrie, um das Wiedererstarken Deutschlands zu verhindern und umfangreiche Reparationen für die Sowjetunion zu sichern. Aus diesen Gründen wollte sie also die Teilung Deutschlands verhindern. Deshalb galt es, die Wiederbewaffnung und damit die Westintegration der von den Westmächten besetzten Zonen zu verhindern und potentielle Kader vom Westen fernzuhalten.[74] Im Sommer 1946 schrieb Innenminister Kruglow an den ZK-Sekretär Schdanow, dass «faschistische Gruppen [...] unter den Kriegsgefangenen ausserdem Propaganda für die Orientierung auf die Westmächte und für eine Aggression gegen die Sowjetunion in einem Block mit Grossbritannien und den USA» betrieben. Die alliierte Aussenministerkonferenz beschloss am 23. April 1947 die Repatriierung aller Gefangenen bis zum 31. Dezember 1948. Der sowjetische Innenminister Kruglow schrieb aber am 14. Juli 1948 – also bald nach der Errichtung der sowjetischen Blockade der Landverbindungen zwischen Berlin und den Westzonen – an Aussenminister Molotow, zum 1. Januar 1949 befänden sich noch 421 221 deutsche Kriegsgefangene in der Sowjetunion. Deutsche Gefangene der Arbeitskategorien I und II blieben über das Jahr 1948 hinaus in der UdSSR. Hilger befand: «Die Ursachen für die um ein Jahr verzögerte Entlassung mehrerer hunderttausend deutscher Kriegsgefangener sind somit vorrangig im wirtschaftlichen Bereich zu suchen.»[75]

Wenn die Kriegsgefangenen als Kriegsverbrecher verurteilt wurden, brauchte man sie nicht zu repatriieren, konnte dagegen für ihre Begnadigung etwas verlangen. Die Massenverurteilungen hatten politische Motive. Dies geht schon aus der hohen Zahl der Verurteilungen hervor – 18 931 im Jahr 1949 – und aus der insgesamt späten Verfolgung der angeblichen oder tatsächlichen Straftaten in den Jahren 1947–1950: «Darin spiegelt sich einerseits die bis dahin nur schwache Ermittlungsarbeit der sowjetischen operativen Organe, andererseits die direkte und intensive *politische* Anleitung der Ermittlungs- und Justizorgane in den Jahren 1949 und 1950.» Auch Alter und soziale bzw. Rangstellung der Verurteilten sprechen gegen das Motiv des Arbeitskräftebedarfs.[76]

Obwohl sich 1949 noch über 400 000 deutsche Kriegsgefangene in der Sowjetunion befanden, meldete am 5. Mai 1950 die *Prawda* «den Abschluss der Repatriierung deutscher Kriegsgefangener aus der Sowjetunion». In den folgenden Jahren, besonders seit 1953 wurden aber noch Tausende von den sowjetischen Behörden als Kriegsgefangene bezeichnete Deutsche entlassen. Für Juli 1953 kündigte die Regierung der UdSSR der Regierung der DDR die Entlassung von «6 994 Kriegsgefangenen und anderen deutschen Bürgern» an. Am 31. Oktober 1953 zählte die *Prawda* 5 374 entlassene amnestierte deutsche «Kriegsgefangene». Damals wurden nach sowjetischen Unterlagen noch rund 14 500 verurteilte Deutsche in der UdSSR und der DDR festgehalten.[77]

Nach einer Statistik der Gefängnisverwaltung des MWD befanden sich im Februar 1955 immer noch 6 463 deutsche Kriegsgefangene in der UdSSR. Im September 1955 waren nach dem Bericht des Innenministers Kruglow noch 9 624 deutsche Verurteilte, davon 6 435 verurteilte deutsche Kriegsgefangene in Lagern der Sowjetunion. Das Präsidium des Obersten Sowjets verfügte («Ukaz») am 28. September 1955 gemäss Beschluss des Zentralkomitees der Kommunistischen Partei der Sowjetunion «unter Berücksichtigung des Bittgesuchs des Präsidenten und der Regierung der Deutschen Demokratischen Republik vom 27. Juli und des Bittgesuchs der Regierung der Bundesrepublik Deutschland», 8 877 deutsche Bürger «vorzeitig von der Strafverbüssung zu befreien» und in ihren Wohnort zu «repatriieren». Am 18. Januar 1956 «meldete das ZK der KpdSU dem Ministerrat die Beendigung der Repatriierung von 9 536 deutschen verurteilten Bürgern.[78]

In dem Werk von A. Hilger, U. Schmidt und G. Wagenlehner, *Sowjetische Militärtribunale Band 1: Die Verurteilung deutscher Kriegsgefangener 1941–1953* werden die Motive für die Verurteilungen vor 1951 kaum aus sowjetischen Quellen belegt, für die späteren überhaupt nicht.

Hilger stellt fest: «Gegen Kriegsgefangene ermittelten sowohl die Organe des NKVD (ab 1946 MVD) als auch die Mitarbeiter der Hauptverwaltung für Gegenspionage des Volkskommissariats für Verteidigung (GUKR SMERSH NKO). Aus dem MVD wurde 1946 wiederum das MGB ausgegliedert, dem zugleich die SMERSH als dritte Hauptverwaltung inkorporiert wurde. Es gab keine genauen Kriterien, nach denen die Kriegsgefangenen auf die MGB-Gefängnisse und die normalen GUPVI MVD-Kriegsgefangenenlager verteilt wurden. Beide Behörden konkurrierten vielmehr miteinander in dem Bemühen, die wichtigsten und ‹interessantesten› Gefangenen zu bekommen und so die für Stalin bedeutsamsten Informationen zu erhalten oder die spektakulärsten Fälle aufzuklären.»[79]

Das MGB hielt im Juni 1951 noch 51 Deutsche fest, darunter Generalfeldmarschall von Kleist, Generalfeldmarschall Schörner, 18 Generale wie Maximilian Angelis und Helmuth Weidling, die Abwehroffiziere Generalleutnant Pieckenbrock und Generalleutnant von Bentivegni, den SS-Führer Panzinger, Angehörige von Hitlers Leibwache, einen Koch, Zahnärzte und Zahntechniker Hitlers, Joachim Kuhn und Christian Ludwig Herzog zu Mecklenburg.

Abakumow wurde im Juli 1951 abgelöst, verhaftet und beschuldigt, jahrelang ergebnislos Untersuchungen geführt zu haben. Der stellvertretende Minister für Staatssicherheit und Generalstaatsanwalt der Sowjet-

Armee Generalmajor Pitowranow, berichtete unter dem 5. August 1951 an Molotow, Malenkow und Berija, dass «in vielen Fällen die Untersuchungen bis zuletzt nicht ausreichend waren. Manche der Kriegsgefangenen wurden lange Zeit nicht befragt und deswegen besteht völlige Unklarheit über ihre verbrecherische Tätigkeit». Pitowranow schlug vor, die meisten Fälle in den nächsten drei bis vier Monaten abzuschliessen, die Gefangenen, die im deutschen militärischen Nachrichtendienst tätig gewesen waren, sollten noch für «operative» Zwecke zur Verfügung stehen. Stalin wollte aber alle Fälle abgeschlossen haben. So wurden die verbliebenen MGB-Gefangenen in den folgenden Monaten bis Februar 1952 verurteilt.[80]

Das politische Motiv für die Verurteilung Kuhns konstatiert der Rehabilitierungsantrag von Generalleutnant der Justiz W. A. Smirnow der Militärstaatsanwaltschaft beim Militärgericht der Russischen Föderation des Wehrbezirks Moskau in seinem Einspruch vom 13. November 1998 gegen Kuhns Verurteilung. Die Militärstaatsanwaltschaft stellte fest, dass Kuhn «aus politischen Gründen» verurteilt worden sei, und das Kontrollratsgesetz Nr. 10, nach dem Kuhn verurteilt wurde, sei falsch angewendet worden, weil Art. II Absatz 1 a den in Betracht kommenden Personenkreis auf die Personen beschränkte, die «in Deutschland oder in einem mit Deutschland verbündeten, an seiner Seite kämpfenden oder Deutschland Gefolgschaft leistenden Lande eine gehobene politische, staatliche oder militärische Stellung (einschliesslich einer Stellung im Generalstab)» innegehabt haben.[81]

In den Akten des Föderalen Sicherheitsdienstes (FSB) der Russischen Föderation befindet sich eine Sprawka (Notiz) vom 5. August 1951, unterzeichnet von Pitowranow mit einer Liste von etwa sechzig deutschen, ungarischen, japanischen und anderen Kriegsgefangenen, alle Insassen des MGB-Gefängnisses, sowie jeweils ein Brief mit der Angabe der Gründe, weshalb der Genannte gefangengehalten werden müsse und mit dem Vorschlag, alle zu verurteilen.

Kuhn sollte der Aufzeichnung Pitowranows zufolge nach dem Krieg nach Deutschland geschickt werden, um dort für sowjetische Interessen zu arbeiten, man fand aber, dass er sich in die amerikanische Zone entfernen wolle, deshalb sei er nicht zu entlassen, sondern zu verurteilen.[82]

Am 23. August 1951 wurde Kuhn von Major Kitschigin, dem Leiter

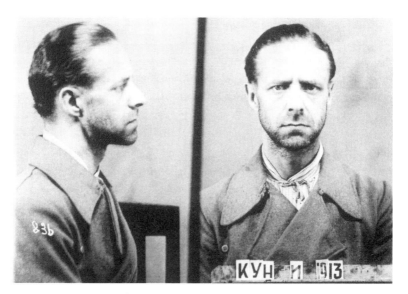

Kuhn zur Zeit seiner Verurteilung 1951

der Unterabteilung der Ermittlungsabteilung der 2. Hauptabteilung des Ministeriums für Staatssicherheit (MGB) zur Vernehmung befohlen. Er musste seinen militärischen Werdegang darstellen, der den Behörden längst bekannt war, aber nun als Teil der «Ermittlungen» gegen Kuhn wegen des Verdachts eines Verbrechens gemäss Kontrollratgesetz 10 Art. II Absatz 1 a in die Akten gebracht wurde. Das Verfahren sollte den Beschuldigten «überführen». Das Verhör begann um 11.15 Uhr vormittag und endete um 17.25 Uhr, das Protokoll von zwei Seiten behandelt nur die Zeit bis Anfang November 1941, als Kuhn noch im Stab der 111. Infanterie-Division im Ostfeldzug eingesetzt war.[83]

Wie eine Vernehmung vor sich ging und warum sie bei einem so mageren Protokoll so langwierig war, schildert der Herzog zu Mecklenburg in seinen *Erzählungen aus meinem Leben*.[84] Der Gefangene wurde in ein Zimmer im Vernehmungstrakt des Gefängnisses gebracht, dort vernahm ihn ein Hauptmann mit Hilfe einer Dolmetscherin: «Der Hauptmann fragte mich etwas, ich musste antworten, und er machte sich Notizen. Wenn er mich längere Zeit befragt hatte, manchmal mehr als zwei Stunden, holte er sich neues Papier und fing an, mit der Hand alles Besprochene aufzuschreiben, was immer sehr lange dauerte. In dieser Zeit sassen wir drei schweigend zusammen. Wenn er fertig war, wurde das Protokoll von der Dolmetscherin ins Deutsche übersetzt. Nachdem sie das Protokoll vorgelesen hatte, verlangte sie, dass ich Blatt für Blatt unterschriebe. Wenn etwas nicht stimmte, bestand ich darauf, dass es abgeändert werden müsse.» Das verlängerte natürlich die ohnehin umständliche Prozedur.

Die nächste Vernehmung Kuhns, wieder durch Major Kitschigin, begann am 24. August um 11.20 Uhr. Auf die erste Frage, ob die 111. Infanterie-Division an den Gefechten gegen die Sowjetarmee beteiligt gewesen sei, antwortete Kuhn, was das Protokoll in offenbar vorformulierten Worten wiedergab: «In den ersten Tagen des Angriffs durch das faschistische Deutschland auf die Sowjetunion überschritt die 111. Infanterie-Division als eine der ersten die Grenze und trat ins Gefecht mit der Sowjetarmee ein.» Auf weitere Fragen erklärte Kuhn, als Ordonnanzoffizier habe er Angriffspläne erstellen, vervielfältigen, verteilen sowie ihre Ausführung überwachen müssen. Auf die Frage, welche Gräueltaten die Division auf ihrem Vormarsch «gegen friedliche Sowjetbürger» verübt habe, sagte Kuhn, sie habe der Bevölkerung Vieh, Brot, Milchprodukte, Eier und Futter weggenommen. Warum er die grausamen Gewaltakte verschweige, die die Deutschen an den Sowjetbürgern verübt haben? Kuhn antwortete: «Mir sind solche Fälle nicht bekannt. Der Kommandeur der 111. Infanteriedivision, General STAPF erklärte, obgleich er aktiver Nazi war, bei einer Besprechung der Divisionsoffiziere, dass er zwar von höheren Dienststellen den Befehl erhalten habe, alle gefangen genommenen Kommissare der Sowjetischen Armee erschießen zu lassen, diesen Befehl aber nicht zu befolgen gedenke. Ich erinnere mich lediglich an einen Fall, wo ein Kriegsgefangener der sowjetischen Armee erschossen wurde. Während einer Leibesvisitation hatte man bei ihm ein Notizbüchlein mit deutschen Einträgen gefunden. Diesen Kriegsgefangenen beschuldigte man der Ermordung an einem deutschen Soldaten und erschoss ihn.» Der Dolmetscher, d. h. ein Angehöriger der Abteilung Ic (Feindnachrichten) des Stabes, habe ihn erschossen. Wie Kuhn darauf reagiert habe? Er habe keinen Widerspruch erhoben, auch die anderen Stabsoffiziere haben sich indifferent verhalten. Dann machte Kuhn knappe Angaben über seine Ausbildung in der Artillerieschule in Jüterbog vom 6. November 1941 bis 3. Februar 1942, die demnach in die Zeit seiner Generalstabsausbildung (November 1941 bis Mai 1942) gefallen war. Darauf folgte die praktische Ausbildung in der Organisationsabteilung, seine Versetzung in den Generalstab im April 1943. Er beschrieb seine Aufgaben in der Organisationsabteilung des Generalstabs – die Auffüllung und Aufstellung rückwärtiger Truppenteile, einschliesslich fünfundzwanzig bis dreissig Sanitätskompanien, ferner Transporttruppenteile und Veterinärdienste, «die nach ihrer Errichtung an die sowjetische Front geschickt wurden». Auf den Vorhalt, so habe er also durch seine Tätigkeit «zur Stärkung der deutschen Armee beigetragen und den verbrecherischen Krieg des faschistischen Deutschland gegen die Sowjetunion unterstützt», gibt das Protokoll als Antwort Kuhns dies wieder: «Ich gebe zu, dass ich als Referent der Gruppe 2 der Organisationsabteilung des Generalstabs des Heeres mit meiner Tätigkeit zur Stärkung des deutschen Heeres beigetragen und folglich auch den verbrecherischen Krieg des faschistischen Deutschland gegen die Sowjetunion und andere friedliche Staaten unterstützt habe. Ich muss allerdings erklären, dass ich im Juli 1942 zu den Mitgliedern der Verschwörungsorganisation der Offiziere Verbindung aufnahm, deren Ziel es war, Hitler zu töten und den Krieg zu beenden. Es ist bekannt, dass die Organisation, zu der ich gehörte, am 20. Juli 1944 ein Attentat auf Hitler verübte, das allerdings misslang.» Damit endet das Protokoll.[85]

Der Hauptpunkt der Anklage und des Urteils war durch «Geständnis» festgestellt, aber die Vernehmer suchten weitere «Beweise», so fadenscheinig sie auch sein mochten. Die Ermittler versuchten, Kuhn für Gewaltverbrechen verantwortlich zu machen und verwendeten dazu Zitate aus Zeitungen und die Aussage eines nichtidentifizierbaren Zeugen. Man wiederholte auch Fragen und Antworten, als müssten sie eingeübt werden für ein Verhör vor höheren Offizieren, das dann glatt ablaufen musste; denn eine wirkliche Gerichtsverhandlung war nicht vorgesehen. Kuhns «Eingeständnis», einen Angriffskrieg gegen die Sowjetunion vorbereitet zu haben, ist so absurd und unsinnig, dass Kuhn es nicht freiwillig und bei geistiger Klarheit gegeben haben kann.

Die nächste Vernehmung begann um 23.40 Uhr desselben Tages und endete um 5.25 Uhr am Morgen des 25. August. Kuhn musste weitere Angaben machen über seine Tätigkeit in der Organisationsabteilung des Generalstabes des Heeres im Jahr 1942. Dem Protokoll zufolge sagte Kuhn, er sei «mit der Ausarbeitung der Befehle zur Aufstellung der rückwärtigen Dienste der neu geschaffenen Truppenverbände beauftragt» gewesen. Auf die Frage, warum er verschweige, was er am 2. September 1944 niedergeschrieben habe, dass er nach Stauffenbergs Ernennung zum Stabschef bei General Olbricht die Gruppe II geleitet habe, sagte Kuhn, seine selbstgeschriebenen Aussagen seien hier nicht genau (die er nicht wirklich selbständig geschrieben hatte, wie im Kommentar zu ihrem Abdruck dargelegt wird), er «habe die Unterabteilung nicht geleitet, aber in Abwesenheit des Leiters Klamroth vertrat ich ihn, das heisst, ich verteilte eingehende Briefe und erstattete dem Abteilungsleiter Bericht». Diese Pflichten seien ihm übertragen worden, weil er nach Klamroth der dienstälteste Offizier der Gruppe gewesen sei. Auf weiterer Vorhalt aus seinen «eigenhändigen» Aussagen erklärte Kuhn, er habe in der Tat besondere Aufträge bekommen, und zwar «Befehle zum Aufbau neuer Verbände zu erstellen. In solchen Fällen setzte ich mich selbständig mit den entsprechenden Dienststellen in Verbindung: mit dem Hauptquartiermeister des Generalstabs der Infanterie und der Truppenverwaltung in Berlin.» Dann wurde er wieder nach dem Angriff mit der 111. Infanterie-Division gegen die Sowjetunion gefragt. Der Stab der Division sollte den «operativen Plan» ausarbeiten. Diese Aufgaben führte er bis zum November 1941 aus, bis er zum Studium an die Artillerieschule abkommandiert wurde. Weitere Vernehmungen dieser Art folgten demselben Muster, die Themen waren dieselben.[86]

In den elf Vernehmungen Kuhns im Laufe des Scheinverfahrens galt das Interesse der Vernehmer jeweils vorwiegend einem Thema, vor allem seiner Tätigkeit im Generalstab, sowie seiner Beteiligung am Krieg gegen die Sowjetunion. In vier von Kuhns elf Vernehmungen von August bis Oktober 1951 wurde er über seinen militärischen Werdegang befragt, nur einmal wurde seine Verwundung (1940) erwähnt, nur einmal seine dreiwöchige Kriegsgefangenschaft in Frankreich. In sechs Vernehmungen ging es um seine Tätigkeit im Generalstab, in sieben um seine Tätigkeit in der Organisationsabteilung, einmal musste er nur über seine Familie aussagen, ein anderes Mal kamen nur Vorwürfe wegen Gräueltaten zur Sprache, und einmal wurde über die Verschwörung des 20. Juli 1944 und ihr angebliches Ziel, mit den Westmächten gegen die Sowjetunion zu kämpfen, gesprochen. Zwei Vernehmungen behandelten durchweg dieselben Fragen, wobei die erste dieser beiden mit dem ständigen Vernehmer Major Kitschigin die Hauptprobe für die zweite war, an der Oberstleutnant der Justiz Gawriljak teilnahm. Für die Vorbereitung und Ausführung des Angriffskrieges gegen die Sowjetunion hatte man Kuhns «Geständnis». In den anderen Punkten – Verschwörung des 20. Juli, Gräueltaten der deutschen Truppen – operierte man mit Gerüchten, mit der Namensgleichheit eines Leutnant Kuhn, mit Aussagen eines anderen Gefangenen, der Kuhn aber nicht mit einem Verbrechen identifizieren konnte, anscheinend, um noch mehr Anklagematerial in Reserve zu haben. Bei dem Rechtsverständnis der Behörden hätte sie die Unhaltbarkeit dieser zusätzlichen Beschuldigungen gegen Kuhn an der Anwendung gewiss nicht gehindert. Aber sie beschränkten sich im Urteil auf das Gesetz Nr. 10 des Alliierten Kontrollrats für Deutschland. Kuhns «Geständnis», an der Vorbereitung und Ausführung eines Angriffskrieges gegen die Sowjetunion beteiligt gewesen zu sein, genügte dem gefällten Urteil zufolge für seine Verurteilung. Diese stand ohnehin fest – aus ganz anderen Gründen.

Am 29. August 1951 wurde Kuhn «verhaftet» und zwar auf Grund des Gesetzes Nr. 10 Artikel II Absatz 1a des Alliierten Kontrollrats für Deutschland. Der Absatz lautet: «1. Jeder der folgenden Tatbestände stellt ein Verbrechen dar: a) Verbrechen gegen den Frieden. Das Unternehmen des Einfalls in andere Länder und des Angriffskrieges als Verletzung des Völkerrechts und internationaler Verträge einschließlich der folgenden, den obigen Tatbestand jedoch nicht erschöpfenden Beispiele: Planung, Vorbereitung eines Krieges, Beginn oder Führung eines Angriffskrieges oder eines Krieges unter Verletzung von internationalen Verträgen, Abkommen oder Zusicherungen, Teilnahme an einem gemeinsamen Plan oder einer Verschwörung zum Zwecke der Ausführung eines der vorstehend aufgeführten Verbrechen.» Auch wenn es sich nicht von selbst verstünde, so ging doch aus dem Wortlaut hervor, dass die Bestimmung auf einen damaligen Hauptmann und Ordonnanzoffizier im Stab einer Division nicht anwendbar war. Ein Offizier in dieser Stellung konnte nicht in eigener Verantwortung einen Angriffskrieg planen. Aber Kuhn wurde nicht deshalb verurteilt, sondern laut der Sprawka (Notiz) Pitowranows vom 5. August 1951, weil er nicht für sowjetische Interessen in Deutschland arbeiten, sondern sich in die amerikanische Zone entfernen wollte. [87]

Major Kitschigin verfügte, und Pitowranow bestätigte, es sei festgestellt, dass Kuhn ein Verbrechen nach Kontrollratsgesetz Nr. 10 Artikel II Absatz 1a begangen habe, dass er «in Freiheit» sei und der Untersuchung und der Gerichtsverhandlung entgehen könnte, und dass er deshalb in Haft zu nehmen sei.

Am 30. August 1951 unterzeichnete der Stellvertretende Minister den Befehl, Kuhn in das Innengefängnis des MGB zu verbringen. Am 31. August wurden im Butirka-Gefängnis seine Personalien aufgenommen.[88]

Am 10. September verfügte Major Kitschigin: «Das Ermittlungsmaterial belastet KUHN hinlänglich, während seines Dienstes in der Armee Hitlers an der Vorbereitung des verbrecherischen Krieges gegen die Sowjetunion und andere Länder teilgenommen zu haben.» Dieser Befund wurde Kuhn am selben Tag während einer sieben Stunden dauernden Vernehmung durch Major Kitschigin mitgeteilt. Er musste den Empfang der Mitteilung mit seiner Unterschrift bestätigen.

Nun wurde Kuhn angeklagt «WEGEN: der Teilnahme während seines Dienstes in der Armee Hitlers an der Vorbereitung und der Durchführung des Krieges gegen die Sowjetunion und andere Länder, d. h. wegen Verbrechen, wie sie in Art. II, Punkt 1a des Gesetzes Nr. 10 des Kontrollrats in Deutschland aufgeführt sind.» Kuhn wurde ausserdem beschuldigt, als Mitglied der Verschwörung des 20. Juli 1944 nach der Beseitigung Hitlers beabsichtigt zu haben, mit England, Frankreich und den Vereinigten Staaten einen Separatfrieden zu schliessen und dann mit diesen Ländern gemeinsam den Krieg gegen die Sowjetunion fortzusetzen, aber dieser Vorwurf war später im Urteil nicht aufgeführt.[89]

Am 19. September wurde Kuhn nur von 12.30 bis 13.50 Uhr vernommen, zu kurz für ein Verhör nach Art der vorangegangenen. Das Protokoll von sechs tadellos maschinengeschriebenen Seiten, das schon vorbereitet gewesen sein muss, trägt die Überschrift «Stenogramm», Kuhns Unterschrift erscheint schon unter dieser Überschrift und ausserdem am Ende jeder der maschinengeschriebenen Seiten. Die Vernehmer waren der Militärstaatsanwalt des Ministeriums für Staatssicherheit Oberstleutnant Gawriljak und Major Kitschigin. Die Vernehmung durch zwei Vernehmungsoffiziere, von denen einer einen höheren Rang hatte, gab dem Vorgang besonderes Gewicht. Die weitgehend wörtlichen Wiederholungen der eingeübten Aussagen aus den vorangegangenen Verhören und die verhältnismässig kurze Zeit des Verhörs bedeuten, dass es kein wirkliches Verhör, sondern eine Formalität war.

Kuhn musste seine Laufbahn seit 1932 skizzieren und erklären, in welcher Weise er «an der Vorbereitung des verbrecherischen Krieges gegen die Sowjetunion und andere Länder» teilgenommen habe. Er wehrte sich aber gegen den Vorwurf und sagte dem Protokoll zufolge: «Ich bin der Ansicht, dass ich überhaupt nicht an der Vorbereitung eines Krieges gegen die Sowjetunion und andere Länder teilgenommen habe. Ich war lediglich an den Kampfhandlungen gegen die sowjetische Armee und die Truppen anderer Länder beteiligt.»

Am 24. September wurde Kuhn von 17.15 bis 20.20 Uhr nur über seine Teilnahme an dem gegen Hitler gerichteten Militärputsch verhört. Wieder wehrte er sich gegen Unterstellungen. Am 6. September 1943 in Angerburg habe Stauffenberg ihn in die Verschwörung geholt; schon lange vor seinem Beitritt habe er mit Stauffenberg gegen Hitler gerichtete Gespräche geführt, doch von der Existenz der Verschwörung habe er noch nichts gewusst. Davor schon hatte Stauffenberg Kuhn Anfang Juli 1943 (richtig: Juni) im Lazarett die Ziele der Bewegung erklärt, aber noch keine Einzelheiten: «Damals entbehrte die Darstellung STAUFFENBERG"s noch der konkreten Form der Organisation.» Auf die Frage nach den Zielen der Verschwörer sagte Kuhn, sie hätten Hitler und seine unmittelbaren Gehilfen töten, eine Militärdiktatur errichten und «mit den Staaten, mit denen Deutschland im Krieg stand, Frieden» schliessen wollen, und zwar nach Kuhns Verständnis mit allen Kriegsgegnern. Auf die Frage, warum er nicht erwähne, dass die Verschwörer England, Frankreich und Amerika auf ihre Seite ziehen und mit ihnen gemeinsam den Krieg gegen die Sowjetunion fortsetzen wollten, antwortete Kuhn, darüber sei ihm nichts bekannt, er sei bis jetzt der Meinung gewesen, dass mit allen Kriegsgegnern Deutschlands einschliesslich der Sowjetunion Frieden geschlossen werden sollte. Als ihm die Aussage eines anderen Gefangenen, eines angeblichen Mitverschwörers namens Roman Gamota vorgehalten wurde, wonach die Verschwörer im Westen einen Separatfrieden erreichen und so die Allianz spalten wollten, erklärte Kuhn, er kenne den Zeugen nicht, vielleicht wisse der mehr als er, ihm jedenfalls sei dergleichen nicht bekannt. Roman Gamota wurde später wegen Spionage zum Tod durch Erschiessen verurteilt.

In einer weiteren Vernehmung am 26. September musste Kuhn über Herkunft, Beruf, politische Einstellung und die Wohnorte seiner Eltern sowie über seinen eigenen Familienstand Auskunft geben; er sagte, seine Verlobung mit Maria Stauffenberg, der Tochter «des Gutsbesitzers STAUFFENBERG» sei gelöst worden, weil ihre Eltern auf katholischer und seine Eltern auf protestantischer Trauung bestanden. Kuhns Widerstand wird dazu geführt haben, dass man für diese mageren Auskünfte über vier Stunden brauchte.[90]

Auch von der Vernehmung am 29. September gibt das Protokoll keine umfangreicheren Aussagen wieder, nur Informationen wie die Mitteilung der Feldpostnummer der 111. Infanterie-Division im Jahr 1941, Kuhns Verwundung und Gefangenschaft 1940 in Frankreich; an die Feldpostnummer der 28. Jäger-Division konnte er sich nicht erinnern.

Am 1. Oktober wurde Kuhn ärztlich untersucht. Er sei schlecht ernährt, hiess es, und temporär für mittelschwere physische Arbeitsbelastung geeignet.[91]

Major Kitschigin gab Kuhn am 2. Oktober seine Ermittlungsakte zu lesen. Kuhn las die 220 Seiten mit Hilfe der Dolmetscherin und hatte nichts hinzuzufügen, wollte auch keine Anträge stellen und unterschrieb ein Protokoll dieses Inhalts.[92]

Am selben Tag sagte ihm Major Kitschigin, die vorläufige Beweisaufnahme sei abgeschlossen, gegen ihn liege nichts vor: «Ihr Verfahren ist abgeschlossen. Man kann Ihnen gratulieren. In etwa einem Monat werden Sie durch den Kommandanten des Gefängnisses hören, was geschieht.»[93] Kitschigin musste wissen, dass Kuhns Urteil spätestens am 5. August 1951 per Sprawka gesprochen war. Offenbar wollten die Staatssicherheitsoffiziere die willkürlichen Verurteilungen und das Standardstrafmass von 25 Jahren möglichst lange verheimlichen, um die Gefangenen nicht zu beunruhigen.

Obwohl Kitschigins Ankündigung dem ganzen vorangegangenen Verfahren widersprach, war Kuhn im Oktober 1951 überzeugt, freigelassen zu werden. Dem mitgefangenen Herzog zu Mecklenburg sagte der Vernehmungsrichter am 22. September: «In einem Monat fliegen Sie nach Berlin.» Mecklenburg glaubte es nicht.[94]

Die Anklageschrift war vom 3. Oktober 1951 datiert und wiederholte, nicht immer ganz richtig, die Aussagen und Einlassungen Kuhns aus den Verhören über seine militärische Laufbahn bis zu seiner Gefangennahme. Dann hiess es, Kuhn habe sich in den ihm zur Last gelegten

Anklagepunkten für schuldig bekannt, was so nicht zutraf. Er werde angeklagt «wegen der Teilnahme während seines Dienstes in der Armee Hitlers an der Vorbereitung und Durchführung des Krieges gegen die Sowjetunion und andere Länder, d.h. wegen Verbrechen, wie sie in Art. II, Punkt 1 a des Gesetzes Nr. 10 des Kontrollrats in Deutschland aufgeführt sind». Vier Offiziere von Abteilungen des Ministeriums für Staatssicherheit unterzeichneten die Anklage und empfahlen, «KUHN eine Strafe von 25 Jahren Freiheitsentzug zuzuweisen sowie die Beschlagnahme seiner persönlichen Wertgegenstände, die ihm bei der Verhaftung abgenommen wurden». Generalmajor Pitowranow bestätigte die Anklage und die Empfehlung am 11. Oktober.

Am 17. Oktober fand eine Sitzung der «Sonderkonferenz» im Ministerium für Staatssicherheit (OSO pri MGB) statt. Kuhn wurde zu 25 Jahren «Freiheitsentzug» verurteilt. Der Ressortchef der Untersuchungsabteilung hatte am 5. Oktober, lange vor Kuhns Verurteilung, bestätigt vom Ministerium für Staatssicherheit, die Verbringung Kuhns in das Sondergefängnis des Irkutsker Oblast' (Region) verfügt.[95]

Mecklenburg war während des ganzen Krieges in Russland Ordonnanzoffizier beim Oberquartiermeister der 2. Armee, zuletzt bei Oberst i. G. Wirsing; nach dem Krieg übernahm er den Besitz seines Vaters in Generalvollmacht und befand sich im englisch besetzten Ludwigslust, das am 1. Juli 1945 von den Engländern geräumt wurde; am 16. Juli wurde er von den Sowjets festgenommen, blieb in Einzelhaft bis 9. September 1947 in Schwerin, dann bis 12. April 1951 ebenso in Einzelhaft – die Sowjets nannten es «Einzelzimmerhaft» – in Potsdam, bis Ende Oktober 1951 in der Lubjanka im zweiten Stock ebenfalls in Einzelhaft. Am 22. September 1951 sagte ihm sein Untersuchungsrichter, es liege nichts gegen ihn vor und in etwa einem Monat werde er nach Berlin fliegen. Mecklenburg glaubte es nicht, weil man ihm seine Verpflegung für den kommenden Monat nicht verbessern wollte, obgleich er darum gebeten hatte. Einen Monat später wurde er, mitten in der Nacht, in die Butirskaja verlegt und kam in eine Zelle, in der ein bärtiger Mann im Bett lag: «Er wurde wach, stand auf und wir begrüssten uns auf Russisch. Da ich einen grauen Übermantel trug, fragte er mich bald: sind Sie Deutscher? Was ich bejahte. Daraufhin stellte ich mich mit vollem Namen vor und er sagte: Kuhn. Mir fuhr heraus: sind Sie der IA der ... Division? (Ich verwechselte die Nummer). Er: nein. Bald kamen wir in eine sehr intensive Unterhaltung. Plötzlich fragte er: woher kennen sie mich? Ich bin Kuhn.» Mecklenburg sagte ihm, er wisse, wer er sei und erzählte ihm, was er im Stab der 2. Armee über Tresckow, Kuhn, und dessen schriftliche Meldung über Tresckows Tod erfahren habe. Kuhns erste Reaktion war: «Ich bin nicht übergelaufen!»[96]

Bis zum 9. November 1951 waren sie zusammen in der Zelle, erzählten sich ihre Erlebnisse. Kuhn bekam bessere Verpflegung als Mecklenburg, «etwas Butter und mehr Salzheringe sowie ein Stück Zucker mehr». Das war eine der üblichen Schikanen, mit denen man versuchte, Gefangene gegeneinander aufzubringen. Kuhn gab Mecklenburg immer etwas ab, sie haben sich in den Tagen des Zusammenseins gut vertragen.[97]

Am 3. November befahl der MGB, Kuhn in das Gefängnis Aleksandrowsk in der Region Irkutsk zu bringen.[98]

Am 9. November bekamen Kuhn und Mecklenburg den Befehl, sich fertig zu machen, sie wurden kurz nacheinander abgeholt. Mecklenburg kam in eine Wartezelle zu einem Kommissar, der in gebrochenem Deutsch dumme Bemerkungen machte und schliesslich sagte: «Man gat Sie verurteilt!» Dann übergab er ihm ein Schreiben des Ministeriums für Staatssicherheit und las ihm dann den Text vor: er sei wegen Vorbereitung eines Angriffskrieges und Führung des Krieges gegen die Sowjetunion zu 25 Jahren «Lagjer» verurteilt. Mecklenburg kam in das Gefängnis Wladimir 180 km östlich von Moskau. Silvester 1953 ist er heimgekehrt.[99]

Kuhn war durch seine Erlebnisse, vor allem durch die Folterungen, nervös und labil geworden. Mecklenburg bemerkte in den wenigen Tagen, in denen er mit ihm die Zelle teilte, «jede kleine Unnormalität des Tagesablaufes erregte ihn schon. So regte ihn natürlich der Augenblick als er aus der Zelle fort kam auch sehr auf.» Mecklenburg wusste nichts von Kuhns Verurteilung, vermutete aber, Kuhn habe dasselbe Urteil bekommen wie er. Die Aushändigung des Urteils habe ihn mit Sicherheit «schwer mitgenommen». «Dass er dadurch irgendwie schwer erkrankte, wäre nicht ausgeschlossen.» Kuhn berichtete später, man habe ihm acht Tage nach der Mitteilung, er werde heimkehren, das Urteil durch einen Gefängnisoffizier in russischer Sprache ohne Dolmetscher verlesen lassen. Es muss ein furchtbarer Schock für ihn gewesen sein, mit der Perspektive der Hoffnungslosigkeit von 25 Jahren in Sibirien konfrontiert zu sein. Nach langem Transport kam er am 8. Dezember 1951 in das Gefängnis Aleksandrowsk in der Region (Oblast') Irkutsk.[100]

Kuhns Eltern hatten bis 1947 nur gerüchtweise Nachrichten von ihrem Sohn. Seine Gefangennahme durch sowjetische Truppen stand 1944 in deutschen Zeitungen, nach dem Krieg kamen immer wieder Heimkehrer zu Kuhns oder zu Stauffenbergs, um vage oder falsche «Nachrichten» zu überbringen. Graf Einsiedel, der 1947 nach Berlin kam und 1948 in den Westen floh, konnte auch nur berichten, was er in Russland gehört hatte.[101]

Bis 1954 durfte Kuhn keinen Kontakt mit seinen Eltern aufnehmen. Bald nach seiner Ankunft in Aleksandrowsk schrieb er einen Brief an den Minister für Staatssicherheit. In Kuhns Akte liegt ein Entwurf oder eine Abschrift von seiner Hand in Druckschrift, die er als «Zweitschrift 27. Mai 1952» bezeichnete unter dem Datum 15. Februar 1952. Am Kopf des Bogens steht als Absender «Joachim Graf von der Pfalz-Zweibrücken Generalmajor», am Schluss die Unterschrift «Graf Zweibrükken». Kuhn begann: «Ich fühle die Verpflichtung meiner Haltung der Einstellung der Freundschaft u. der Aufrichtigkeit der Sowjet-Union seinem Ministerium gegenüber treu zu bleiben.» Er sei ermächtigt, mitzuteilen, dass er gezwungen gewesen sei, «den Namen Kuhn zu tragen und unter ihm zu leben aufgrund der Forderung der deutschen Regierung», habe aber von Geburt den Namen Graf von der Pfalz-Zweibrücken «nach dem Erlass des Reichspräsidenten vom 13.6.1926 (sechsundzwanzig). Meinen Personalangaben habe ich nur hinzuzufügen meine vom Oberst i. G. erfolgte Beförderung zum Generalmajor im Heere Westdeutschlands. Das Ersuchen um Ermächtigung erfolgte auch, da mir erfindlich wurde, dass das hier Stattgefundene nach dem Gesetz internationaler Höflichkeit u. diplomatischen Gebrauchs der Sowjetregierung mitgeteilt zu werden verlangt. Auf [sic] mir nahm ein Prozess der Wissenschaft u. Technik seinen Anfang u. fand zum einen Teile statt – die Passion – welcher geleitet war von deutschen Ingenieuren u. Universitätsprofessoren, zunächst ohne mein Wissen um das Stattfinden desselben.» Das sei der amerikanischen Regierung bekannt. «Im Vordergrund steht als Zwecksetzung das breite u. weniger kostspielige Hinausschieben des AL. Dieses bitte ich zur Unterlage des Beweises zu nehmen. Weitere Angaben kann ich nur nach der Anweisung durch die westdeutsche Regierung u. die U.S.A. in Moskau geben. Ich darf u.

werde da im übrigen inzwischen bei mir die Distrophie eingetreten ist, nur weitere Mitteilung machen, wenn ich im Hotel untergebracht u. mit reichlicher normaler Zivilverpflegung versehen werde, sowie wenn die mir übermittelte Zusage auf die bevorstehende Befreiung, aufgrund welcher ich handelte, die Entlassung in die Heimat in der allernächsten Zeit nicht angelastet zu werden bestätigt wird. Graf Zweibrücken. Zweitschrift geschlossen den 27. Mai 1952; Irkutsk.» Dies war Kuhns erster verzweifelter Versuch, der furchtbaren Aussicht zu entrinnen, dass er noch achtzehn Jahre in dem grauenhaften Zuchthaus von Aleksandrowsk verbringen sollte. Er litt ausserdem unter der schlechten Ernährung «bis zur völligen Distrophie».[102] Der Brief enthielt zugleich die Symptome seiner Krankheit.

Am 15. Februar 1952, dem Datum, das Kuhn auf dieser «Zweitschrift» seines Briefes festhielt, wurde Kuhn vernommen. Das Protokoll der Vernehmung liegt nicht vor, ihr Inhalt ist aber teilweise dem Protokoll einer Vernehmung vom 21. auf 22. November 1952 zu entnehmen. Ein stellvertretender Abteilungsleiter des Aleksandrowsk-Gefängnisses, Oberstleutnant Maslennikow, notierte am 30. Juli 1952, dass Kuhn wahrscheinlich an Schizophrenie erkrankt sei.[103]

In der Nacht vom 21. auf den 22. November 1952, von 18.40 Uhr bis 1 Uhr früh, wurde Kuhn von einem MGB-Offizier, Leutnant der Staatssicherheit Owtschinnikow verhört.[104] Er musste erklären, warum er seinen Namen Graf von der Pfalz-Zweibrücken, den er in seinem Brief vom 15. Februar 1952 an den Minister für Staatssicherheit als seinen richtigen bezeichnet hatte, in Kuhn geändert habe. Kuhn wiederholte, er habe durch einen Erlass des Reichspräsidenten vom 13. Juni 1926 erfahren, dass sein richtiger Name Graf von der Pfalz-Zweibrücken und dass Arthur Kuhn, bei dem er lebte, nicht sein leiblicher Vater sei. Aber seine Mutter und sein Stiefvater haben ihn gebeten, bis zu seinem 35. Lebensjahr den Namen Kuhn zu tragen, da er vor diesem Zeitpunkt nicht erbberechtigt sei.

Diesen Behauptungen zufolge war die Mutter leiblich, der Vater nicht. Die Mutter hatte 1912 bis 1938 den Namen «Kuhn geb. Will» getragen. Kuhn übertrug also die uneheliche Geburt seiner Mutter bei adeliger Herkunft und die Existenz des Stiefvaters der Mutter auf sich. Seine Eltern haben ihm versprochen, ihn nach dem Erreichen seines 35. Lebensjahres über seine wirkliche Herkunft, über die Beziehung seiner Mutter zum Grafen von der Pfalz-Zweibrücken und über sein Erbe aufzuklären. Sie haben ihn auch gebeten, niemals irgendjemandem von seiner wirklichen Abstammung zu erzählen und «erst im Februar dieses Jahres in seinem Antrag an das Ministerium für Staatssicherheit» habe er seinen Namen Graf von der Pfalz-Zweibrücken genannt. Er habe damit kein Ziel verfolgt, er wollte nur, dass das Ministerium für Staatssicherheit erführe, wer er tatsächlich sei. Dann musste Kuhn seine militärische Laufbahn skizzieren. Er berichtete nun, anders als in den Verhören des Jahres 1951: Am 15. Juli 1944, nachdem er als Erster Generalstabsoffizier der 28. Jäger-Division einen sowjetischen Angriff zerschlagen hatte, habe ihm der Chef des Generalstabes des LV. Korps Oberst i. G. Hölz telephonisch mitgeteilt, er solle für das Zurückdrängen der sowjetischen Truppen um 40 km bei Minsk zum Oberst i. G. befördert werden. Am 26. Juli habe Hölz noch einmal angerufen und gesagt, man habe Kuhn den Dienstgrad Generalmajor zuerkannt, und Hölz habe versprochen, einen entsprechenden Befehl zu erlassen, aber am 27. Juli sei Kuhn in russische Gefangenschaft geraten. Warum er seinen richtigen Namen und Dienstgrad in den Vernehmungen verschwiegen habe? Kuhn sagte, er habe über keine Unterlagen verfügt, die das hätten belegen können. Ob er jetzt welche habe? Nein. Weshalb er dann jetzt mitteile, was er fünfundzwanzig Jahre lang geheim gehalten habe? Er habe sich lediglich entschlossen, die Wahrheit zu sagen, ohne einen besonderen Zweck. Er habe in Moskau mehrfach seine Loyalität gegenüber der Sowjetunion erklärt, und um dies zu beweisen, habe er beschlossen, die ganze Wahrheit über sich zu sagen. Auf die Frage, wie lange er technische Forschungen betrieben habe, sagte Kuhn, das habe er nie getan, er habe nur Kontakt zu forschenden Wissenschaftern gehabt durch die Arbeit seines Stiefvaters im Patentbüro. «Mit technischen Dingen habe ich mich nur auf der technischen Fachhochschule befasst, wo ich anderthalb Jahre von 1931 bis 1932 studierte.» Was das Wesen des Superkurzwellenapparats sei, den er in seiner Äußerung vom 15. Februar 1952 erwähnt habe? 1936 habe Arthur Kuhn ihm gesagt, der Schotte McBerty habe in Amerika einen Superkurzwellensender erfunden, über die Einzelheiten wisse er nur, dass der Apparat mit Iridium und Helium funktioniere, das Iridium werde in Gas umgewandelt, verbinde sich mit dem Helium und bringe einen «starken Strom mit elektrischen Reagenzen» hervor, das Resultat seien Superkurzwellen. Das sei alles, was Kuhn über den Superkurzwellenapparat wisse. Was er dann mit «den übrigen Informationen» meine, die er, seinen Äusserungen zufolge, nur mit Erlaubnis der U.S.A. und der westdeutschen Regierung bekanntgeben wolle und nur unter der Bedingung, dass man ihn aus der Haft entlasse, in Moskau in einem Hotel unterbringe und ihn dann in die Heimat zurückbringe? In der Freiheit könne er «alle Informationen über diesen Sender in Erfahrung bringen und sie einem russischen Vertreter in Ost-Berlin übermitteln», antwortete Kuhn. Die Vernehmung schloss mit der Frage, ob Kuhn zu der gegen Hitler gerichteten Verschwörerorganisation gehört habe. Kuhn sagte, er sei ihr 1942 beigetreten, sei einer ihrer Führer im Heer gewesen und habe «persönlich den Plan zur Besetzung der Quartiere von Hitler, Göring, Himmler und Ribbentrop ausgearbeitet, um sie zu entfernen und Antifaschisten einzusetzen», der Aufstand des 20. Juli 1944 sei aber niedergeschlagen und er selbst, wie man ihm am 15. August 1944 im NKWD mitgeteilt habe, in Abwesenheit zum Tode verurteilt worden.[105]

Offenbar gehörte zu Kuhns Krankheit auch die Tendenz, Vorgänge aus seiner Vergangenheit weiterzuverarbeiten, wie hier seine jugendliche Radiobastelei. Er litt an Schizophrenie. Die Symptome waren eindeutig: Wahnvorstellungen, Halluzinationen, Stimmenhören, die Überzeugung, von fremden Mächten kontrolliert und manipuliert zu werden, die Vorstellung eigener grosser Prominenz, Ausbrüche gewalttätigen Verhaltens. Die Bewusstseinspaltung mag schon Anlage gewesen sein.[106]

Ein weiterer Brief Kuhns ist vom 10. November 1953 datiert und an den Vorsitzenden des Ministerrats der UdSSR Herrn Malenkow gerichtet. Kuhn schrieb, wie der 2. Abteilung des MGB bekannt sei, sei er von 1944 bis 1951 in Moskau in Haft gewesen, obwohl er kriegsgefangener Offizier sei, gegen den man, wie ihm vor Zeugen erklärt worden sei, nicht Anklage erheben dürfe. Nach einer Reihe von Vernehmungen im September und Oktober 1951 habe ihm der Ermittler der Zweiten Abteilung des Ministeriums für Staatssicherheit mitgeteilt: «Die Ermittlung hat ergeben, dass es keinen Grund gibt, Sie weiter in Haft zu behalten.» Dann habe der Ermittler gesagt, «da kann man Ihnen also gratulieren», und habe hinzugefügt, Kuhn solle nach Deutschland zurückkehren. Stattdessen sei er in das Aleksandrowskij-Gefängnis verlegt worden, wo er sich noch befinde. Vor langer Zeit schon seien deutsche Kriegsgefangene entlassen worden, ausserdem sei im August des

Jahres ein Abkommen über die Befreiung der deutschen Kriegsgefangenen geschlossen worden, es gebe keine Gründe, ihn weiter gefangen zu halten, deshalb ersuche er den Minister, ihn als freien Mann nach Deutschland zurückzubringen. Der Kommandant des Gefängnisses Nr. 5, Oberstleutnant Solomin, sandte den Brief am 25. November 1953 an den Ministerrat.[107]

Von März 1952 bis Oktober 1953 und dann wieder von März bis 16. Mai 1955 teilte Kuhn die Zelle mit Hans Schauschütz, einem österreichischen Bahnbeamten. Im Frühjahr 1953 war das strenge Gefängnisregime Schauschütz zufolge gelockert worden, man durfte Schreibutensilien kaufen, und Kuhn habe ihm und anderen Kameraden englischen Sprachunterricht erteilt und «hochinteressante geschichtliche Vorträge» gehalten. Schauschütz und Kuhn tauschten, als sie seit März 1955 wieder in einer Zelle waren, die Briefe von zuhause aus, sprachen über Familienangelegenheiten und vom Verkauf des Hauses in der Dorotheenstrasse in Bad Homburg, von «Tante Maria, ferner von Schloss Greifenstein», von Geldüberweisungen über Genf, vom Inhalt der seit Herbst 1953 gelegentlich, seit Mitte 1954 wöchentlich eintreffenden Pakete, von denen Schauschütz «manch guten Bissen abbekam» und durch die sich Kuhn zusehends erholte. Schauschütz wurde am 20. Juni 1955 entlassen und schrieb im August an Kuhns Eltern. Kuhn hatte ihm die Anschrift Schloss Greifenstein gesagt, und da er sich Graf von der Pfalz-Zweibrücken nannte, sprach Schauschütz Frau Kuhn mit «Hoheit» an.[108]

Seit September 1953 durfte Kuhn nach Deutschland schreiben.[109] Am 17. November 1953 richtete er eine Karte an «Herrn Feldmarschall Freiherr von Manstein, Frankfurt am Main, Deutschland». Das Postamt 1 Frankfurt (Main) versah die Karte mit dem Stempel «Durch Nachschlagen nicht ermittelt, Wohnungsangaben oder sonstige nähere Bezeichnung erforderlich.» Die Karte gelangte dennoch zu Mansteins nach Allmendingen, die Kunde erreichte über Graf Reuttner (Achstetten) Marie Gabriele Gräfin Stauffenberg in Risstissen, diese rief Frau von Manstein an, bat um die Karte und schickte sie an Kuhns Eltern weiter. Auf der Karte mit der Anrede «Lieber Herbert» schrieb Kuhn «das zweite Mal einen Gruss meine Gesundheit zu bestätigen», und er brauche «Geld – einige Tausend Rubel – u. Pakete monatlich bis zu 4 mit Fett, Zucker, Kakao, Schokolade etwas Kaffee, Pullover, warmer

Wäsche, sonst nichts», doch noch mehr hoffe er, «dass Ihr bereit seid mich selbst in Eure Arme zu schliessen». Dann schrieb er von seiner Trauung oder Ferntrauung mit Dorothea, bat, dass man sich um Dorothea kümmere, mit ihr nach Greifenstein fahre. Vielleicht hat Kuhn an Manstein geschrieben in der Hoffnung auf Intervention und Entlassung, doch scheint die Anrede «Lieber Herbert» Ausdruck seiner Verwirrung zu sein. «Dorothea» und «Greifenstein» kamen aus seiner Verlobung im April 1943, mit «Dorothea» war Marie Gabriele gemeint. Kuhn unterschrieb «Dein Joachim», nicht wie vor einem Jahr als Pfalzgraf Zweibrücken.[110] Die Bewusstseinsspaltung war hier offensichtlich auf Gräfin Stauffenberg übertragen.

Im Oktober oder November 1953 kam eine weitere Karte, diesmal nach Greifenstein. Marie Gabrieles Bruder Otto Philipp auf Greifenstein war verreist, seine Frau Oculi schrieb an Marie Gabriele, die Karte sei «an die Mutter adressiert (eventuell Marie Luise, jedenfalls ein Doppelname, Pfalzgräfin v. Zweibrücken) und ich glaube mit der Anrede ‹liebe Eltern›», sie «habe damals die Gothas gewälzt, ob es Pfalzgrafen von Zweibrücken mit diesen Vornamen gibt, es hat nichts in der ganzen Karte gestimmt. Er schrieb darin, man soll die Hochzeit mit seiner Braut, den Namen weiss ich auch nicht mehr, aber er schrieb nicht nur den Vornamen, sondern den vollen Namen einer nicht existierenden Standesherrin, vorbereiten, mit der Braut sei alles vereinbart. Ausserdem bedankte er sich für ein Paket und bat um eine Summe Dollars. Aus dem Inhalt dieser Karte haben wir beide geschlossen, dass der Schreiber geistig verwirrt sein müsse. Ich halte es sogar nicht für ausgeschlossen, dass er mit Joachim unterschrieben hat. Die 2. Karte, die einige Monate später angekommen sein muss, haben wir gar nicht heroben gehabt, die hat die Post gleich weitergeleitet.»

Gräfin Stauffenbergs Bruder Otto Philipp schickte die erste nach Greifenstein gelangte Karte an das Adelsarchiv. Man gab ihm die Auskunft, es gebe keine solche Familie, der Schreiber sei ein Schwindler. Die Karte blieb beim Adelsarchiv, sie kam jedenfalls nicht zurück.[111]

Marie Gabriele war gerade in Greifenstein, als wieder eine Karte kam. Ihr Bruder meinte, da sei wieder so eine Karte von dem Spinner und wollte sie an die Post zurückgeben. Marie Gabriele sagte halt, die ist von Joachim, und schickte sie an Kuhns Eltern. Die Karte war mit demselben Namen und der Anschrift wie die vorhergegangene adres-

siert, sie war vom 9. Januar 1954 datiert, Kuhn schrieb: «Meine geliebten Eltern! Nun komme ich dazu an Euch zu schreiben, Eure Gesundheit zu erfragen, meine Gesundheit zu bestätigen. Ich bitte Euch, mir
auf dem schnellstmöglichen Wege Geld – mehrere tausend Rubel zu
senden, sowie Pakete – 4 je Monat, darin Fett, Zucker, Kakao, Schokolade vor allem, weiter Kaffee gemahlen u. offenen Zigarettenrauchta-
bak, u. Speck.» Von ihm selbst und seinem Zustand sei nichts zu berichten, als dass er, Joachim, Tag und Nacht bei den Eltern sei und wünsche,
dass sie sich für ihn gesund erhalten. Es ging ihm also nicht gut. Dann
bezog er sich auf die an Manstein adressierte und wohl auch die erste
nach Greifenstein gegangene Karte: «Ich bat schriftlich um Durchführung meiner Ferntrauung mit Dorothea. Ich bitte noch einmal diese
Bitte unbedingt zu erfüllen, die Genehmigung u. Durchführung der
Ferntrauung mit Dorothea Prinzessin von Leiningen herbeizuführen.
Dies die rechtliche Unterlage dazu. Das berührt nicht Deine Generalvollmacht, lieber Vater, es geschieht zum Zwecke der Sicherung u. Versorgung von Dorothea, u. um mir selber den Halt im Wissen um das
eigne Haus zu geben.»[112]

Mitte März 1954 erhielt Gräfin Stauffenberg einen Brief von dem
inzwischen entlassenen Herzog zu Mecklenburg. Er erzählte die oben
geschilderte Geschichte von Kuhns Gefangennahme bis zu seiner Verurteilung zu fünfundzwanzig Jahren Gefängnis.[113]

Die nächste Karte, die die Familie erreichte, war datiert mit dem
19. Februar 1954. Sie kam am 22. März in Greifenstein Post Heiligenstadt an. Die Anschrift lautete «Fürstin Hildegard von der Pfalz-Zweibrücken, Германиа (Зап) Westdeutschland, Bamberg i/Oberfranken,
Hartliebenstein, Schloss Greifenstein». Kuhn bat «auf schnellstem Wege
Geld zu senden, mehrere Tausend Rubel», ferner monatliche Pakete
«mit Fett, Zucker, Speck u. Wurst, sowie Kakao, Kaffee, Ess-Schoko-
lade u. Keksen» und endete mit einem «Gruss an Dorothea».

Auf einer Karte vom 10. März 1954, die am 2. April Greifenstein
bzw. Heiligenstadt erreichte, schrieb Kuhn an seine Eltern, er habe noch
keine Post von ihnen bekommen, er «schreibe selbst seit September»,
sorge sich um die Gesundheit der Eltern, er sei gesund. Es folgte wieder
die Bitte um Geld und Nahrungsmittel sowie «bitte, Bilder von Euch,
von zuhause u. von Dorothea». Die Karte endete mit einem Gruss an
Dorothea und der Unterschrift «Euer Joachim».

Der Suchdienst des DRK schrieb am 4. Februar 1954 an Kuhn mit dem fingierten Absender «Gräfin von der Pfalz-Zweibrücken Gerdi-Dorothea, Sauerlach b. München, Bahnhofstr. bei Dr. v. Metnitz» und sandte auch Pakete. Der Suchdienst war über den Inhalt wenigstens einer Karte Kuhns unterrichtet und benützte «Dorothea» in der Hoffnung, eine Verwandtschaft des Absenders glaubhaft zu machen.[114] Kuhn antwortete am 2. April 1954:

«Liebe Gerdi-Dorothea!
Dein Kartengruss vom 4.2.54 war mir das erste Lebenszeichen von Euch. Dass es von Dir kam, liebe Schwester, gab mir grosse Freude. – Welche Arbeit mag Dich nach München gebracht haben? Mir wäre daran gelegen, wenn Du keine berufliche Tätigkeit mehr ausübtest, sondern einige Vorlesungen an der Universität belegtest. Welche, wird Dir geraten werden. Dazu bitte ich meiner Kasse zu übergeben, dass man Dir die Studiengelder, sowie 300,– DM monatlich anweist. Die Mutter, die ich Dich bitte zu benachrichtigen, wird Dich gewiss dort besuchen u. für alles weitere Notwendige sorgen. –
Dein Gruss hat mir die Heimat wieder nahegebracht. Sehr warte ich auf Bilder von Dir u. von Zuhaus, die Du mir, so hoffe ich, in die Pakete einlegen wirst.
Von mir ist nicht viel zu berichten. Ich bin gesund. Ich bitte Dich die Geldsendung an mich – einige tausend Rubel – bald möglichst zu veranlassen sowie mit meiner Mutter zu organisieren, dass monatlich 4 Pakete an mich hierhergehen. Auch ich erwarte mit Sehnsucht jede Zeile von Dir u. noch mehr in nicht allzu ferner Zeit mit Euch allen wieder vereint zu sein. Grüsse an alle Lieben. Es umarmt

Dich Dein Joachim»

Kuhns Eltern schickten bis Anfang 1955 monatlich DM 100, er bat um DM 300, die der Suchdienst des DRK auf Wunsch der Eltern seit Februar 1955 auch vermittelte, obwohl Sendungen an Gefangene in dieser Höhe ungewöhnlich waren. In den meisten Fällen bewegten sich Geldsendungen an Gefangene in der UdSSR zwischen DM 20 und 100. Kuhn nahm an, das Geld werde von seinem Vermögen genommen, das taten die Eltern jedoch nicht, weil dazu eine gerichtliche Verfügung nötig gewesen wäre. Sie hatten nur Pflegschaft und wollten ihrem Sohn auch sein Vermögen bewahren.[115]

Am 12. Mai 1954 schrieb Kuhns Mutter an Gräfin Stauffenberg, vor einigen Wochen sei sie bei einem Geistlichen «in der Zone» gewesen, der habe sie ausgefragt «nach Ostpreussen, Eltern u.s.w.», er sei auch Ostpreusse, und im Sinne Joachims interessiere ihn die Frage. Frau Kuhn schloss daraus, dass man Angaben, die Kuhn machen musste, überprüfen wolle. «Ich antwortete ihm genau, wie es ist. Was ihn sehr erfreute.»[116]

Am Sonntag, den 14. Mai war der Herzog zu Mecklenburg mit seiner Braut zum Mittagessen bei Gräfin Stauffenberg in Risstissen. Marie Gabriele schrieb an Frau Kuhn über den Besuch des Herzogs zu Mecklenburg: «Er bestätigte nochmal, dass sich Kuhn v. Mallowitz nannte, das hatte er dann auch von anderen Gefangenen gehört, die mit Joachim in der Lubjanka zusammen waren.»[117] Das bezog sich auf die Zeit bis November 1951, danach hatte Mecklenburg keine Verbindung mehr mit Kuhn. Die Verwendung des Namens Graf von der Pfalz-Zweibrücken durch Kuhn ist ab Februar 1952 belegt.

Am 21. Mai 1954 unterrichtete der Suchdienst des Deutschen Roten Kreuzes in München die DRK-Dienststelle in Hamburg davon, dass Kuhn unter dem Namen Graf von der Pfalz-Zweibrücken «in kurzen Zeitabständen 4 Karten gesandt» habe, die an die Mutter, Frau Hildegard Kuhn weitergeleitet worden seien. Am selben Tag schrieb Frau Kuhn dem DRK-Suchdienst in Hamburg, Kuhn habe unter dem Namen v. d. Pfalz-Zweibrücken «Karten geschrieben, die ersten nach 10 Jahren, aber nicht an uns, verständlich wegen des anderen Namens, wir haben darum auch noch keine Verbindung zu ihm». Sie hatten noch nicht mit Kuhn direkt korrespondieren können. Kuhn bestätigt in einer nicht abgesandten Karte vom 25. Mai 1954 den Eingang von Päckchen am 12. und 16. April sowie am 7. Mai 1954, die vom Suchdienst des DRK mit fingierten Absendern versandt wurden und anscheinend die ersten waren, die Kuhn erreichten. Der Hamburger Suchdienst hat Kuhn im Mai 1954 in seine «ständige Paket-Betreuung» einbezogen.[118]

Die erste in der Gefangenen-Akte objektiv feststellbare Päckchensendung an Kuhn wurde laut Zollinhaltserklärung am 18. Juni 1954 an «Graf v. Pfalz-Zweibrücken Moskau 5110/51» (Gefängnisnummer)

Wohnung der Eltern Kuhn, Berlin-Grunewald,
Wildpfad 3, ca. 1954

aufgegeben mit der Absenderangabe «Gerhard Jendral, München 2, Nymphenburgerstr. 52/II». Der Suchdienst München des Deutschen Roten Kreuzes riet Frau Kuhn Anfang Mai, bei ihren Sendungen an Kuhn den Namen Pfalz-Zweibrücken zu verwenden. Die nächste Sendung wurde am 25. Juni bei der Post eingeliefert, an «Joachim Graf von der Pfalz-Zweibrücken» adressiert und von «Hildegard von der Pfalz-Zweibrücken, Berlin-Dahlem, Wildpfad 3» als Absender unterschrieben. Insgesamt sind 44 Paketsendungen an Kuhn, alle in den Jahren 1954 und 1955 dokumentiert.[119]

Gräfin Stauffenberg blieb seit der gemeinsamen Sippenhaft nach dem 20. Juli 1944 und nach Kriegsende mit Kuhns Eltern in Verbindung, in gemeinsamer Sorge um sein Ergehen, seinen Verbleib. Von 1945 bis in die 1950er Jahre besuchten sich Gräfin Stauffenberg und die Eltern Kuhn gegenseitig mehrfach jährlich. Nachdem die seltsamen Nachrichten von Kuhn selbst gekommen waren, bat Gräfin Stauffenberg die Eltern Kuhns, ihm keine Bilder von ihr zu schicken und von ihr gar nichts zu schreiben, schrieb auch selbst nicht an ihn, sie kam nicht auf den Gedanken, ihre Zurückhaltung aufzugeben. Aber eine

*Arthur Kuhn im Wohnzimmer,
Berlin-Grunewald, Wildpfad 3,
1954 (auf dem Tisch links hinten
das Bild der Verlobten Major i. G.
Joachim Kuhn und Marie
Gabriele Gräfin Stauffenberg)*

der Photographien, die die Eltern Kuhn schickten, zeigte auf einer
Kommode im Wohnzimmer das Verlobungsbild von Joachim Kuhn mit
Marie Gabriele.[120]

Am 5. Juni bedankte sich Kuhn in einer Karte für das erste Paket, das
er von den Eltern erhalten hatte, aber die Karte wurde nicht abgeschickt
und liegt in seiner Gefängnisakte.[121] Vielleicht hatte der Zensor an der
Bemerkung Anstoss genommen, Kuhn habe auf seine Karten noch keine
Antwort von seinen Eltern. Kuhn schrieb:

«Liebe Mutter, lieber Vater!   5.6.54
Gerade heute erhielt ich Euer erstes Paket. Alles war frisch u. war
das, was ich brauchte. Das Bild von Euch war mir das, was Ihr
Euch denken könnt.
Ich habe inzwischen mehrmals an Euch geschrieben ohne Antwort
zu erhalten. Hoffentlich habt Ihr meine Karten erhalten. Das Paket hat mir so wie es gepackt war alles von Euch wieder nahe gebracht u. sehr warte ich auf das Nächste. Auch auf mehr Bilder
von Euch. Ihr habt Euch, was mich sehr beglückte, fast gar nicht

verändert u. der Baum, an dem Ihr sasst, soll uns, so Gott will, schon längere Zeit wieder vereint finden, wenn er in diesem Jahr wieder stehen wird.

Die Wohnung, die ich dann für mich vorzufinden hoffe, habt Ihr schön bestellt? Die Einrichtung soll Dorothea noch nicht sehen. Inzwischen hast Du, wie ich glaube, liebe Mutter, sie ein bischen hübsch eingekleidet u. vielleicht auch in München besucht.

Die Bauten habt Ihr durchgeführt? Hoffentlich habt Ihr tüchtig viel Besuch von den engsten Freunden, denn Ihr sollt jede Gelegenheit benutzen Euch abzulenken u. für Eure Gesundheit zu sorgen. Eigentlich muss Euch gesunderhalten, dass für Euch gut gesorgt wird u. auch dass ich täglich in Gedanken bei Euch bin. Denn Ihr seid für mich die Heimat u. die ist alles.

Mit herzlichsten Grüssen u. Küssen umarmt Euch

Euer   Joachim.»

Am 8. Juni 1954 erhielt Kuhn ein Päckchen, aus dem die Gefängniszensoren drei Photographien entfernt hatten, auf seine Bitte bekam er sie einige Tage später.[122] In den letzten Tagen des Juni verhielt sich Kuhn «verdächtig» in seiner mit noch vierundzwanzig anderen Gefangenen belegten «gemeinsamen Zelle».[123]

Am 15. Juli bedankte er sich in einer an die Eltern gerichteten, aber wieder an eine andere Anschrift adressierten Karte für die eingegangenen Pakete, die er alle «planmässig» erhalte. Er habe noch Pakete aus Hamburg und München sowie eines aus Genf vom Roten Kreuz erhalten und auch die Photographien. Er freue sich über das Aussehen seiner Eltern, er selbst habe sich etwas verändert, er sei etwas stärker geworden.[124]

Während mehrerer Tage seit Ende Juli verhielt Kuhn sich wieder «verdächtig» in der «gemeinsamen Zelle». Am 3. August machte er grossen Lärm, brüllte seine Mitgefangenen grundlos an, schrie sinnlose Satz- und Wortfetzen, die ihm, wie er sagte, von Amerikanern eingegeben seien. Er wurde in eine Einzelzelle gebracht, zerbrach am 4. August eine Fensterscheibe und verletzte sich in der Herzgegend. In der Nacht des 6. August verhielt er sich «gewaltsam» und verwundete sich mit einem Stück Glas. Ein Gefängnisarzt untersuchte ihn und fand, sein psychischer Zustand lasse an seiner geistigen Gesundheit zweifeln und mache eine Konsultation durch einen Psychiater erforderlich. Eine Ärztin untersuchte Kuhn auf seinen Geisteszustand und stellte Zeichen psychischer Störungen fest, Kuhn esse nicht, schlafe schlecht und höre Stimmen, die ihm sagten, er müsse sich schneiden. Der Gefangene Kuhn benötige dringend eine Konsultation durch einen Psychiater.[125]

Am 14. August nahmen Dr. W. Welik und Dr. W. Leksikowa an dem «als Kriegsverbrecher zu fünfundzwanzig Jahren verurteilten Gefangenen Kuhn im Zusammenhang mit seinen unangemessenen Äusserungen» eine «ambulatorische neuropsychische Untersuchung» vor. Der neurologische Befund war positiv – normale Augenbewegungen, ausgeglichene, reagierende Pupillen, ausgeglichene Empfindlichkeit des Gesichts, ohne Schmerzstellen, Zunge gerade, ohne Schnitte oder Lähmung, Arm-, Knie- und Fersenreflexe gut, keine ataxischen und menengitischen Symptome. Der psychiatrische Befund erwies, dass Kuhns Bewusstsein klar sei, der Kontakt wegen Kuhns geringen Kenntnissen des Russischen schwierig, Kuhn erkläre, er höre Stimmen von Amerikanern, er sei an eine Elektrostation angeschlossen, Wellen wirkten auf ihn ein, er höre Stimmen, die ihm Gedichte vorlesen und Lieder singen. Einmal habe er Stimmen gehört, die ihm sagten, er solle sich schneiden, es werde nicht schmerzen, darauf habe er sich in der Herzgegend verwundet. Im übrigen stellte die Ärztekommission fest, Kuhn sei von lebhaftem Gemüt, taktvoll, freundlich, sein Verhalten sei angemessen, und kam zu dem Schluss, Kuhn leide unter einer paranoiden Schizophrenie. Gegenwärtig zeige er keine Symptome einer Geistesstörung und sei weiterhin haftfähig.[126]

Kuhns nächste Karte ist vom 22. September 1954 datiert, mit dem Absender «Pfalz-Zweibrücken USSR Stadt Moskau, Postfach 5110/51» und der Anschrift «Sir President of United Croix Rouge, U.S.A. – США Section Washington Pfalz, Washington, 16 Liverpool Avenue»:

«September 22nd 1954.
Beloved Father!
It is the first time I am allowed to send the lines to you from here. It is a moment which means much for me. Would you take all I have in mind from heart and also Mother Cilly. Last months were a bit difficult to stand. But now all will as I hope solve in wheal. I got your first photo greetings with Cousin Will [schwer lesbar – Weie, Meie?]. Thanks! And to Fred and his wife, too. Your parcels

all received and also first money, another thanks! Please to Uncle Walters my love and most for you Both as my and my embracement, too.

Your William.»

Zum erstenmal unterschrieb Kuhn «William». «Mother Cilly» bezieht sich offenbar auf Kuhns Meinung, seine Mutter sei Cecilie Prinzessin von Preussen und er sei auf Cecilienhof geboren. Er bewahrte bis zu seinem Tod einen winzigen Zeitungsausschnitt auf mit der Anzeige der Verlobung von Maria-Anna, Freiin von Humboldt-Dachroeden mit Hubertus Prinz von Preussen, Oberleutnant der Luftwaffe, Potsdam, Cecilienhof, datiert September 1941. Am Rand steht in Tintenschrift das Datum [Tag unleserlich, wahrscheinlich 2.] 10.41.[127] Hier begann die Vorstellung Kuhns, er sei Wilhelm Prinz von Preussen.

Die Karte wurde nicht abgeschickt, vermutlich wegen des angegebenen Empfängers, vielleicht auch wegen des wenig plausiblen Inhalts.[128]

Am 29. September schrieb Kuhn wieder seinen Eltern an die Berliner Adresse, mit der Unterschrift «Euer Joachim». Er bedankte sich für die Karten seiner Eltern vom Mai, Juni, Juli und August, auch die Pakete bekomme er jetzt, seit April von München und Hamburg und seit Juni «endlich von Euch», allerdings warte er sehr auf Wäsche. Am Schluss steht: «Was hinter mir liegt, war nicht ganz einfach zu überstehen—aber ich bin vollkommen gesund.»[129]

In einer Karte vom 12. November 1954 an seine «geliebten Eltern» bedankte er sich für weitere Photographien und «die vorzüglichen Wäschepakete», dann folgen Einzelheiten für weitere Paketwünsche; Speck, Fett und Wurst waren nicht mehr auf der Liste, er sei «restlos gesund», müsse aber «wie Ihr wisst eine Diät halten».[130]

Weitere Karten folgten 1955, immer mit Geld- und Lebensmittelwünschen. Da die Eltern «nur von meinem Gelde zu nehmen» brauchten, könne seine Versorgung sie nicht belasten, schrieb Kuhn, er brauche auch Butter «für die andern», und auf einer Photographie, die die Eltern geschickt hatten, habe er «das Bild mit Marie gut gesehen», er habe es «nach wie vor nicht vergessen», ob sie einmal geschrieben habe und ob sie «schon gebunden» sei? Kuhn schrieb noch am 27. Mai, 3. Juni, 26. Juli und 20. August 1955 an seine Eltern, bedankte sich für Sendungen und äusserte Wünsche.

Am 15. Mai 1955 unterschrieb Kuhn einen an Fürstin Hildegard v. d. Pfalz-Zweibrücken gerichteten Zettel mit «George Duke of Palat Graf Pfalz-Zweibrücken» mit der Bitte, «Herrn Peter Wolfgang von Rüling nach seiner Heimkehr die Wege zur Erlangung der west-deutschen Staatsbürgerschaft zu ebnen, zur Berufsstellung aus meiner Kasse die Mittel der ersten Bekleidungsausstattung u. halbjährigen Lebensunterhalt zur Verfügung zu stellen». Peter Wolfgang von Rüling, ein Mitgefangener, wurde im November 1955 entlassen, schrieb an Kuhn nach Greifenstein in der Meinung, dieser sei dort zuhause und inzwischen angekommen, bat, bei ihm wohnen zu dürfen, bis er selbst Fuss fassen könne, und war in Greifenstein vom 24. auf 25. November zu Gast. Frau Kuhn antwortete ihm, man könne nur «mit einer angemessenen Summe» helfen, Kuhn sei noch nicht heimgekehrt, sein Besitz verkauft, der Erlös beim Gericht in Abwesenheitspflegschaft, sie und ihr Mann seien «selbst nicht mehr sehr begütert und alt». Rüling kam dann noch nach Jettingen, Gräfin Stauffenberg hielt ihn für einen Spitzel der Russen, er fand Unterkunft bei Oculis Brüdern in München, Kuhns wollten ihm die für Joachim bestimmten aber zurückgekommenen Wintersachen geben und in München noch einen Mantel kaufen. Rüling wurde später von der Kriminalpolizei gesucht.[131]

Rüling berichtete Gräfin Stauffenberg Ende November 1955, den Kameraden gegenüber habe Kuhn zu verstehen gegeben, er nenne sich seit der Gefangennahme Kuhn, um nicht wegen des Namens Graf von der Pfalz-Zweibrücken Unannehmlichkeiten zu bekommen, Rüling und Schauschütz habe er gesagt, er heisse Kuhn. In den Gefängnislisten werde Kuhn als Generalmajor geführt. Es sei ihm gesundheitlich gut gegangen, eine Zeitlang habe er sehr zugenommen, er trage einen Schnurrbart, nur habe er manchmal kleine Zusammenbrüche gehabt, aber die seien immer schnell vorüber gegangen und kein Grund zur Besorgnis. Er habe Englisch- und Französisch-Unterricht gegeben und verfüge über erstaunliche Geschichtskenntnisse. Als die Gefangenen noch keine Pakete bekamen, habe Kuhn sich zu Weihnachten von der täglichen Brotration von 500 Gramm und auch von der Zuckerration für jeden ein Stückchen abgespart. Von seinen Paketen habe er immer ausgeteilt, er selbst habe hauptsächlich nur die Früchte, den Traubenzucker, Käse, Kaffee und Tee zu sich genommen. Den Kaffee habe er sich in der Frühe gekocht, fast immer Früchte hineingetan und ihn dann so um 11 Uhr kalt getrunken, den Käse habe er sich am liebsten süss angerührt. Er habe Rüling gebeten, nach Greifenstein zu fahren, dort wisse man Bescheid und werde ihm die Verbindung mit Kuhns Mutter vermitteln.[132]

Am 20. September 1955 wurde Kuhn aus Alexandrowsk abtransportiert und durchlief Übergangslager. Heimkehrer sahen ihn im Lager Derchtjarsk 5110/25, er kam auch nach Perwouralsk im Bezirk Swerdlowsk und dann in das Heimkehrerlager Friedland. Während des Heimtransports durch die Übergangslager hatten die Gefangenen Postsperre.[133]

HEIMKEHR

Kuhn erreichte am 16. Januar 1956 in einem Krankentransport Friedland, das «Grenzdurchgangslager» bei Göttingen. Die Eltern erfuhren schon um den 10. Januar von einem Russland-Heimkehrer, dem Generalvikar aus Ermland, der ins St.-Joseph-Krankenhaus gekommen war, dass ihr Sohn in dem Transport sein werde. Am 16. Januar erfuhren sie vom Roten Kreuz, ihr Sohn sei nicht im Transport, wohl aber Graf von der Pfalz-Zweibrücken; dieser telegraphierte der Mutter, er sei angekommen, werde aber nicht nach Berlin kommen, sondern zu Manstein reisen. Die Eltern telephonierten wohl zehn Mal mit dem Lager Friedland, die Dame, die im Auftrag von Bischof Heckel dort war, machte sie darauf aufmerksam, «dass J. nicht klar sei», sein Vater möge kommen, um ihn zu holen. Spät in der Nacht rief schliesslich die Lagerleitung an, Kuhn sei am Telephon. Er sprach mit seinem Vater und verweigerte die Heimkehr zu den Eltern. Darauf sprach seine Mutter mit ihm und sagte, er solle auf alle Fälle warten, bis der Vater käme. Vater Kuhn bekam für den Flug nach Hannover keinen Platz, auf Bitten von Frau Kuhn «nahmen Engländer ihn mit».

Am 17. Januar ergab die ärztliche Untersuchung Kuhns Folgeerscheinungen seiner Dystrophie und Vitamin-E-Mangelschaden, ein Magenleiden und defektes Gebiss. Der Leitende Arzt im Lager Friedland hielt fest: «Ärztl. Nachbehandlung erforderlich. Krankenhauseinweisung erforderlich.»[1] Am selben Tag wurde Kuhn von der Kriminalpolizei vernommen.[2]

Vater Kuhn fand seinen Sohn erst nach sechs Stunden, als er schliesslich «zur polit. Polizei geführt» wurde, wo man Joachim schon sieben Stunden lang verhörte, er wusste seinen Namen nicht mehr, glaubte, er sei Engländer, er erkannte aber seinen Vater und erklärte sich bereit, nach Berlin zu kommen. Man besorgte Plätze für einen der nächsten Flüge. Als sie in Hannover waren, wollte er wieder nicht nach Berlin, nur das Wort «Mutter» bewog ihn, mitzukommen. Inzwischen «war die polit. Polizei» bei Frau Kuhn und verhörte sie, man hatte den Verdacht, «die R. hätten J. unter dem Namen entlassen um hier Spionage zu treiben. Nach 2 stündiger Vernehmung sahen sie ein, dass es sich um einen der Ärmsten handelt, die die Russen durch irgendwelche Drogen und vielleicht auch unter Hypnose völlig krank gemacht haben.»[3]

Am 18. Januar erhielt Kuhn in Berlin die «Heimkehrer-Bescheinigung Nr. 21545». Ferner erhielt er die «Begrüssungsgabe der Bundesregierung 100,–DM (i. W.: Hundert DM) gezahlt», sowie DM 200,– Entlassungsgeld und DM 300,– Übergangsbeihilfe.[4]

Frau Kuhn telegraphierte Gräfin Stauffenberg am 19. Januar: «Joachim gluecklich heimgekehrt aber krank». Marie Gabriele telegraphierte zurück, drückte ihre Freude aus für Mutter und Sohn, dann kam keine Nachricht mehr, bis Kuhn unter dem Datum «March 20th 56» lapidar schrieb, ohne Anknüpfung an die Vorgänge im Juli 1943, ohne Erklärung auch für sein Schweigen seit der Schreiberlaubnis, und offenbar auf Veranlassung der Mutter: «Meine liebe Gagi! Ich habe mich so sehr gefreut über Dein Telegramm. Schnell einen Gruss. Ich hoffe, dass wir uns sehr bald sehen. Bis dahin einen Kuss Dein Joachim. Muttel wird Dir schreiben.» Gräfin Stauffenberg fand die Kürze verletzend.[5]

Frau Kuhn schrieb an Gräfin Stauffenberg vier Wochen später, am 16. April,[6] die ersten sechs Wochen nach Kuhns Heimkehr seien «ganz entsetzlich» gewesen, seinen Vater erkenne er nicht an, er sage, er sei vertauscht. Zum Glück sei «Ilo» (Otto F.) Stapf, der Sohn des früheren Kommandeurs der 111. Infanterie-Division, seit 2. Januar Assessor beim Vater und gehe jeden Behördenweg mit ihm – leider auch zum Secret Service und zum britischen Kommandanten; Joachim habe der Königin von England und Frau Churchill «Blumen für wahnsinniges Geld» geschickt.[7] Stapf, der Kuhn zum englischen Konsulat begleitete, hatte dort unter der Hand wissen lassen, man möge Kuhns Anliegen nicht ernst nehmen, er sei durch die Gefangenschaft psychisch geschädigt.[8] Die Mutter redete ihm immer gut zu: «Brachte ihn nach St. Joseph, wo schon ein Nervenarzt wartete. Der mir glatt ins Gesicht sagte, ‹Ihr Sohn ist wahnsinnig, nur eine Schlaftherapie kann helfen.›» Frau Kuhn erschrak, erlitt eine Ohnmacht, aber Schwester Raphaela und Oberarzt Dr. Sämann standen ihr bei, und sie sagte dem Neurologen, sie wolle es sechs Wochen versuchen, ihn von dem Wahn abzubringen. «‹Gut, sagte er, wenn es Ihnen gelingt, was vielleicht möglich ist, so sage ich Ihnen, dann sind Sie fertig.›» Frau Kuhn schrieb, «das mit dem Namen, ist mir schon nach 10 Tagen gelungen ihm klar zu machen und alles andere folgte langsam nach. Er ist noch nicht völlig geheilt, aber fast, wie die Ärzte mir bestätigten am letzten Montag. Ich bin zwar nicht fertig, aber doch sehr herunter. Er weiss jetzt klar, wer er ist, was er will. [Generalleutnant] Otto St. war hier und sie haben sich ausgesprochen, dass J. wieder zum Heer geht.»[9] Stapfs Sohn Otto F. stellte auch fest, Kuhn sei nach den ersten Wochen seit seiner Heimkehr allmählich «normaler» geworden, habe aber immer wieder Anwandlungen gehabt.[10]

Das ärztliche Attest, das Kuhn im März 1956 seinen Wiedergutmachungsanträgen beilegte, ist vom 1. Februar 1956 datiert und vom Ärztlichen Direktor des St.-Joseph-Krankenhauses I in Berlin-Tempelhof, Oberarzt Dr. Sämann, unterzeichnet. Es enthält das harte Urteil des Neurologen in der vorsichtigen Formulierung des Oberarztes, die Untersuchung am 1. Februar 1956 habe ergeben: «Infolge der 11-jährigen Gefangenschaft besteht eine starke Reduzierung des physischen und psychischen Kräftezustandes.» Insbesondere bestehe «eine degenerative Erkrankung der Leber». «Ein längerer Kuraufenthalt in klimatisch günstiger Umgebung unter ärztlicher Aufsicht und bei entsprechender Pflege ist unbedingt erforderlich.»[11]

Inzwischen kaufte Kuhn sich ein Auto, einen Borgward, wie Frau Kuhn an Gräfin Stauffenberg schrieb, um mit seinen Eltern am 29. April auf Reisen zu gehen, «zuerst mit Vatl bis zum Harz, dann ohne weiter in die Schweiz». Gräfin Stauffenberg solle ihr ganz offen schreiben, ob sie Joachim wiedersehen wolle oder nicht: «Ich richte mich ganz nach Euch. Joachim ist Dir nach wie vor zugetan. Aber weiter kann ich und will ich nur Euch überlassen. Ich mische mich in nichts mehr.» Der Brief solle keine Beeinflussung sein, Joachim habe eigentlich mit Gräfin Stauffenberg telephonieren wollen, er werde selbst an sie schreiben, bisher habe er noch niemandem geschrieben. «Konzentrieren wird ihm noch sehr schwer!»[12]

Am 13. Februar 1956 eröffnete man Kuhn bei der zuständigen Behörde, dass er nach einer Meldung der *Deutschen Allgemeinen Zeitung* vom 5. August 1944 durch Entscheidung des «Staatsoberhaupts» aus der Wehrmacht ausgestossen worden sei und daher am Stichtag des 8. Mai 1945 nicht als Berufssoldat der Wehrmacht angehört habe, mithin könne ihm die Pensionsstelle keine Dienstbezüge mehr zahlen. Die

Joachim Kuhn, nach Januar 1956

«Wiedergutmachung des im Zusammenhang mit dem 20. Juli 1944 ent-
standenen Schadens» müsse er auf Grund des Gesetzes zur Regelung
der Wiedergutmachung nationalsozialistischen Unrechts für Angehörige des öffentlichen Dienstes (BWGöD) beim Entschädigungsamt geltend machen. Wenn er eine Bescheinigung des Entschädigungsamts vor-
lege, dass sein Antrag Aussicht auf Erfolg habe, werde man ihm die
Dienstbezüge vorschussweise weiterzahlen. Folgerichtig beantragte
Kuhn beim Senator für Inneres die Aufhebung des Ausschlusses aus
dem Heer.[13]

Im übrigen erfuhr Kuhn von seinen Eltern, er sei im September 1944
vom Volksgerichtshof zum Tod verurteilt worden. Er beantragte deshalb beim Generalstaatsanwalt die Aufhebung des Todesurteils.[14]

In den Monaten und Jahren nach Kuhns Heimkehr befassten sich mehr als ein Dutzend Behörden mit ihm.[15] Seit seiner Rückkehr sammelte der Generalstaatsanwalt bei dem Kammergericht Berlin Nachrichten über ihn.[16] Gerüchte liefen um. Ein Referent des Bundesministeriums des Innern schrieb am 24. Mai 1956 dem Senator für Inneres in Berlin: «Durch die deutsche Presse ging etwa Anfang dieses Jahres die Meldung, dass der oben Genannte (angeblich einer der Mitverschwörer Klaus von Stauffenbergs bei dem Attentat am 20. Juli 1944) aus der Gefangenschaft in der Sowjetunion nach Berlin-West zurückgekehrt ist. Auf Grund mir zugegangener Nachrichten über sein Verhalten an der Ostfront (Überlaufen zum Feind) erwäge ich, gegen Kuhn ein Ermittlungsverfahren nach § 21 BDO und gegebenenfalls das förmliche Disziplinarverfahren nach § 9 G 131 einzuleiten».[17]

Das Innenministerium konnte über das erwogene Disziplinarverfahren erst nach Abschluss des Verfahrens des Berliner Generalstaatsanwalts entscheiden. Das Amt des Senators für Inneres in Berlin fragte beim Generalstaatsanwalt an, ob dort etwas über ein gegen Kuhn ergangenes Urteil bekannt sei. Da es kein Urteil des Volksgerichthofes gegen Kuhn gab, blieb die Suche ergebnislos, von dem Urteil des Reichskriegsgerichts vom 6. Februar 1945, von dem Kuhn nichts wusste, erfuhren die Behörden nichts, der Generalstaatsanwalt schloss das Urteilsaufhebungsverfahren ab und verfügte «die Weglegung der Vorgänge». Im Dezember 1956 wurde Kuhn gefragt, ob er seinen Antrag auf Urteilsaufhebung aufrechterhalte und er antwortete, er ziehe ihn zurück.[18]

Inzwischen hatte der Generalstaatsanwalt aber auch mit Ermittlungen gegen Kuhn begonnen und andere Heimkehrer befragen lassen, ohne dass Kuhn zunächst davon erfuhr. Die Ermittlungen wurden möglicherweise durch Kuhns Aussagen gegenüber der Kriminalpolizei in Friedland ausgelöst, er habe sich nach dem 20. Juli 1944 Zivilkleider besorgt und «wollte versuchen, bei Polen unterzukommen, um dann später in das neutrale Ausland zu gelangen», sei aber von einem Polen an die Russen verraten worden, und habe in der Gefangenschaft einen schriftlichen Bericht so abgefasst, «dass niemand durch mich gefährdet werden konnte unter der Bedingung, dass dieser Bericht nicht publiziert würde», oder die Ermittlungen waren die Folge seines Antrags auf Aufhebung des vermeintlichen Urteils oder einer Denunziation.[19]

Am 26. März 1956 wurde Oberst i. G. a. D. Bernd von Pezold, ein Freund Stauffenbergs, im Krankenhaus in Bamberg über seine Kenntnisse von Kuhns Gefangenschaft vernommen. Pezold war am letzten Kampftag in Stalingrad in Gefangenschaft gegangen und, wie Kuhn, nach langer Leidenszeit in der Lubjanka und anderen Gefängnissen und Lagern, am 17. Januar 1956, krank, von den Folgen eines schweren Unfalls zerschlagen und von den menschlichen Schwächen seiner Kameraden und dem Verhungern von zweitausend sowjetischen Gefangenen seelisch belastet in die Heimat zurückgekehrt. Er hatte wie Kuhn jede Zusammenarbeit mit dem Nationalkomitee Freies Deutschland abgelehnt, äusserte nur Verachtung für die Mitglieder, hatte sich aber, um die Bemühungen der Kommunisten zu untergraben, Seydlitz gegenüber zum Schein zur Mitarbeit im Bund Deutscher Offiziere bereit erklärt. Er berichtete dem vernehmenden Beamten im März 1956: Hitlers ehemaliger SS-Adjutant Otto Günsche habe ihm in der Gefangenschaft berichtet, Kuhn sollte kurz nach dem 20. Juli 1944 «auf höchsten Befehl» verhaftet werden und habe sich wegen des kameradschaftlichen Verhaltens seines Divisionskommandeurs der Verhaftung durch Überlaufen zu den Russen entziehen können: «Das Überlaufen von KUHN bildete in der sowjetischen Propaganda einen ausgesprochenen Schlager.» In der auszugsweisen Abschrift des Generalstaatsanwalts bei dem Kammergericht in Berlin für die Versorgungsakten Kuhns steht nicht, was Pezold weiter aussagte. Das findet sich aber in einem Schreiben des Innenministeriums an die Botschaft der Bundesrepublik in Wien vom 7. Januar 1958, mit dem das Ministerium um Befragungen dort lebender Heimkehrer bat. Pezold sagte: «Es kann kein Zweifel sein, dass Kuhn in dieser ganzen Zeit [seiner Gefangenschaft in der Sowjetunion] als MWD-Spitzel gegen deutsche Persönlichkeiten eingesetzt worden ist.» Pezold musste wissen, dass Kuhn mit Stauffenberg in der Verschwörung verbunden war. Er selbst bezeichnete sich als Freund Stauffenbergs. Pezolds vehement militante Einstellung gegen die Sowjetunion, gegen den Kommunismus und gegen alle, die mit den Sowjets zusammenarbeiteten, kann wohl nicht allein erklären, dass er hier ohne eigene Kenntnisse, auf Grund von Hörensagen und Gerücht Kuhn denunzierte und ihn damit in eine weitverzweigte Untersuchung wegen landesverräterischer Beziehungen verstrickte.

Auf Pezolds Denunziation hin ermittelten gegen Kuhn der Berliner Generalstaatsanwalt, das Innenministerium und der Oberbundesanwalt beim Bundesgericht und befragten seine Kameraden nach seinen «Spitzeldiensten». Im Lauf des Jahres wurden weitere Heimkehrer über Kuhn vernommen, so auch der Herzog zu Mecklenburg, der Kuhns Erzählung in der Butirka, dass er nicht übergelaufen sei, wiedergab. Peter von Rüling, der im Jahr zuvor nach seiner eigenen Rückkehr in Greifenstein und München auf Kuhns Empfehlung bei der Familie Stauffenberg aufgenommen worden war, sagte am 20. Oktober 1956 aus, Kuhn «soll auch ein Verwandter oder guter Bekannter der Familie Stauf[f]enberg sein», Kuhn sei «nach dem missglückten Umsturzversuch zu den Russen übergelaufen».[20]

Von den auf Veranlassung des Berliner Generalstaatsanwalts zunächst Vernommenen hatte ausser dem Herzog zu Mecklenburg – und vielleicht Rüling, aber dieser erst nach Kuhns Erkrankung – keiner der Heimkehrer seine Kenntnisse über die Umstände der Gefangennahme Kuhns von diesem selbst, ihre Aussagen erfolgten also aufgrund von Hörensagen.

Am 10. Juli 1956 schrieb der Polizeipräsident in Berlin an das Entschädigungsamt Berlin, die in einem von dort ergangenen Schreiben «aufgeführten Personen sind hier nicht in Erscheinung getreten, bis auf: Joachim Kuhn – Lfd. Nr. 36 – Nach hier vorliegenden vertraulichen Mitteilungen von Heimkehrern soll sich K. in der Gefangenschaft politisch nicht einwandfrei verhalten und mit den Kommunisten zusammengearbeitet haben. Wegen Verdachts der Agententätigkeit und wegen unberechtigter Namens- und Titelführung wurden kriminalpolizeiliche Ermittlungen gegen Kuhn geführt. Der Ermittlungsvorgang ist hier abgeschlossen.» Das Ergebnis geht aus dem Schreiben nicht hervor.[21]

Seit Ende März 1956 bezog Kuhn bis zur Regelung eines Ruhegeldes ein halbes Jahr lang Arbeitslosenunterstützung, insgesamt DM 1107,60. Am 28. März 1956 unterzeichnete Kuhn einen Antrag beim Entschädigungsamt Berlin wegen «Schaden an Körper und Gesundheit (§ 15 BEG)», ebenso einen Antrag auf Entschädigung für «Schaden an Freiheit (§§ 16 und 17 BEG)» und beantragte für 4,190 Tage Haftentschädigung. Zugleich unterschrieb er Anträge auf Entschädigung wegen «Schaden an Eigentum und Vermögen (§§ 18–24 BEG)» und wegen «Schaden im beruflichen Fortkommen (§§ 25–55 BEG)». Den Antrag auf Wiedergutmachung hatte Kuhn beim Innensenator schon am 28. März 1956 gestellt und zwar beantragte er seine Wiederanstellung als Offizier nach Gesundung, Nachholung von Beförderungen zum Oberstleutnant ab 1.7.44 und zum Oberst ab 1.8.44, im Fall der Dienstuntauglichkeit Gewährung von Ruhegehalt sowie Entschädigung für die Zeit vom 1.4.50 bis 31.3.51; «da die Dienststelle des Geschädigten weggefallen» sei und da ihre Aufgaben von keinem Dienstherrn im Bundesgebiet bzw. Berlin-West weitergeführt werden, ging der Antrag an das Bundesministerium des Innern weiter.[22] Zu dem von der Gestapo beschlagnahmten Eigentum gehörten ein Bankkonto bei der Deutschen Bank in Magdeburg, eine goldene Uhr und ein Allianzring, Pelze, Möbel, ein 2-Liter BMW, zwei Jagdgewehre mit Zielfernrohr.[23] Kuhn machte, mit Hilfe seines Anwalts, seine Ansprüche geltend «gegen das Deutsche Reich vertreten durch den Bundesminister der Finanzen, Bonn, dieser vertreten durch die Sondervermögens- und Bauverwaltung beim Landesfinanzamt Berlin». Das in Magdeburg beschlagnahmte Auto und das dortige Konto unterlagen nicht dem Geltungsbereich der Bundesgesetze, Kuhn erhielt dafür keine Entschädigung. Anträge, Bescheide und neue Anträge zogen sich bis 1965 hin. Am 14. Mai 1956 schrieb er dem Entschädigungsamt Berlin, er habe Schaden an Freiheit und Körper dadurch erlitten, dass er 11 ½ Jahre in sowjetischen Gefängnissen festgehalten worden sei, obwohl er Kriegsgefangener und durch keinerlei Verbindung mit dem NS-Regime belastet war. Er legte seinen Anträgen das ärztliche Attest von Dr. Sämann bei, das einen längeren Kuraufenthalt unter ärztlicher Aufsicht und bei entsprechender Pflege anordnete.[24]

In einem Lebenslauf vom Mai 1956 zu einem Entschädigungsantrag ist nur die Tatsache von Kuhns Gefangennahme festgehalten, die mit ihr zusammenhängenden Vorgänge und Umstände sind nicht erwähnt. Weiter steht hier: «Da militärische Aussagen jeglicher Art vom ersten Tage an von mir verweigert wurden, keine Überführung in ein Lager durch Sowjets [sic], sondern Gefängnis Lubjanka bis Februar 1947. Von März 1947 bis April 1948 Isolierung ausserhalb Gefängnis zu weiterem Druck auf Aussage. Als dies erfolglos wieder [sic] Überführung in Gefängnis Leforto [sic] mit verschärften Bedingungen, Einzelhaft. In Einzelhaft 3 ½ Jahre gehalten und als nochmalige Pressung erfolglos, im November 1951 nach Sibirien in Gefängnis Alexandrowsk bei Irkutsk überführt. Dort zwei Jahre lang Druck der Verhungermethode, dann weiter im bezeichneten Gefängnis behalten bis September 1955.» Als diese Darstellung von Arthur Kuhn oder einem Anwalt zu Papier gebracht wurde, war Joachim Kuhn schwer krank. Die meisten Angaben konnten aus den Kenntnissen, die die Eltern aus der Zeit vor Kuhns Entlassung und aus seinen Angaben seitdem hatten, gezogen werden. Jedenfalls kann Kuhn, wenn er auch die Hauptquelle für die Angaben über seine Aufenthalte und die harte Behandlung gewesen sein wird, für die Formulierung des Lebenslaufs nicht verantwortlich gemacht werden. Am 14. Februar 1957 reichte Kuhn dem Entschädigungsamt Berlin eine Ergänzung zu seinem Antrag auf Wiedergutmachung vom 10. Juli 1956 ein, in der er zu Punkt 13 des Fragebogens über Zeitpunkt und Art der Schädigung schrieb: «Nervenschädigung durch Gefangenschaft vom Juli 1944 bis Januar 1956». Missverständnisse kamen auch vor: Kuhn stellte seine Beteiligung «an der Aktion» des 20. Juli 1944 in Abrede, aber er erläuterte die Aussage nicht mit dem Hinweis auf seine frühere Beteiligung.[25]

Die Akten enthalten in den folgenden Jahren Hinweise, dass Kuhns Mutter und sein Vater eine Pflegschaft für ihn ausübten.[26] Zusammen ergeben sie das Bild einer schizoiden Persönlichkeit, die ihre Identität aus Überzeugung leugnet und eine oder vielfache andere Identitäten nacheinander annimmt.

Am 26. Februar 1956 beantragte Kuhn Versorgungsbezüge nach dem Gesetz zu Artikel 131 des Grundgesetzes, doch wurden die nicht gewährt, so lange der von Kuhn beantragte Beschluss über die Aufhebung des Todesurteils nicht vorlag.[27]

Da Kuhn im Antrag auf Entschädigung «auf Grund des Bundesergänzungsgesetzes zur Entschädigung für Opfer der nationalsozialistischen Verfolgung (BEG)» eine Verfolgung wegen seiner politischen Überzeugung geltend machte, dies im angefügten Lebenslauf aber nicht erwähnte, musste Kuhn dem Entschädigungsamt am 31. Mai 1956 auf dessen Vorladung hin persönlich erklären, «dass er Verfolgter des 20. Juli war», dass er in Deutschland, nach seiner Gefangennahme in der Sowjetunion, zum Tode verurteilt worden und deshalb in der Gefangenschaft nicht wie andere Offiziere behandelt worden sei, wodurch er sich dort die Schädigung seiner Gesundheit zugezogen habe. Daraufhin sagte man Kuhn, die Schäden in der Gefangenschaft fielen nicht unter das BEG. Kuhn erklärte, er werde dem Amt mitteilen, wenn die von ihm beantragte Aufhebung des Todesurteils gegen ihn erfolgt sei und werde weitere Unterlagen einreichen, die die Verfolgung bestätigten. Das Entschädigungsamt stellte seinen Antrag bis dahin zurück.[28]

Am 15. Juni 1960 teilte das Entschädigungsamt Berlin Kuhn die Ablehnung seines Antrags vom 28. März 1956 mit. Die Voraussetzungen des § 43 des BEG, wonach der Verfolgte Anspruch auf Entschädigung habe, wenn ihm die Freiheit zwischen 30. Januar 1933 und 8. Mai 1945 vom deutschen oder einem ausländischen Staat unter Missachtung rechtsstaatlicher Grundsätze entzogen worden sei, seien nicht gegeben. Kuhn habe sich «unerlaubt als Generalstabsoffizier von seiner Dienststelle in Richtung auf die sowjetische Front entfernt mit der Absicht, sich durch Kriegsgefangenschaft vor einer Verfolgung und Verurteilung aus politischen Gründen zu retten. Entschädigungen wegen Freiheitsentziehung durch Kriegsgefangenschaft können nach dem BEG nicht geleistet werden.» Dafür sei das Kriegsgefangenenentschädigungsgesetz massgebend, Kuhn könne nicht für den gleichen Schaden auch Ansprüche nach dem BEG geltend machen, «auch wenn seine Kriegsgefangenschaft als zwangsläufiger Ausweg aus drohender politischer Verfolgung anzusehen ist». Mit der Kriegsgefangenschaft sei die Gefahr einer politischen Verfolgung durch nationalsozialistische Gewaltmassnahmen zuende gewesen. «Die Inhaftierung des Antragstellers in russischen Gefängnissen – statt in Kriegsgefangenenlagern – stand auch nicht im Zusammenhang mit politischen Verfolgungen durch den Nationalsozialismus, sondern erfolgte allein aus dem Grund, weil sich der Antragsteller weigerte, sein militärisches Wissen als Generalstabsoffizier preiszugeben.» Man legte also in der Entscheidung Kuhns Entfernung von seiner Truppe doch als Überlaufen zum Feind aus, obwohl man es schonend ausdrückte, und wendete seine Behauptung, er habe Aussagen in der Gefangenschaft verweigert gegen ihn. Kuhn schrieb am 21. Juni 1960 handschriftlich an das Entschädigungsamt, um dessen «Tatbestandsbezeugung in einem Punkte zu ergänzen»: «Die Entfernung vom Gefechtstand nach Erhalt der Verhaftungsbenachrichtigung, ausgehändigt und zur eigenen Willens- und Beurteilungsbekundung angezeigt durch Generalleutnant v. Ziehlberg-Heystermann [sic], erfolgte mit der festen Bekundung mich nach Schweden durch polnisches – nicht russisches – Hinterland durchzuschlagen. Dann bei der Ausführung der Entschluss vor den in Linie des Kampfes vermuteten Gewehren der Feind-Front zu fallen. Die Stellung war unbesetzt u. daher blieb ich am Leben. Tauchte <u>sogleich</u> ohne Zögern – Schwur bezeugt – in einen Keller <u>im</u> polnischen Bauernhause unter. Dies bei Bauern, die mich deckten und versteckten <u>gegen</u> die russischen Truppen, die sich in unmittelbarer Nähe fanden [sic].»[29]

Offensichtlich waren Kuhns vernünftige Briefe mit Hilfe anderer geschrieben, dieser offenbar nicht. Aus verschiedenen Gründen, einmal wegen Kuhns Zustand, dann wegen des jeweiligen Interesses, entstanden immer wieder andere Versionen seiner Gefangennahme.

Das Innenministerium stellte schliesslich in seinem Wiedergutmachungsbescheid vom 26. März 1958 fest, Kuhn habe sich nach der Eröffnung des Befehls zu seiner Verhaftung der Fahnenflucht nach §§ 69 und 70 des damals gültigen Militärstrafgesetzbuches schuldig gemacht, indem er sich in Richtung der sowjetrussischen Front entfernt habe; er «handelte aber in einer Zwangslage, der er sich auf andere Weise nicht entziehen konnte». Das Ministerium schloss sich also tendenziell der Beurteilung Stolbergs an. Die Zwangslage war von Stolberg lebhaft beschrieben: «Major Kuhn machte nach dem Gespräch mit dem General einen tief verstörten Eindruck, dazu wirkte die Übermüdung von den vorangegangenen Tagen nach. Da er ohnehin keine stabile Konstitution besass, schien momentweise die Gefahr einer nervlichen Überbelastung zu bestehen. Dennoch gab er leidlich gefasst die erforderlichen Informationen und Anordnungen weiter und verabschiedete sich von den Angehörigen der Führungsstaffel. Aus seinen wenigen Äusserungen hätte man entnehmen können, dass er sich einer gnadenlosen, politischen Justiz ausgeliefert fühlte, die unterschiedslos alles vernichten wolle, was in ihren Sog geriet.»[30] Das Ministerium verfügte, Kuhn habe «Anspruch auf bevorzugte Wiedereinstellung als Oberstleutnant nach Bes. Gr. A 14 der Bundesbesoldungsordnung» und die Befugnis zur Führung der Dienstbezeichnung «Oberstleutnant» mit dem Zusatz «a.D.», solange eine Wiedereinstellung nicht erfolgt ist. Das Ministerium erkannte Kuhn Entschädigung sowie das Ruhegehalt vom 1. Januar 1956 an zu, «das ihm zustehen würde, wenn er in einem Amt der Besoldungsgruppe A 2 b der Reichsbesoldungsordnung wieder angestellt und aus diesem Amt am 1. April 1951 in den Ruhestand getreten wäre».[31]

Nachdem das Innenministerium schliesslich 1958 Kuhns Wiedergutmachungsantrag zu seinen Gunsten entschieden hatte, dauerte es bis Dezember 1962, ehe sein Antrag auf Entschädigung abschliessend behandelt wurde. Das Versorgungsamt Berlin stellte fest: «Der Antragsteller ist Verfolgter, wie sich aus dem E-Teil, insbesondere E 32 ff., einwandfrei ergibt.» Es sei nur fraglich, ob ihm durch nationalsozialistische Gewaltmassnahmen andere Schäden als der durch die Gefangenschaft offensichtliche Berufsschaden entstanden seien. Zur Frage der gesundheitlichen Schäden brauche man nähere Ausführungen von dem Antragsteller. «Sollte sich dann herausstellen, dass auch die Gesundheitsschäden auf die Haft in Russland zurückzuführen sind, so wäre ein ablehnender Bescheid zu erteilen.»[32]

Am 13. März 1963 unterschrieb ein Beamter des Versorgungsamts Berlin-Wilmersdorf einen Vermerk: «Der Sachverhalt des Wiedergutmachungsbescheides vom Bundesminister des Innern in Bonn v. 26.3.58 u. der Bericht des Verfolgten Joachim Kuhn v. 10.7.56 rechtfertigen, dass der aus Rechtsempfinden u. Gewissen geleistete Widerstand des Ast. ./. den nationalsozialistischen Unrechtsstaat als Verdienst zum Wohl des deutschen Volkes anzusehen ist. Der Ast. lieferte seinem Freund, dem Grafen von Stauffenberg, mit dessen Schwester er verlobt war, von der Front aus den Sprengstoff für die Aktion des 20. Juli 1944 u. war somit aktiv an der Vorbereitung dieses Attentats beteiligt, was nicht nur für ihn sondern auch für seine Angehörigen höchste Gefahr bedeutete. Durch seine Initiative u. Tapferkeit machte er sich eindeutig zum aktiven Mitarbeiter und Gegner des Nationalsozialismus, obwohl ihm der Erfolg, das ns-Regierungssystem zu beseitigen, versagt blieb. Durch seine langjährige Tätigkeit im Wehr- u. Heeresdienst wusste er die Soldaten-Ehre zu würdigen, seinen Kameraden die Treue zu halten, in Ehren für die Geschichte und Zukunft Deutschlands einzustehen. Er war von dem festen Willen beseelt Deutschland zu retten. M. E. kann der Misserfolg wegen der Mitbeteiligung an der Aktion des 20.7.1944 für ihn nicht als Feigheit ausgelegt werden. Nachdem ihm am 27.7.44 der Haftbefehl ./. ihn mitgeteilt wurde, u. er nunmehr der ns-Verfolgung offensichtlich ausgesetzt war, wusste er in den wenigen Minuten, die ihm bei einem Gewissenskonflikt noch zu einer Handlung zur Verfügung standen, keinen anderen Ausweg, als sich in das polnische Hinterland durchzuschlagen, mit dem Ziel nach Schweden zu flüchten, um dem gewissen Tod durch seine Gegner, den ns-Henkern, am Galgen zu entgehen. Anfang August 1944 wurde er dann aus dem Heer ausgestossen. K. tauchte in einem polnischen Bauernhaus unter, geriet aber durch den Vormarsch der Russen in russ. Gefangenschaft, die er unter unwürdigsten Verhältnissen vom August 1944 bis September 1955 in russischen Gefängnissen verbringen musste. Erst im Januar 1956 kehrte er über Friedland zu seinen Eltern nach Berlin zurück. Im vorliegenden Fall sollte es Pflicht sein, den durch unvorhersehbare Umstände der Gefahrenlage durch ns-Verfolgung eingetretenen seelischen Gesundheitsschaden wiedergutzumachen. Im Hinblick auf die beigefügten Akten des Versorgungsamtes III Berlin – 210/28/56 –, insbesondere die psychische Verfassung des Ast., dürfte von AL 2 zu entscheiden sein, wer mit der Begutachtung beauftragt werden soll.»[33] Anscheinend wurde Kuhn diese Stellungnahme mitgeteilt. Ein weiterer Vermerk vom 18. März 1963 hält fest: «Der Ast. bat III F 3 fernmdl. darum, nach Mitte April durch AL 2 zur Untersuchung vorgeladen zu werden.» Und noch ein weiterer vom folgenden Tag: «Der Ast. erklärte gegenüber III F 3 fernmdl., dass seine gesundheitlichen Beschwerden auf den Aufenthalt in Russland zurückzuführen sind, jedoch nicht auf den eröffneten Haftbefehl nach dem 20. Juli 1944. Er zieht daher seinen Antrag auf Schaden an Körper oder Gesundheit zurück.»

Die Ermittlungen gegen Kuhn wegen des Verdachts landesverräterischer Beziehungen zogen sich auch hin. Das Bundesministerium des Innern schrieb Kuhn am 6. Juni 1957, die Entscheidung über seinen Wiedergutmachungsantrag vom 28. März 1956 und 14. Februar 1957 sei zurückgestellt, bis durch das Ermittlungsverfahren des Generalstaatsanwalts bei dem Kammergericht geklärt sei, ob Kuhn «nach dem 23. Mai 1949 die freiheitliche demokratische Grundordnung im Sinne des Grundgesetzes bekämpft» habe! Die Frage, ob man Kuhn in den MGB-Gefängnissen mit dem Grundgesetz bekannt gemacht habe, war offenbar unerheblich. Es war die Zeit nach dem Verbot der Kommunistischen Partei, der Aufstände in Polen und Ungarn, des Koreakrieges, des intensiven Kalten Krieges. Man mag sich vorstellen, welchen Schock Kuhn erlitten haben muss. Es war eine Inquisition. Kuhn selbst wurde zu den Anschuldigungen nicht vernommen. In der Untersuchung war eine gegen Kuhn negative Tendenz, die sich auch sprachlich manifestierte: Man bezog sich auf ein Schreiben «des Kuhn», bezeichnete ihn als «der Beschuldigte».

Der Generalstaatsanwalt stellte am 24. Mai 1957 fest (und liess seine Feststellungen dem Bundesminister des Innern zukommen): «Auf Grund der von einem ehemaligen Mitgefangenen gegen ihn [Kuhn] erhobenen Beschuldigung, er sei Mitarbeiter der sowjetischen Staatssicherheitsbehörde (MWD) gewesen, geriet er in den Verdacht, mit nachrichtendienstlichen Aufträgen in die Bundesrepublik entlassen worden zu sein.» Schon als Kuhn am 17. Januar 1956 «von der Kriminalpolizei vernommen» wurde, woran ihn der Generalstaatsanwalt im Mai 1957 lapidar erinnerte («das gegen Sie eingeleitete Ermittlungsverfahren, in dem Sie am 17.1.1956 von der Kriminalpolizei vernommen worden sind, habe ich eingestellt»), musste den Behörden klar sein, dass sie es mit einem Kranken zu tun hatten. Der angebliche ehemalige Mitgefangene wird in den Akten nicht identifiziert oder zitiert. Der Inhalt der Akten legt aber nahe, dass Pezold gemeint ist, der zwar auch Gefangener in der Sowjetunion war und am 17. Januar 1956 zurückgekehrt ist, aber mit Kuhn in der Gefangenschaft keinen Kontakt hatte. Man hat «über 20 weitere ehemalige Mitgefangene des Beschuldigten» zu der Frage vernommen, «fast sämtliche Zeugen haben hierzu aus eigenem Wissen überhaupt nichts bekunden können», die übrigen konnten auch nichts mitteilen, was den Schluss auf eine Zusammenarbeit Kuhns mit dem MWD «mit hinreichender Sicherheit» rechtfertigen könnte. Das stärkste Indiz, «dass die Sowjets dem Beschuldigten im Gegensatz zu den übrigen Gefangenen zeitweilig 300 Rubel monatlich ausgezahlt haben», sei auch nicht schlüssig; «die Ermittlungen haben nämlich ergeben, dass diese Beträge von dem Vater des Beschuldigten stammen, dem das Deutsche Rote Kreuz über eine Bankverbindung in der Schweiz die Überweisung des Geldes ermöglicht hat. Immerhin besteht nach wie vor ein gewisser Verdacht, dass der Beschuldigte während seiner Gefangenschaft Spitzeldienste für den MWD geleistet hat.» Dies beruhte anscheinend auf der Aussage Pezolds. Daraus allein lasse sich keine Begründung des Verdachts herleiten, «der Beschuldigte sei mit nachrichtendienstlichen Aufträgen in die Bundesrepublik entlassen worden». Wegen falscher Namensführung gegenüber der Bezirksnachrichtenstelle Friedland könne Kuhn wegen Verjährung nicht belangt werden, auch deshalb nicht, weil «der Verdacht falscher Namensführung offenbar bereits während der Registrierung des Beschuldigten aufgetaucht und der Vollzug der Registrierung unter falschem Namen deshalb unterblieben ist». Das Verfahren gegen Kuhn werde also eingestellt.[34]

Kuhn schickte darauf am 11. Juni dem Herrn Bundesminister des

Innern eine Photokopie einer Mitteilung des Generalstaatsanwalts bei dem Kammergericht vom 24. Mai 1957 an ihn, Kuhn, in der stand: «Das gegen Sie eingeleitete Ermittlungsverfahren, in dem Sie am 17.1.1956 von der Kriminalpolizei vernommen worden sind, habe ich eingestellt.» Kuhn fügte hinzu, somit liege kein Grund mehr vor, die Entscheidung über seinen Antrag zurückzustellen. Die äussere Form und der knappe Inhalt des Briefes scheinen von einem Anwalt zu stammen.[35]

Am 28. Juni 1957 überreichte der Generalstaatsanwalt bei dem Kammergericht Berlin dem Herrn Bundesminister des Innern eine Abschrift seiner Verfügung vom 24. Mai 1957, mit der er das «Ermittlungsverfahren gegen Joachim Kuhn wegen landesverräterischer Beziehungen» eingestellt habe. Der Generalstaatsanwalt teilte aber dem Innenminister mit, dass die Akten nun dem Oberbundesanwalt bei dem Bundesgerichtshof in Karlsruhe «zur Auswertung» vorliegen.[36]

Zugleich gingen die Ermittlungen des Referats II W 5 des Bundesministeriums des Innern weiter. Am 24. Dezember 1957 (abgesandt am 7. Januar 1958) schrieb das Innenministerium an die Botschaft der Bundesrepublik in Wien, Kuhn stehe «in dem Verdacht, der Gewahrsamsmacht während seiner Gefangenschaft Spitzeldienste gegen andere Kriegsgefangene geleistet, mit den Sowjetrussen zur Verbreitung kommunistischen Gedankenguts unter den Gefangenen zusammengearbeitet und auch auf andere Weise, und zwar auch noch nach dem 23. Mai 1949, die freiheitliche demokratische Grundordnung im Sinne des Grundgesetzes bekämpft zu haben», und zitierte die Aussage Pezolds: «Es kann kein Zweifel bestehen, dass Kuhn in dieser ganzen Zeit als MWD-Spitzel gegen andere deutsche Persönlichkeiten eingesetzt worden ist.»[37] Andere Zeugen hätten ausgesagt, «Kuhn habe zusammen mit dem gleichfalls kriegsgefangenen Generalleutnant der Luftwaffe von Stael im Auftrage sowjetrussischer Kommissare einen Ausbildungs- und Erziehungsplan für die Komsomolzen (russische Staatsjugend) ausgearbeitet, beide hätten gehofft, bei Billigung ihrer Vorschläge diese praktisch erproben zu können. Über das Verhalten des Kuhn in der Gefangenschaft sollen auch die früheren Polizeioffiziere Franz Kohout und Franz Berneck, beide in Wien wohnhaft, und der Hauptmann a.D. (ehemal. Abwehroffizier) Schlesinger, wohnhaft in Aue bei Wien, Auskunft geben können.» Um deren Äusserungen werde gebeten. Zugleich ersuchte man die Botschaft in Washington, den dortigen Militärattaché Brigadegeneral Hans-Georg von Tempelhoff «zu einer schriftlichen Äusserung hierüber zu veranlassen und mir diese zu übersenden».

Der letzte Kommandeur der 28. Jäger-Division und entfernte Mitgefangene Kuhns, Oberst von Tempelhoff, erklärte am 23. Januar 1958 schriftlich, er kenne Kuhn nicht persönlich; im Spätsommer oder Frühherbst 1945 habe ihm ein Zellennachbar in der Butirka, ein Ingenieur aus dem Sudetenland, nach Rückkehr aus dem Gefängnislazarett berichtet, sein Bettnachbar dort sei ein Major Kuhn gewesen, der jedoch den Mädchennamen seiner Mutter «von Malowitz» führe, «damit er im Gefangenenlager nicht als der übergelaufene Kuhn erkannt würde»; ferner habe der Zellennachbar berichtet, Kuhn «beschäftige sich im Gefängnis ebenso wie im Lazarett mit dem Studium der Geschichte im Sinne der marxistisch/leninistischen Geschichtsauffassung und trüge mit Eifer die ihn (Kuhn) überzeugenden neuen Erkenntnisse vor», «die Sowjets unterstützten ihn durch Lieferung zahlreichen Lesematerials» und «darüber hinaus erhalte er im Lazarett besondere Verpflegungszulagen».[38]

Die in Wien erbetenen Auskünfte wurden dort unter dem 27. Februar 1958 abgesandt und gingen am 1. März ein. Schauschütz und wahrscheinlich analog die anderen Zeugen erhielten dieselbe Mitteilung über die Denunziationen Pezolds und anderer gegen Kuhn, die der Botschaft vom Innenministerium zugegangen war.

Hauptmann a.D. Friedrich Schlesinger wusste nur Gutes über Kuhn zu berichten. Er sei von Anfang 1955 bis Juni des Jahres mit Kuhn in der Zelle 47 gewesen, dieser habe damals den Namen Graf von der Pfalz-Zweibrücken getragen, habe sich «immer korrekt und vorbildlich verhalten», habe von zuhause höhere Geldbeträge als die übrigen Mitgefangenen erhalten und habe «die Lebensmittel, die er hierfür kaufte, mit uns geteilt». «In politischer Hinsicht ist er nicht hervorgetreten, hat sich nie geäussert und immer versucht, seine Würde als Offizier zu wahren.» Von MWD-Spitzeldiensten wisse Schlesinger nichts: «Mir ist jedoch bekannt, dass es im gleichen Gefängnis Alexandrow einen Mitgefangenen namens «Kühne» gab, der zu den Sowjets übergelaufen sein soll und einen überaus schlechten Leumund unter seinen Mitgefangenen besass. Herr Kühne soll u. a. ein MWD-Spitzel gewesen sein.» Kuhn sei mit Schauschütz (jetzt Beamter bei der Österreichischen

Bundesbahn) eng befreundet gewesen, der könne sicher weitere Auskünfte geben.

Der Polizeirevierinspektor Franz Kohout stellte Kuhn das beste Zeugnis aus. Er teilte mit, er sei 1955 zwei bis drei Monate mit Kuhn zusammen «in einer Zelle von 25 Mann» gewesen, wo Kuhn «mehr mit seinen Bekannten als mit mir [Kohout] gesprochen» habe. «Herr Kuhn hat sich sehr kollegial verhalten und genoss gegenüber den anderen Gefangenen keinerlei Privilegien.» Kohout habe nie ein unfreundliches Wort von ihm gehört. Von Spitzeldiensten oder der Führung anderer Namen war Kohout nichts bekannt.

Der Polizeirayoninspektor a.D. Franz Pernek berichtete, er sei mit Kuhn im Gefängnis Alexandrow von Mitte 1952 bis Februar 1955 zusammen gewesen, in der schwersten Zeit ihrer Gefangenschaft, in der ein Kriegsgefangener unter der Last leicht hätte zusammenbrechen können, Kuhn habe «dort auch einen totalen Nervenzusammenbruch erlitten», doch könne er «trotzdem nur das beste über ihn aussagen». «Er hat sich immer kameradschaftlich verhalten, er hat das Letzte mit den anderen Kriegsgefangenen geteilt und sich immer korrekt verhalten.» Auch Pernek wurde nach den angeblichen Spitzeldiensten und dem angeblichen «Erziehungsplan» gefragt und konnte davon nichts bestätigen: «Herr Kuhn wurde von den sowjetischen Politkommissaren derartig brutal und schlecht behandelt, dass ich es mir einfach nicht vorstellen kann, dass er für diese gearbeitet haben soll.» Kuhn sei immer unter diesem Namen bekannt gewesen, habe Pernek allerdings «einmal erzählt, dass er auch den Namen ‹Graf von der Pfalz› führe, doch wurde in der Gefangenschaft viel erzählt und man hat davon nichts geglaubt und sich gegenseitig auch nicht ernst genommen».

Dieses harte Diktum auf den Bericht des österreichischen Bahnbeamten Hans Schauschütz anzuwenden, würde diesem aber doch nicht gerecht. Schauschütz schrieb in etwas blumigen Wendungen, wie schon 1955 an Frau Kuhn, aber sein Bericht an das Ministerium ist noch rückhaltloser und lebendiger, wenn er auch in den Datierungen nicht immer mit dem Brief vom August 1955 übereinstimmt, als er Frau Kuhn noch scheu und ehrerbietig «Hoheit» titulierte, wobei zweifelhaft ist, ob der Österreicher an Kuhns adelige Herkunft glaubte oder eine in Österreich verbreitete gutmütige Sorglosigkeit in Titeldingen an den Tag legte. Schauschütz antwortete dem Innenministerium am 19. März unmittelbar auf dessen Anfrage vom 4. März, er sei im Frühjahr 1951 in das politische Gefängnis Alexandrowsk gekommen und sei von da an bis etwa Juni 1953 mit Kuhn in einer Zelle gewesen (im August 1955 hatte er an Frau Kuhn geschrieben, Kuhn sei im Dezember 1951 nach Alexandrowsk gekommen, er selbst im März 1952, die letzten drei Jahre bis zu seinem Abtransport am 16. Mai 1955 sei er «mit einer kleinen Unterbrechung» in einer Zelle mit Kuhn zusammen gewesen, in dem Brief an das Innenministerium dauerte die Unterbrechung dann fast zwei Jahre). Kuhn sei der einzige Reichsdeutsche gewesen, den Schauschütz dort ausser den österreichischen Kameraden kennengelernt habe. Dann gab er Kuhns Erzählungen wieder: «Nach kurzer Fühlungnahme mit ihm gab er zu verstehen, dass er ‹Graf Pfalz v. Zweibrücken› sei und hier den Beinamen ‹Kuhn› führt. – Weiters erwähnte er, dass er in Bamberg ein Schloss namens ‹Greifenstein› mit grossen Waldungen und Feldern, ebenso ein Sägewerk besässe. Er sei der Sohn aus seiner Mutter erster Ehe mit dem Graf Pfalz v. Zweibrücken, die sich nach dessen Tod mit dem angeblichen Fürsten Kuhn vermählte. Über seine Gefangennahme von mir befragt, erklärte er, dass er Divisionär bei Minsk war und eingeschlossen wurde. Er hätte wohl die Möglichkeit gehabt, der Gefangenschaft zu entgehen, wollte aber bei seinen Männern bleiben und mit ihnen dasselbe Los teilen. Er gab weiters an, dass er in der Nähe Moskau's allein mit einem Kommissär längere Zeit interniert war, später aber, da sie von ihm nichts Positives herausbringen konnten, in das berüchtigte Gefängnis ‹Ljubianka› [sic] gebracht worden war. Vermutlich Ende 1950 kam er dann nach Alexandrowsk. Selbst war ich vom Frühjahr 1951 bis ca Juni 1953 mit ihm in einer Zelle; er war sogar mein Bettnachbar. Joachim Kuhn litt an einer Erkrankung eines Gesichtsnervens, welche ihm teilweise furchtbare Schmerzen, die oft zu einem Tränenausbruch führten, bereiteten. Da die Russen merkten, dass bei längerem Zusammensein von Zelleninsassen sich Freundschaften entwickelten, wurden diese oftmals getrennt und auf andere Zellen aufgeteilt. Im Jahre 1955 kam ich nach fast 2 jähriger Pause wieder mit Joachim zusammen und war bis zu meinem Abtransport in meine Heimat in einer Zelle mit ihm. Zu dieser Zeit lief bereits eine Paketaktion für die Gefangenen und konnte ich feststellen, dass Joachim Allen gegenüber wirklich ein guter Kamerad war. Er schrieb sogar an seine Angehörigen um Wäsche und Geldsendungen, damit er jene die nichts oder gar wenig erhielten, betreuen zu können [sic]. Von irgend welchen Spitzeldiensten etc. für die MWD oder Ähnliches ist mir weder persönlich noch vom Hörensagen, solange ich mit ihm in einer Zelle war, nichts bekannt. Joachim zeigte sich immer als hilfsbereiter und guter Kamerad. Was sich vor unserem Zusammentreffen oder auch zwischendurch ereignete, ist mir nicht bekannt. Im Allgemeinen hatte man den Eindruck, dass Joachim im oberen Stüb'chen nicht ganz in Ordnung sei. Joachim hat mich gebeten, sofort nach meiner Heimkehr Verbindungen nicht nur mit seiner Mutter, sondern auch mit Persönlichkeiten (Herrn Bundeskanzler Dr. Adenauer u. a. m.) aufzunehmen, damit seine Freilassung in die Wege geleitet wird. Ich habe wohl seiner Mutter geschrieben und um entsprechende Betreuung Ihres Sohnes gebeten. Ebenso habe ich das Evangelische Hilfswerk (Herrn Dr. Bischof) um Medikamente wegen seiner Erkrankung gebeten. Wie ich erfahren habe, dass Joachim anfangs 1956 zurückkehrte, fragte ich bei seiner Mutter an, wie es ihm geht, worauf mir der Bescheid zukam, dass er schwer krank sei und sehr unter der Haftpsychose leidet und die besten Ärzte Berlin's zu seiner Heilung herangezogen werden. Ende 1957 erhielt ich die erste Postkarte von ihm, deren Inhalt ganz verworren ist. – Sie können mir glauben, dass ich vom Inhalte Ihres Geehrten mehr als überrascht war, dass Joachim so ein unehrenhaftes und unwürdiges Verhalten an den Tag gelegt hätte und bitte ich mir die Verzögerung der Beantwortung, welche infolge meiner dienstlichen Beanspruchung sowohl, als auch wegen meiner Erkrankung begründet erscheint gefl. entschuldigen zu wollen. Sollten Sie noch weitere Auskünfte benötigen, stehe ich Ihnen jederzeit weiter zur Verfügung. – Mit vorzüglicher Hochachtung ergebenst [hs.] Schauschütz Hans.

NS Joachim unternahm auch in Alexandrowsk – wie mir andere Kameraden mitteilten, – einen Selbstmordversuch.»[39]

Der Brief von Schauschütz, der den Eingangsstempel des Bundesinnenministeriums vom 26. März trägt, hat die Entscheidung des Ministeriums vom selben Tag über den Antrag Kuhns auf Wiedergutmachung nicht mehr beeinflusst, er steht nicht in der Liste der eingeholten Zeugnisse und Auskünfte. Das Ministerium hatte schon entschieden, Kuhn sei «als Oberstleutnant in einem Amt der Besoldungsgruppe A 14 der Bundesbesoldungsordnung bevorzugt wiederanzustellen, sofern die allgemeinen Voraussetzungen dafür gegeben sind», er sei befugt, inzwischen die Dienstbezeichnung «Oberstleutnant a.D.» zu führen; sein Antrag auf Beförderung zum Oberst ab 1.8.1944 wurde abgelehnt.

Die Gründe für die Wiedergutmachung enthalten auch die wichtigste Überlegung für die Entscheidung, dass ein Disziplinarverfahren wegen Fahnenflucht «nicht mehr in Betracht» kam: Kuhn habe zu den Verschwörern des 20. Juli 1944 gehört, sei von dem für ihn als Militärangehörigen nicht zuständigen Volksgerichtshof mit Todesurteil und Hinrichtung bedroht gewesen. Dies ist nicht ganz schlüssig, weil am 27. Juli noch nicht bestimmt war, dass die militärischen Verschwörer vor den Volksgerichtshof kommen sollten. Das Ministerium schloss gleichwohl: «Wenn er sich diesen ihm am Morgen des 27. Juli 1944 unmittelbar drohenden Massnahmen durch Entfernung von seiner Dienststelle in Richtung der sowjetrussischen Front entzog, so machte er sich dadurch zwar der Fahnenflucht im Felde (§§ 69, 70 des damals geltenden Militärstrafgesetzbuches) schuldig, handelte aber in einer Zwangslage, der er sich auf andere Weise nicht entziehen konnte.» Der Ausschluss Kuhns aus der Wehrmacht war ungültig, der Führererlass vom 4. August 1944 zur Errichtung des «Ehrenhofes» hatte keine «gesetzesändernde Wirkung» mangels «Veröffentlichung in gleicher Weise, wie sie für Gesetze und Rechtsverordnungen vorgeschrieben war», und ferner, «weil er offenbares Unrecht setzte und nicht dazu diente, einem Rechtschaos entgegenzuwirken, vielmehr erst ein solches Chaos schuf». Ferner sei der Verdacht nicht bestätigt, Kuhn habe während der Kriegsgefangenschaft den Sowjetrussen «Spitzeldienst» geleistet und «die freiheitliche demokratische Grundordnung im Sinne des Grundgesetzes auch noch nach dem 23. Mai 1949 bekämpft», der Generalstaatsanwalt bei dem Kammergericht Berlin habe am 24. Mai 1957 das Ermittlungsverfahren darüber eingestellt.[40]

Mit feinem Takt deutete das Ministerium den Begriff des Überlaufens zum Feind nur an und erörterte «die Folge dieser Handlungsweise» für Kuhn, nämlich die unrechtmässige Ausstossung aus dem Heer, aber nicht die Folgen für seinen Kommandeur.

Am 17. April 1958 bot der Bundesminister für Verteidigung Kuhn die bevorzugte Wiederanstellung als Oberstleutnant an, sofern er die allgemeinen Voraussetzungen hierfür erfülle. Kuhn konnte sich also als vollständig rehabilitiert ansehen.

Er antwortete am 16. Mai, offenbar durch seinen Anwalt, er werde im Juni ins Verteidigungsministerium kommen, «um die Einstellungs-möglichkeiten zu besprechen». Am 12. Juni schrieb er dem Ministerium, er könne im Augenblick wegen Gallen- und Lebererkrankung die Reise nicht unternehmen und bat um Mitteilung, ob Formalitäten von ihm befristet zu erfüllen seien. Darauf schickte man ihm am 25. Juni Bewerbungsbogen zu. Bei Kuhns Zustand konnte das Ergebnis der Feststellung durch die Prüfgruppe im Verteidigungsministerium, ob er «die charakterliche, geistige und körperliche Eignung für den Soldatenberuf» besitze, nicht zweifelhaft sein. Die für Kuhn am 31. März und 16. Oktober 1958 mit Zustellungsurkunde abgelieferten Schreiben des Innenministeriums wurden, wie die meiste Post, von seiner Mutter angenommen, sie schützte ihn vor der Aufregung; der Postbote musste auf dem Formular ankreuzen, der Empfänger sei nicht angetroffen worden. Doch musste seine «Dienstfähigkeit» jährlich überprüft werden, um die Berechtigung der Ruhegehaltszahlungen festzustellen.[41]

Kuhn reichte seinen Bewerbungsbogen am 21. August 1958 ein, schrieb aber dazu: «Zu anliegendem formularmässig gestellten Wiedereinstellungsgesuch darf ich darauf hinweisen, dass wegen Gallen- und Lebererkrankung infolge der langjährigen Kriegsgefangenschaft eine volle Einsatzfähigkeit noch in Frage gestellt sein könnte.» Im September kündigte das Verteidigungsministerium Kuhn die Einladung zur Vorstellung bei einer Prüfgruppe des Kommandos der Freiwilligenannahme an und schlug mehrere Termine im November vor. Kuhn anwortete auf eine Erinnerung drei Wochen später, mit Dank, er werde am 11. November um 11 Uhr dort zur Verfügung stehen. Auf die Einladung zu einer persönlichen Vorstellung und ärztlichen Tauglichkeitsprüfung zu diesem Termin schrieb er am 31. Oktober mit Bedauern: «Der Gesundheitszustand – Gallenbeschwerden – erlaubt mir im Augenblick nicht an die Wiederverwendung zu denken.» Das Ministerium wollte aber die Dienstfähigkeit Kuhns feststellen und beschloss nach einigem Hin und Her, Kuhn vom Amtsarzt des zuständigen Bezirksamts in Berlin untersuchen zu lassen, statt wie vorgeschrieben von Ärzten der Bundeswehr, und schrieb dementsprechend an den Berliner Senator für Inneres; dieser schrieb zurück, die Feststellung der Dienstfähigkeit sei für die Höhe des Ruhegehalts ohne Bedeutung; da das Ministerium sich die Entscheidung über die Dienstfähigkeit vorbehalte, sehe der Senator davon ab, Kuhn vom Amtsarzt des zuständigen Bezirksamts von Berlin untersuchen zu lassen. Er tat es aber schliesslich doch. So schrieb der Stellvertretende Amtsarzt am 3. März 1959: «Nach dem hier erhobenen Befund, ist Herr K. z. Zt. nicht dienstfähig. Die Durchführung einer Badekur wird empfohlen, die Beihilfefähigkeit für eine Badekur z. B. in Bad Mergentheim oder Bad Kissingen wird befürwortet. Nachuntersuchung in 1 Jahr.» Der Innensenator leitete das Gutachten am 7. April an das Verteidigungsministerium weiter.[42]

Ruhegehaltsempfänger mussten jährlich mitteilen, ob sie andere Einkünfte hatten. Kuhn unterschrieb die Formulare bis März 1960 mit seinem Namen und als Oberstleutnant, im Dezember 1960 ohne Rangbezeichnung, im Oktober 1961 als «Oberstleutnant Oberst u. Brig.gen. u. Generalmaj.» Als der Innensenator ihn 1962 von Änderungen des Gesetzes zur Regelung der Wiedergutmachung nationalsozialistischen Unrechts für Angehörige des öffentlichen Dienstes (BWGöD) unterrichtete und die Beantragung eventuell für ihn zutreffender Verbesserungen anheimstellte, teilte Kuhn am 27. August offenbar ohne Beratung durch einen Anwalt telephonisch mit, «dass er wieder im aktiven Dienst stände beim Bd.-Verteidigungsministerium höher als nach dem W6-Bescheid angeblich rückwirkend mit dem 1.9.58 Gehalt habe er noch nicht bekommen. Aus bestimmten Gründen könne er nicht ausführlich darüber sprechen. Sein Aufenthalt wäre weiterhin Berlin. Wegen einer Gehalts- u. sonstigen Bescheinigung will er nochmals nach Bonn schreiben und unsere [sic] Dienststelle weg. evt. Verrechnung mitteilen.» Am 29. August schickte Kuhn dem Innensenator einen ihm zugesandten Zahlungsbescheid zurück mit folgenden handschriftlichen Bemerkungen: «Überführung seit 1.9.1958 in Wiedereinstellungs (Bundesheer-) Verhältnis 1.10.1958 Brigadegeneral 1.9.1959 Generalmajor 1.10.1960 Generalleutnant 1.2.1962 General wird hiermit beantragt Kuhn Berlin, 29. VIII.1962.» Darauf bat der Innensenator das Verteidigungsministerium am 5. September 1962 um Bestätigung, erhielt keine Antwort und wiederholte seine Anfrage Anfang November. Kuhn wurde gebeten, seine Jahresbescheinigung für das Rechnungsjahr 1962 vom 25. Oktober «zu vervollständigen». Das tat Kuhn handschriftlich mit dem Datum des 6. November 1962 als «Joachim Kuhn Generaloberst u. Verbindungsoffizier der Bundeswehr zu den Alliierten Truppen in West-Berlin. (V.O.A.T.B.)». Er überschrieb das Formular als «Geheime Kommandosache Bez.: Gen.Insp.Abt P 7422/62 gkdos. v. 6.XI.1962». Unter dem 26. November 1962 teilte das Verteidigungsministerium endlich dem Innensenator mit, Kuhn sei «weder als Oberstleutnant noch mit einem höheren Dienstgrad wieder in die Bundeswehr eingestellt worden».

Viele kamen seelisch verstört und geistig desorientiert zurück und fanden kaum je die psychische Betreuung, die sie gebraucht hätten.[43] Kuhn hatte seine Eltern und musste nicht in Armut leben. Aber seine Krankheit durchkreuzte jeden Plan zu einem neuen Anfang. Als Vater Kuhn 1965 im Sterben lag, rief Frau Kuhn Otto F. Stapf in München an und bat ihn, die Auflösung und den Verkauf der Kanzlei zu regeln. Die Kanzlei, in der Stapf arbeitete, kaufte die von Arthur Kuhn. Der Vater starb am 22. Dezember 1965 in Berlin. Kuhn und seine Mutter wohnten weiter in Berlin bis 1968, dann in Bad Kissingen bis 1972, dann wieder in Berlin bis zum Tod der Mutter 1976. Frau Kuhn suchte nach Möglichkeit Kuhns allzu bizarre Äusserungen zu unterbinden, ihn gegen Kontakte zu schützen, die ihn aufregen konnten. Versuche des Verfassers in den Jahren 1971 bis 1973, Kuhn nach den von ihm im Hauptquartier des Generalstabes des Heeres in «Mauerwald» vergrabenen Dokumenten zu fragen, misslangen. Anfang November 1972 kam Kuhn immerhin mit seinem schwarzen Schäferhund an die Haustür in der Podbielskiallee, aber den Besucher liess er mit der Begründung, er sei nicht angemeldet, nicht ein. Nicht anders erging es Ludwig Freiherr von Hammerstein.[44]

Nach dem Tod der Mutter im Jahr 1976 half Kuhn niemand mehr, Formulare auszufüllen, sich mit Behördenpost zu befassen, im Rahmen seiner inzwischen zusammengeschmolzenen Mittel zu leben.

Die Kanzlei des Rechtsanwalts Helmut Maier, Bad Kissingen, schrieb der Landesbesoldungsstelle Regensburg am 13. Januar 1978, für den «Schuldner Joachim Kuhn» habe das Amtsgericht Bad Kissingen am 26. Oktober vorigen Jahres die im Bürgerlichen Gesetzbuch (§ 1910 Absatz 2) vorgesehene «Gebrechlichkeitspflegschaft» angeordnet und das Kreisjugendamt Bad Kissingen als Pfleger bestellt; am 8. Februar 1978 präzisierte das Landratsamt Bad Kissingen, die Pflegschaft beschränke sich auf die Abgabe der zum Bezug der Versorgung nötigen eidesstattlichen Versicherungen.[45]

1979 machte Kuhn zwei wirre Versuche, Gräfin Stauffenberg zu sich zu holen, er schickte ihr Telegramme, nannte sie «Prinzessin Cäcilie

v. Hohenzollern adoptierte Marie Gabriele Gräfin v. Stauffenberg» und «liebste Schwester», die «Mutti Tante Hildegard» sei 1976 gestorben, seine Frau «Kronprinzessin Gertrud und deren Mutter 1978 gewaltsam ums Leben gekommen in Magdeburg», und unterschrieb «Wilhelm Kronprinz von Hohenzollern».[46]

Als das erste Mal Kameraden kamen, um Kuhn zu besuchen, am Anfang seines Aufenthaltes seit 1979 in einer Pension in Bad Bocklet, sagten sie ihm, sie hätten sich in seiner Lage ebenso verhalten wie er, worauf er sie hinauswarf.[47]

Die darauf folgenden Jahre der Auseinandersetzungen mit Behörden, der Versuche einer Behandlung oder Heilung verbrachte Kuhn mit teils wirren Korrespondenzen und mit Schreiben, deren Spuren sich hier und da in den Akten und privaten Korrespondenzen finden. Die Wirtin der Pension in Bad Bocklet, Frau Maria Engelbreit, berichtet, Kuhn habe eine Schreibmaschine gekauft und «immer geschrieben», aber sie habe alle die Aufzeichnungen, auch seine Papiere und Ausweise verbrannt, es sei ja niemand da gewesen, dem man sie geben konnte.[48] Ausserdem erzählte die Wirtin, bei der Kuhn in einem winzigen Zimmer mit seinem schwarzen Schäferhund wohnte, es seien einige Male Besucher gekommen, frühere Kameraden, auch einmal Verwandte, die Kuhn jedoch abgewiesen habe, er meinte, die wollten nur sein Geld. Dabei hatte er nur noch die monatlichen Versorgungszahlungen. In Berlin hatte Kuhn Möbel eingelagert, wollte immer die Lagergebühr bezahlen unter seinem Namen Kronprinz Wilhelm von Hohenzollern. Als Frau Engelbreit etwa fünf Jahre vor Kuhns Tod solche Überweisungen zur Post bringen sollte, tat sie es nicht, und es kam keine Aufforderung zu bezahlen.[49]

1981 suchten Graf Einsiedel und Kunrat Freiherr von Hammerstein mit seiner Lebensgefährtin Maria Tomalla Kuhn in Bad Bocklet auf. Hammerstein hat keine Erinnerung mehr an den Besuch, Graf Einsiedel und Frau Tomalla erinnern sich mit Abweichungen an Einzelheiten. Einsiedel sei aus München zwei Stunden vor Hammerstein angekommen und mit Kuhn allein gewesen. Kuhn habe ihm eine Visitenkarte mit dem Namen Kronprinz Wilhelm von Hohenzollern überreicht, worauf Einsiedel ihn mit Kaiserliche Hoheit anredete. Kuhn betonte, er habe nie etwas mit dem Attentat zu tun gehabt – diese enge Auslegung hatte er auch bei Vernehmungen in der Butirka gebraucht –, Hitler habe ihn ermorden lassen wollen, weil er der Kronprinz sei; auf den Einwand, Kronprinz Wilhelm sei im Ersten Weltkrieg Armeeführer gewesen, sagte er, er sei der Sohn des Kronprinzen, seine Geburt sei aus dynastischen Gründen verheimlicht worden – das Syndrom der verheimlichten wahren Herkunft. Als Einsiedel von Kuhns Beziehung zu Stauffenberg sprach, sagte Kuhn, mit Stauffenberg habe er gebrochen, weil dieser ihm im April 1944 erklärt habe, er wolle wie Seydlitz mit den Sowjets verhandeln und Deutschland diesen ausliefern, das mitzumachen sei Kuhn nicht bereit gewesen. Einsiedel erinnert sich weiter, Hammerstein habe Kuhn mit Major Kuhn angeredet und einen Zornesausbruch ausgelöst. Frau Tomalla erinnert sich anders: Hammerstein habe den Ausbruch ausgelöst, als das Gespräch auf den Vater Hammerstein gekommen sei, Kuhn habe darauf Hammerstein und Einsiedel als vaterlandslose Gesellen und Verräter mit roter Gesinnung beschimpft, mit denen er nichts zu tun haben wolle. Als dann Hammerstein noch etwas von «Überlaufen zu Kopelew» gesagt habe, sei «alles aus» gewesen. Frau Tomalla versuchte, Hammerstein und Einsiedel dazu zu bewegen, sich zu verabschieden, aber Hammerstein sprach noch von seinem Bruder und von Goerdeler, Einsiedel von Kopelew, da habe Kuhn sie mit seinem Stock hinausgetrieben.[50] Mitte der achtziger Jahre besuchte Ingeborg Fleischhauer Kuhn in Bad Bocklet zusammen mit Kunrat von Hammerstein. Kuhn schien Frau Fleischhauer zugleich freundlich und verschlossen, schüchtern und liebenswert, offenbar unter den Qualen der Gefangenschaft leidend, und machte keine konkreten Mitteilungen.[51] In den folgenden Jahren ging es Kuhn nicht besser, er war auch zeitweise in psychiatrischer Behandlung.[52]

Frau Engelbreit erinnert sich, dass Axel von dem Bussche einmal Anfang 1989, als Kuhn schon nicht mehr gut sehen konnte, allein kam. Bussche rief danach Gräfin Stauffenberg an und erzählte ihr den Hergang. Er habe Kuhn auf ihr gemeinsames Essen bei Marion Gräfin Dönhoff im Herbst 1943 angesprochen und dann auch Gräfin Stauffenberg erwähnt, die in Jettingen wohne. Da sei ein Lächeln über Kuhns Gesicht gegangen. Bussche lud Kuhn zu sich in die Schweiz ein, Kuhn wurde ärgerlich und ausfällig, sagte, was wollen Sie eigentlich von mir und warf den Besucher hinaus.[53]

Kuhn war schuldengeplagt und schrieb bizarre Briefe an viele Behörden, legte sich hohe militärische Rang- und Titelbezeichnungen zu und erwartete, ernst genommen zu werden; seine würdevolle Haltung sicherte ihm zumindest den Respekt seiner Umwelt.

Am 14. Juli 1989 bestellte das Amtsgericht Bad Kissingen Frau Maria Engelbreit zur Pflegerin für Kuhn mit dem Wirkungskreis Aufenthaltsbestimmung, Gesundheitsfürsorge und Vermögensfürsorge. Ein Hinweis auf eine Beihilfeakte lässt vermuten, dass Kuhn nur noch Fürsorgebezüge hatte.[54]

TRAGISCHES ENDE

In seinen letzten Jahren in Bad Bocklet kaufte Kuhn topographische Landkarten der Umgebung, streifte mit seinem schwarzen Schäferhund durch die Wälder, mit dem er ein winziges Zimmer in der bescheidenen Pension in Frau Engelbreits kleinem Haus teilte. Wenn er wandern wollte, fuhr er ein Stück mit dem Zug in den Spessart; er wollte jagen, bekam aber kein Gewehr. Sonst schrieb er auf seiner Schreibmaschine Pläne und Passagierlisten für Kreuzfahrten und wahnhafte Briefe an Behörden.[1]

Er war freundlich und umgänglich, sprach mit den anderen Gästen über aktuelle und historische Fragen, wenn er über ausserpersönliche Dinge sprach, war er nicht verwirrt. Seine Phantasien beruhten auf früher Erlebtem, aber von der Verschwörung des 20. Juli 1944 und vom Schicksal seines Kommandeurs Generalleutnant von Ziehlberg sprach er nie. Nach der Heimkehr berichtete er von seiner Beteiligung am Kampf gegen das nationalsozialistische Regime nur dann, wenn Eltern und Anwälte es für die Eingaben an Behörden und zur Widerlegung des Fahnenflucht- und Spionageverdachts verlangten.

Von seiner Gefangenschaft erzählte er vieles, es habe wenig zu essen gegeben, etwa einen halben Hering, und dass er lange Zeit in Einzelhaft verbracht habe. Bei Fragen zu seiner Person war er unzugänglich oder verwirrt, sprach von «Grafen, Baronessen usw.». Er zeigte Engelbreits eine Anzeige aus einer Zeitung, in der in «Potsdam, Cecilienhof» im Oktober 1941 die Verlobung von Maria-Anna Freiin von Humboldt-Dachroeden mit Hubertus Prinz von Preussen angekündigt war und sagte, in Cecilienhof sei er geboren, seine Mutter sei die Cecilie.[2]

Nach Kuhns erstem Schlaganfall wurde ein Arzt geholt. Die Konsultationsnotizen vom 21. April 1989 bis 7. April 1993 hielten fest, dass Kuhn an artiellem Hypertonus und Fettstoffwechselstörung litt, im März 1989 einen apoplektischen Insult (Schlaganfall) hatte, im März 1992 eine Schenkelhalsfraktur, ferner «Niereninsuffizienz, Sehschwäche nach alter Zentralvenenthrombose rechts mit Sekundärglaukom, schizoide Persönlichkeitsstörung». Kuhn war «ein freundlich zugewandter Patient», mit dem der Arzt «erfrischende Gespräche» führte, doch «im Rahmen der schizoiden Persönlichkeitsstörung hielt er sich für Wilhelm von Preussen», fühlte sich zeitweise von Bewohnern eines fremden Planeten ferngesteuert oder von Geräten beeinflusst, bezeichnete sich als Oberbefehlshaber der Vereinigten Streitkräfte der NATO und meinte, seine Frau sei die Chefsekretärin des Bundesverfassungsschutzamtes, hatte also klassische Symptome der Schizophrenie.

Nach dem Schlaganfall war er fast blind. Wenn er ins Krankenhaus musste, bekam er Beihilfe, weil er keine Krankenversicherung hatte. Die Kosten für die letzten zehn Monate im Pflegeheim Römershag bei Bad Brückenau wurden zu etwa zwei Dritteln aus der Rente und der Rest durch Beihilfe bestritten. Als Kuhn 1989 nicht mehr fähig war, seine Angelegenheiten zu regeln, beantragte das Krankenhaus in Bad Brückenau die Pflegschaft für ihn, das Amtsgericht Bad Kissingen übertrug Frau Engelbreit am 14. Juli Vollmacht für Aufenthaltsbestimmung, Gesundheitsfürsorge und Vermögenssorge. Am Beginn der Pflegschaft – 20. Juli 1989 – betrug Kuhns Vermögen DM 4211,36. Er hatte eine Pension von monatlich DM 2640.[3]

Am 7. April 1993 erlitt Kuhn einen weiteren rechtshirnigen Schlaganfall; sein Arzt wies ihn ins Krankenhaus ein.[4] Als Kuhn am 6. März 1994 im Pflegeheim Römershag starb, waren den Ärzten und Frau Engelbreit keine Verwandten bekannt, die benachrichtigt werden konnten, es gab keine Todesanzeige. In den Akten des für Kuhns Versorgung zuständigen Amtes fanden sich nur die Sterbeurkunde vom 7. März 1994 und der Entwurf einer Sterbegeldverfügung, beim Nachlassgericht gibt es keinen Vorgang.[5] Engelbreits gaben Kleider, Radiogerät und Sonstiges der Caritas, behielten nur einen Kleppermantel, zwei Kompasse und ein Fernglas.[6]

Das Motiv einer «wirklichen», seiner geheimen Identität zieht sich durch Kuhns Dasein – nicht erst, seit MGB-Offiziere ihn veranlasst hatten, den Namen Malowitz zu tragen. Die Mutter erzählte ihm in seiner Jugend, sie sei die Tochter eines Kavalleriegenerals Graf von Klinkkowstroem, doch dürfe man nicht darüber reden. In einer Vernehmung im Aleksandrowsk-Gefängnis im November 1952 erklärte Kuhn, bis 1926 habe er nicht gewusst, dass sein richtiger Name Graf von der Pfalz-Zweibrücken und dass Arthur Kuhn nicht sein leiblicher Vater sei.

Der Drang der Mutter zu gesellschaftlicher Anerkennung und Geltung teilte sich dem Sohn mit, auch das Syndrom der Geheimhaltung verbunden mit vertraulicher Offenbarung. Manche Krankheitsepisoden des Vertauschens von Identitäten lassen sich wirklichen Vorgängen zuordnen. Die in der Krankheit immer nachdrücklicher behauptete adelige Herkunft gehört zur Überzeugung der Abstammung von Graf Klinkkowstroem; Dorothea bezieht sich auf die mündliche Abiturprüfung, die Verlobung und Marie Gabriele Gräfin Stauffenberg; Gerdi auf eine Pastorentochter Gertrud Pflanz.[7] Gelegentlich schrieb Kuhn anderen die verborgene Herkunft zu, so wenn er Marie Gabriele «Prinzessin Cäcilie v. Hohenzollern adoptierte Marie Gabriele Gräfin v. Stauffenberg» und «Liebste Schwester» nannte.

Die Auslösung der Krankheit durch äussere Ereignisse ist unzweifelhaft; ohne die Anlage dazu hätte Kuhn jedoch nicht krank werden können. Das Identitätssyndrom wurde durch die Mutter ausgelöst. Das Leitmotiv der Flucht ist erst später erkennbar, 1943 bei der Lösung der Verlobung und der Weigerung, Attentäter zu werden, am krassesten am 27. Juli 1944. Mancher Verschwörer hätte ebenso gehandelt, wenn er die Möglichkeit dazu gehabt hätte, jedenfalls versicherten dies Kuhn später Axel Freiherr von dem Bussche und Ludwig Freiherr von Hammerstein.[8] Kuhns Flucht rettete vielleicht anderen das Leben, über die Kuhn keine Aussagen abgepresst werden konnten. Sie rettete auch ihm das Leben, mehr aber nicht. Dann kam die Krankheit, auch eine Flucht aus der unerträglichen Wirklichkeit.

Die Qualen der Gefangenschaft, mit dem schlimmsten Stoss in die Hoffnungslosigkeit, der Verurteilung zu fünfundzwanzig Jahren Haft, verursachten den gesundheitlichen Zusammenbruch und den Zerfall in der Schizophrenie. Die Schuld an Ziehlbergs Tod, der Ruf des Überläufers schon in der Gefangenschaft zerbrachen die Persönlichkeit. Die Krankheit machte jeden Lebensplan zunichte. Heinrich Graf Einsiedel urteilte: «Kuhn ist an dem harten Schicksal, das ihm die Sowjets bereitet haben, zerbrochen.»[9]

Kuhn zerbrach auch an den Widersprüchen des Kampfes gegen Unterdrückung und Diktatur. Hitler persönlich ordnete seine Festnahme an und wollte ihn wie die anderen Verschwörer an einem Fleischerhaken hängen und qualvoll ersticken sehen, weil er den Sprengstoff für das Attentat beschafft hatte. Stalin persönlich wollte ihn bestraft sehen, weil er nicht für die Sowjetunion arbeiten wollte. Kuhn hatte seinen Widerstand gegen Hitler in der Gefangenschaft konsequent fortgesetzt, indem er der sowjetischen Führung Informationen gab, Namen und Fakten zur Personallage, mit denen sie womöglich den Krieg abkürzen konnte. Doch trotzte er allen Verlockungen und Foltern und weigerte er sich standhaft, sich für die Zwecke der sowjetischen Politik in Deutschland einsetzen zu lassen. Stalin fürchtete, die Deutschen würden mit den Westmächten gegen die Sowjetunion gemeinsame Sache machen. Weil Kuhn Stalin die Stirn bot und sich nicht für die sowjetische Politik missbrauchen liess, verurteilte ihn der rote Diktator zu fünfundzwanzig Jahren harter Haft. Der mutige Kämpfer gegen Hitler hatte sich ebenso gegen Stalin gewandt und war zwischen zwei Diktatoren in eine politische Falle geraten.

Kuhn hat sich von seiner Truppe in der Richtung des von der Roten Armee besetzten Gebietes entfernt. Für ein Überlaufen im eigentlichen Sinn geben weder die Umstände noch die vorhandenen Zeugnisse einen Anhalt. Es gibt auch keine Anzeichen für eine Solidarisierung Kuhns mit der Führung der Sowjetunion. Kuhn hat militärische Informationen preisgegeben, die zur früheren Beendigung des Krieges beitragen konnten. Diese Informationen waren aber nicht geeignet, das Leben der Kameraden zu bedrohen.

Kuhns Leben war eine Tragödie mit Aufstieg, Höhepunkt, Peripetie und Sturz. Aus den Familien Kuhn und Kuster, kleinbürgerlichen und ländlichen Ursprungs, stiegen Arthur Julius Kuhn und Hildegard-Maria Clara Kuster zu gesellschaftlichem Rang auf. Hildegard-Maria Kuhn liess ihren Sohn wissen, ihr Vater sei ein Graf von Klinckowstroem gewesen, legte dann den oktroyierten Namen ihres Stiefvaters ab, wurde wieder die unehelich geborene Kuster, und machte auch andere ihr nahestehende Menschen auf ihre eigentliche Herkunft aufmerksam. Der Sohn des schon 1930 wohlhabenden Patentanwalts und Diplomingenieurs Arthur Kuhn und der aufstrebenden Hildegard-Maria Kuhn, Joachim, machte im Zweiten Weltkrieg eine glänzende Karriere bei den Pionieren und wurde Generalstabsoffizier. Durch seinen zeitweiligen Vorgesetzten in der Organisationsabteilung des Generalstabes des Heeres, Major i. G. Claus Schenk Graf Stauffenberg, lernte er dessen Kusine Marie Gabriele Gräfin Stauffenberg kennen, und bewegte sich unter Grafen von Stauffenberg, Freiherrn von und zu Guttenberg, geborenen

Prinzessinnen von Arenberg und Schwarzenberg. Die Krönung dieses gesellschaftlichen Aufstiegs würde die Heirat mit Marie Gabriele Gräfin Stauffenberg sein. Kuhn schenkte seiner Braut eine goldene Nadel mit einer Kaiserkrone aus kleinen Saphiren; er besass auch einen Allianzring. Doch die religiöse Überzeugung und die Dominanz seiner Mutter sowie wahrscheinlich Erwägungen, die mit der Verschwörung gegen Hitler zusammenhingen, bestimmten Kuhn, die Verlobung zu lösen. Danach holten ihn Oberst i. G. Henning von Tresckow und Major i. G. Graf Stauffenberg ganz in den Kreis der Verschwörer.

Kuhn hatte sich mit den Äusserungen Stauffenbergs über die nationalsozialistischen Verbrechen und mit Stauffenbergs Motivation identifiziert. Nun entschied er sich zu einem existentiellen Wagnis von heute schwer nachvollziehbarem Ernst, er verschrieb sich unter Gefahr für sein Leben einem ethisch bestimmten Vorhaben. Die Entscheidung warf Kuhn sofort in die gesellschaftliche Kälte und Einsamkeit des Verräters. Die Verschwörer der Gruppe «Rote Kapelle» waren schon enthauptet, Kuhn drohten Kriegsgericht, Schande über die Familie, Ehrverlust, ein schimpflicher Tod, das Ende der gesellschaftlichen wie physischen Existenz. Die seelische Belastung des Doppellebens als hervorragender Soldat und Verschwörer gegen den eigenen obersten Befehlshaber konnte nur ein mutiger, starker Charakter tragen. Das alles nahm Kuhn auf sich, weil er sich mit Stauffenbergs Urteil über die Behandlung der sowjetischen Bevölkerung durch die deutsche Zivilverwaltung, den «Mangel an politischer Zielgebung für die besetzten Länder, die Judenbehandlung» einig wusste und – wie Stauffenberg – den Krieg für «ungeheuerlich» hielt, für ein «sinnloses Verbrechen». Kuhn bewegte sich nun unter Generalen und im Zentrum einer potentiell mächtigen Verschwörung um Tresckow und Stauffenberg, wurde Hüter und Funktionär der Umsturzpläne und beschaffte Sprengstoff für das Attentat auf Hitler. Gelang der Umsturz, hatte er Aussicht auf weitere hohe Stellungen. In der durch die Gefangenschaft zum Ausbruch gekommenen Krankheit suchte er sich die entgangene Ehe und Karriere zuzuschreiben. In der Wirklichkeit zerstörten das Misslingen des Umsturzes, die Flucht und die Gefangenschaft in den schlimmsten sowjetischen Gefängnissen seine Karriere und sein Leben.

Kuhn war ein tragischer Held von grossem moralischem Mut, von grosser moralischer Kraft. Der Wahl zwischen schimpflichem Tod und

Selbstmord wich er aus, elfundeinhalbes Jahr in Kerkern und danach noch achtunddreissig Jahre Krankheit, Ausgeschlossensein aus dem vertrauten Umkreis, fast fünfzig Jahre äussere und innere Gefangenschaft waren die Folge, die auch die Nächsten ins Unglück zog.

ANHANG

Abkürzungen

BA	Bundesarchiv
BA-MA	Bundesarchiv-Militärarchiv
BFD	Bezirksfinanzdirektion
BMI	Bundesminister des Innern
BMV	Bundesminister für Verteidigung
CA FSB	Zentralarchiv des Föderalen Sicherheitsdienstes der Russischen Föderation, der Nachfolgeorganisation des Ministeriums für Staatssicherheit der UdSSR (MGB bzw. KGB)
DRK	Deutsches Rotes Kreuz
FRUS	Foreign Relations of the United States
GKO	Staatliches Verteidigungskomitee
GPU	Staatliche Politische Verwaltung
GRU	Hauptverwaltung für Aufklärung (der Roten Armee)
GUKR/Smersh	Hauptverwaltung der militärischen Gegenaufklärung/Tod den Spionen (Smert' špionam)
GULAG	Hauptverwaltung für Lager
GUPVI	Hauptverwaltung des NKWD/MWD für Kriegsgefangene und Internierte (1945–1951; unterstand NKWD)
IfZ	Institut für Zeitgeschichte
KGB	Komitee für Staatssicherheit der UdSSR (ab März 1954)
LABO	Landesamt für Bürger- und Ordnungsangelegenheiten Berlin Abt. I Entschädigungsbehörde
MGB SSSR	Ministerium für Staatssicherheit der UdSSR
MGGS	Marie Gabriele Gräfin Stauffenberg
MWD SSSR	Ministerium für innere Angelegenheiten der UdSSR
NA	National Archives (Washington, DC; College Park, MD)
NKGB	Volkskommissariat für Staatssicherheit[1]
NKWD SSSR	Volkskommissariat für innere Angelegenheiten der UdSSR[2]
OGPU	Vereinigte staatliche politische Verwaltung
OKH	Oberkommando des Heeres
RGWA	Russisches Staatliches Militärarchiv
RKG	Reichskriegsgericht
TK	Taschenkalender
VfZ	Vierteljahrshefte für Zeitgeschichte

Heinrich Kuster
Altsitzer
* 1823 Legen/Elbenrode
† ?

∞

Anna geb. Schwarzeit
* ?
† ?

∞ Auguste geb. Kuster
* 9.10.1869 Szeldkehmen
Krs. Stallupönen
† 29.5.1913 Berlin

[Georg Friedrich Theodor Will]
Bürovorsteher
* ?
† ?

Hildegard-Maria Clara geb. Kuster >geb. Will>geb. Kuster
* 10.11.1892 Königsberg
† 16.8.1976 Bad Brückenau

Johann Gottfried
Kuhn
Fleischermeister
* 3.8.1796 Ballwitz/
Vogtland
† 17.9.1863 Cottbus
∞
Christiane Luise
geb. Schallanske
* 16.9.1796 Cottbus
† 5.2.1882

Karl Hermann Julius Hoffmann
1851 Fabrik- u. Mühlenbesitzer
in Radewiese
* ca. Nov. 1813 wo?
† 12.10.1865 Stradow
∞
Johanne Charlotte Luise geb. Michovius
* ?
† ?

Carl Wilhelm Kuhn ∞
Fleischermeister
* 15.5.1829 Cottbus
† 20.4.1910 Cottbus
Heirat 31.7.1874 Cottbus

Laura Ottilie Rosalie geb. Hoffmann
* 28.4.1851 Stradow,
Dorf Radewiese Krs. Spremberg
† 16.12.1933 Cottbus

Arthur Julius Kuhn
* 28.8.1883 Cottbus
† 22.12.1965 Berlin

∞
31.8.1912 Berlin

Wilhelm Georg Joachim Kuhn, Major i. G.
* 2.8.1913 Berlin
† 6.3.1994 Bad Brückenau

Wilhelm (Willy) Kuhn
= Bruder von Arthur Julius
* 28.2.1876
† -.1.1947

Qu.: Rainer Tomowiak, GEN Büro für Erbenermittlungen, Hannover

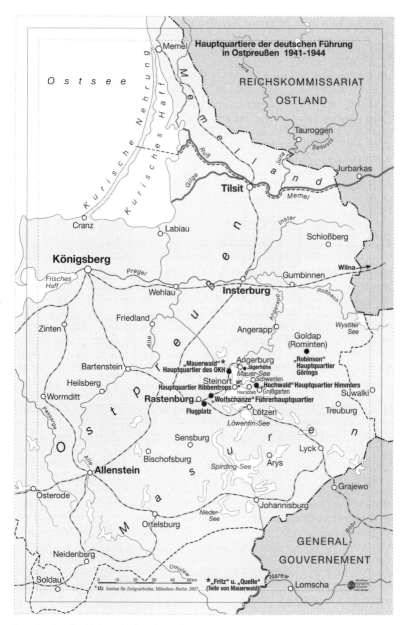

Qu.: Institut für Zeitgeschichte, München

Kuhns Wohnsitze

Rechtlich hatten Militärpersonen ihren Wohnsitz am Garnisonort[1], in Kuhns Fall also bis 31.3.42 Lichtensteinallee 2, Berlin W 35, dann bis 27.7.44 Gr. Diesdorferstr. 172, Magdeburg (Kuhns Angabe beim DRK Berlin/Landesnachforschungsdienst, 21. Januar 1956) und bei den Eltern in der Kaiserallee 213/214, Berlin-Wilmersdorf (W.15). Seit 6.5.44 war Kuhn Eigentümer des Hauses Dorotheenstr. 33, Bad Homburg v. d. H.; am 24.1.53 wurden Haus und Grundstück per Pflegschaft der Eltern (da Kuhn vermisst war) veräussert.[2] 1946 hatte er noch den Wohnsitz Dorotheenstr. 33, Bad Homburg v. d. H., von 19.1.56–4.10.68 bei den Eltern in Wildpfad 3, Berlin-Grunewald. 17.10.68–25.7.72 war er mit der Mutter in Bad Kissingen, Robert-Koch-Str. 36 gemeldet; 17.8.72–15.9.76 in Berlin 33, Podbielskiallee 57; 15.9.76–17.5.93 Kissinger Str. 13, Bad Bocklet[3]; dazwischen 16.11.76–15.1.77 Bad Bocklet, An der Promenade 6; 15.1.77–Herbst 1979 Bad Bocklet, Frankenstr. 7 (Kurpension Schäfer)[4]; 17.5.93–6.3.94 Bad Brückenau, Schlossstr. 14.[5]

Entwürfe für den Staatsstreich

Die hier wiedergegebenen Schriftstücke aus dem Zentralarchiv des Föderalen Sicherheitsdienstes der Russischen Föderation in Moskau dokumentieren einen Umsturzplan des Jahres 1943, der bisher nur aus sekundären Berichten bekannt war.[1] Die Dokumente selbst enthalten den Plan für die Besetzung von Hitlers Hauptquartier «Wolfschanze» bei Rastenburg in Ostpreussen und der benachbarten Anlagen einschliesslich des Hauptquartiers des Oberkommandos des Heeres/Generalstab des Heeres in «Mauerwald» (Lager «Fritz» und «Quelle»), der Hauptquartiere Görings («Robinson» im Forst von Rominten bei Goldap) und Himmlers (Feldkommandostelle «Hochwald» bei Grossgarten); das Hauptquartier des Aussenministers von Ribbentrop (Schloss Steinort) sollte ebenfalls besetzt werden. Ein analoger Massnahmenkalender – «Zeitplan BdE WK III» mit 5 entsprechenden Anhangbefehlen – bestand für Berlin.

Die Entwürfe wurden im August, September und Oktober 1943 von Oberst i. G. Henning von Tresckow, Oberstleutnant i. G. Claus Graf Stauffenberg, Marineoberstabsrichter Dr. Berthold Graf Stauffenberg, Dr. Rudolf Fahrner und Oberstleutnant Nikolaus Graf Üxküll-Gyllenband ausgearbeitet. Der vorliegende Massnahmenkalender entstand im September und Anfang Oktober 1943, als Tresckow noch in Berlin war. Stauffenberg legte die Entwürfe Generaloberst Ludwig Beck regelmässig vor und zumindest gelegentlich Fritz Dietlof Graf von der Schulenburg und Dr. Carl Goerdeler. Zuerst hatte Tresckows Frau Erika die Entwürfe auf der Maschine geschrieben, dann übernahmen Margarethe von Oven und Ehrengard Gräfin von der Schulenburg die Aufgabe. Der damalige Hauptmann Axel Freiherr von dem Bussche, der sich zum Attentat mit Aufopferung des eigenen Lebens bereithielt, brachte die Entwürfe im November 1943 zu Major i. G. Joachim Kuhn nach «Mauerwald». Ihre Verwendung hing von dem Attentat auf Hitler ab. Kuhn hat sie mit dem beschafften Sprengstoffvorrat vergraben, offenbar, um sie zum gegebenen Zeitpunkt hervorzuholen.

Der Massnahmenkalender ist die bisher einzige bekannte Version eines ausgearbeiteten Planes zur Besetzung der Hauptquartiere. Sie sollte unter Leitung des «Führungsstab z. b. V.», d. h. Tresckows erfolgen. Weitere Einzelheiten ergeben sich aus den Anlagen 1–5 zum Massnahmenkalender (die im Kalender ebenfalls genannte Anlage 6 war nicht bei den Dokumenten aus dem FSB-Archiv). Die Anlage 4, «Nr. 1 der Rundfunksendungen», erschien 1944 in einer überarbeiteten Fassung als erstes Fernschreiben an die stellvertretenden kommandierenden Generale und Befehlshaber in den Wehrkreisen und in den besetzten Gebieten. Die unklare Beschuldigung von Parteikreisen blieb, auf die Beschuldigung der SS-Führer verzichtete man in der Hoffnung, die SS kampflos dem Heer einzugliedern und einen offenen Konflikt hinter den Fronten zu vermeiden; inzwischen war auch die Hoffnung aufgegeben, nur im Westen zu kapitulieren und die Ostfront zu halten. Im Entwurf von 1943 hatten der Befehlshaber des Ersatzheeres und die stellvertretenden kommandierenden Generale und Befehlshaber in den Wehrkreisen die erforderlichen Massnahmen «zur Aufrechterhaltung und Wiederherstellung von Recht, Ordnung und öffentlicher Sicherheit» zu treffen; der Entwurf von 1943 zählte auch Einschränkungen der Grundrechte auf, die 1944 nicht mehr erwähnt wurden. Der Auftrag, das Recht wiederherzustellen, hätte die Befehlshaber überfordert, und die Aufzählung der Einschränkungen seit 1933 aufgehobener Grundrechte sollte auf deren künftige Wiederherstellung hinweisen.

Hier sei als vor allem bemerkenswert festgehalten, dass der Massnahmenkalender mit seinen Anlagen die im Sommer und Herbst 1943 geplante Oberleitung des Umsturzes durch Tresckow, nicht durch Stauffenberg, dokumentiert. Diese Interpretation wird gestützt durch folgenden Vorgang: Auf Tresckows Weg zur Übernahme des Infanterie-Regiments 442 in der 168. Infanterie-Division, die zur 8. Armee in der Heeresgruppe Süd gehörte, flog Tresckow zuerst nach «Mauerwald» und von da mit Stieff zum Oberkommando der 8. Armee in Kirowograd. Hier sprachen sie am 13. Oktober mit dem Oberkommandierenden, General der Infanterie Otto Wöhler und seinem Generalstabschef Generalmajor Dr. Hans Speidel. Tresckow bat Wöhler, ihm «im Notfall» ein Flugzeug zur Verfügung zu stellen. Wöhler verstand und sagte es sofort zu.[2]

Zeit	Massnahmen	durch an zu veranlassen.
X - 24	a) Orientierung Berlin, Stichwortfestlegung.	
	b) Feststellung der SS-Transporte durch das Reich mit Chef TransportW. und entsprechende Regelung mit Berlin.	
	c) Id Mitte zu einer Id-Besprechung bestellen.	
	d) Führungsstab zbV benachrichtigen, seine Erreichbarkeit feststellen und laufendes Verbindunghalten fest legen.	
X - 12	a) Einleiten einer Übung.	
	b) Nachrichtenverbindung zu den Gefechtsständen!	Nachr.
	c) offene Punkte i Kalender und Befehlen ausfüllen.	
	d) Übersiedlung OB. veranlassen. (Ord.Offz. für OB. bestimmen, evtl. hinschicken.)	
X - 10	a) Stichwortausgabe für 1) an Nachrichtenoffz. und Beauftragten.	
	b) Ord.Offz.-Einteilung: OB. VO. zu Kdt. 2 Offz. bei op. z.b.V. 4 Offz. beweglich	
	c) Kfz.-Einteilung, Pkw. und Kradmelder	
	d) Ord.Offz. für Nachrichteneinsatz bestimmen	Nachr.
X - 9	Orientierung des Ia für Führungsstab z.b.V. über Lage und Auftrag (Gen.Stabs.Offz.)	
X - 8	Überlegung über erforderliche Vertretungen	
X - 7	Feststellung wo und in welchem Unterstellungsverhältnis stehen SS-Divisionen und SS-Verbände	
X 8 6	Vorbesprechung mit Führungsstab z.b.V.: z.B. Aufträge für Jagdkommandos für: O.B. Heilsberg Schwente und Jägerhöhe (Fernschreibstelle Ausw. Amt) Steinort und Wagenführe	
X - 5	Vorbereitung des Gefechtsstandes op. z.b.V. Personalbereitstellung (Ord.Offz. und Schreiber)	
X - 4	Abschaltvorbereitungen	Nachr.

Zeit	Massnahmen	durch wen zu veranlassen

X + 10 Min.   a) Eintreffen der X-Meldung (Stichwort)

b) sofortige Weitergabe nach Berlin mit Stichwort: es bedeutet:
"sämtliche Ostbatl. werden verlegt"
= voll +
"Hälfte der Ostbatl. werden verlegt"
= 1/2 +
"Ostbatl. verbleiben, Zerfallerscheinungen zu erwarten"
= offen -
"Ostbatl. verbleiben, Umorganisation nicht erforderlich"
=nicht offen -

c) Einrichten von op. z.b.V.

d) Inmarschsetzen O.B. nach ....
Jagdkommando unter Führung ....
GenStOffz) kommt nach

X + 15 Min.   a) je nach Befehl von Berlin Abschalten des Nachrichtennetzes oder nicht.

b) Benachrichtigung Führungsstab z.b.V. (Fernsprecher ....)

X + 20 Min.   a) Unterrichtung Chef GenSt, durch
1)
2)
3)

b) Alarmbefehl an Kdt.HQu. an Fernsprecher........
Schriftl Auftrag Anl. 2

Ferner:

1) bei Übung:
schriftl. Befehle (Anl. 1) durch Ord. Offz. an Führungsstab z.b.V. voraussichtlich zum Übungsgefechtsstand bringen lassen (Einweisen Gefechtsstand und Nachrichtenverbindungen.

2) ohne vorhergehende Übung:
Ablauf Alarmplan HQu einschl. der auf Stichwort "Schwalbe" und "Möwe" vorgesehenen Massnahmen. Jagdkommando Bartenstein (für Heilsberg bestimmt) fernmdl. benachrichtigen, dass es dort bleibt und abgeholt wird durch
(GenSt.Offz u.
Nachr.Offz.)

Zeit	

X + 25 Min.   a) Persönlicher Anruf Chef GenSt. oder Vertreter

.... bei Obstlt. Strewe (evtl.

Kdr. Führerbegleitbatl.) Wolfsschanze:

> 1) Unterstellung von Batl. und sonstigen
> Kraften Wolfschanze befehlen
> 2) Auftrag:
> Sichern von Wolfschanze
> 3) Was ist zur Verwendung ausserhalb Wolf-
> schanze sofort verfügbar? (Diese Teile
> stehen zur Verfügung Führungsstab z.b.V.
> Abruf durch diesen.)

Falls diese Forderungen abgelehnt werden, Zeit

gewinnen, bis O.B. eingetroffen.

b) Fernspruch an 18. Artl. Div. (Anl.3) Kraft-

stoffbereitstellung (5 - 6 VS für Marsch) fern-

mdl. mit 18. Artl. Div. klären.

X + 30 Min.   a) An Führungsstab z.b.V. Lage Führerbegleit-

batl. durchgeben (fernmdl.) Einsatz der verfüg-

baren Teile

b) Entsenden des GenSt.Offz. und Nachr.Offz.

zum Sender Heilsberg. Mitgeben:

> 1) Rundfunksendung Nr. 1 (Ausnahmezu-
> stand, Anl. 4)
> 2) Tagesbefehl (Anl. 5)

Eingehend unterrichten über:
> 1)
> Sofortige fernmündl. Meldung ob sende-
> bereit und Befehlsentgegennahme
> 2) Über Form der Sendung

X + 40 Min.   Kräftenachschub aus dem Wehrkreis I über Ia

Wehrkreiskommando I einleiten, insbes. Sturmgesch.

Panzer und Artl.

X + 50 Min. a) Anweisung an Chef. Trsp.W., dass jegliche Trans-

porte nur mit Genehmigung op. z.b.V. durchzuführen

sind.

Zeit noch	Maassnahmen	durch wn zu veranlassen.

X + 50 Min.   b) Anweisung an alle Abt. des Gen. St. :

jeder Verkehr mit dienststellen ausserhalb
des Lagers, auch mit Lötzen und Angerburg,
hat bis auf Weiteres zu unterbleiben.

X + 1 Std.   a) Meldung an Bln.

b) Bekanntgabe des Tagesbefehls (Anl. 5) durch

Fernschreiben an

Heeresgruppen,
selbst. AOK
Mil. Befh.
Wehrm. Befh.

c) Durchgabe des Befehls über Übernahme der

SS-Verbände an die zuständigen Kdo.-Behörden

des Heeres. (Anl. 6)

X + 2 Std.   a) Stehenden Offz. Spähtrupp nach Goldap (Robin-

son) entsenden. diesen laufend fernmdl. melden las-

sen.

b) Eintreffen O.B. (Baracke Chef GenSt.)

1. Maassnahmen:

gegebenenfalls Unterstellung Führerbegleitbatl. usw.

Lageausgabe an sämtl. Abt. Gen.St.d.H.

fernmdl. Verständigung mit Heeresgruppen.

ferner: Maassnahmen gemäss Anweisung
Berlin.

X + 3 Std.   a) Feststellung mit Chef Trsp.W. betr. SS-Trans-

porte

b) Brennstoff- und Verpflegungsbereitstellung

für alle eingesetzten Verbände mit Gen.QU.

X + 4 Std.   Meldung nach Berlin

X + 6 Std.   a) Ord. Offz. mit Auftrag für Vorausabt. 18.
Art. Div. nach Gumbinnen (Standortält.) entsenden.

Verräterische Elemente aus SS und Partei versuchen unter Ausnützung der Lage der schwer ringenden Ostfront in den Rücken zu fallen und die Macht zu eigennützigen Zwecken an sich zu reissen.

2) Zur Herstellung von Ruhe, Sicherheit und Ordnung ist der militärische Ausnahmezustand verhängt, die vollziehende Gewalt dem Oberbefehlshaber der Wehrmacht übertragen.

3) Führungsstab z.b.V. hat den Auftrag, den Schutz des OKH und OKW sicherzustellen, damit die planmässige Führung der Wehrmacht, insbes. des Heeres, weiter gewährleistet ist.

4) Hierzu stehen dem Führungsstab z.b.V. die für die Sicherung des HQu. vorgesehenen Kräfte des Wehrkreises I (Stichwort "Schwalbe" und "Möwe" zur Verfügung.

HQu. den

An Kdt. HQu. Gen.St. d. H.

1) Kdt. HQu. Gen. St. d. H. setzt Lager Fritz und Quelle in Vertei-
digungszustand und verhindert das Eindringen jeglicher nicht zum
HQu. Gen.St.d.H. gehöriger Kräfte mit Waffengewalt.

2) Jeglicher Verkehr von Fussgängern und Fahrzeugen vom und zum
Lager ist zu unterbinden. Ein Verbindungsoffz., der für den Durch-
lass besonders beauftragter Offz. sorgt, tritt zum Kdt.HQu. Gen.St.d.
Standort: Kurierstelle, Fernsprecher. ....

3) Kdt. HQu. hält Verbindung zu op.Abt.

Hauptquartier den

1) Verräterische Elemente aus SS und Partei versuchen unter Ausnützung
der Lage, der schwer ringenden Ostfront in den Rücken zu fallen und
die Macht zu eigennützigen Zwecken an sich zu reissen.

2) Zur Herstellung von Ruhe, Sicherheit und Ordnung ist der militärische Ausnahmezustand verhängt, die vollziehende Gewalt dem Oberbefehlshaber der Wehrmacht übertragen.

3) Führungsstab z.b.V. hat den Auftrag, den Schutz des OKH und OKW
sicherzustellen, damit die planmässige Führung der Wehrmacht, insbes
des Heeres, weiterhin gewährleistet ist .

4) Das Batl. das Jäg.Ers.Rgts 1 erreicht Grossgarten über Lötzen und
sperrt jeglichen Verkehr zwischen der Brücke dicht nordwestl. Grossgar-
ten-See und der Strasse Grossgarten - Haarschen. Aufklärung ist vor-
zutreiben gegen das Lager des Reichsführers SS (s. Kartenausschnitt).
Wo stehen Sicherungen der SS ? Sind Bewegungen von SS-Kräften erkannt?

Grossgarten ist nach allen Seiten zu sichern . In Grossgarten an-
getroffene Teile der SS(Baracken) sind zu entwaffnen und bis zum
weiteren Entscheidung festzusetzen. Falls kein Widerstand geleistet
wird, sind die Kräfte kameradschaftlich bei unbedingter Sicherstellung der eigenen Sicherheit zu behandeln. Aktiver Widerstand ist zu
brechen.

Führungsstab z.b.V. befindet sich ab   in
Ord.Offz. mit voraussichtlicher Eintreffmeldung zum Gefechtsstand.

Fernspruch.

An 18. Artl. Div.   Wilna.

Zur Gewährleistung von Sicherheit und Ordnung im Wehrkreis I ist die 18. Artl. Div. sofort marschfertig zu machen. Eine kampfkräftige Vorausabt. in Stärke etwa eines verstärkten Batl. ist sofort antretend über Kowno nach Gumbinnen in Marsch zu setzen. Melbeim Standortältesten.

Abrücken der Masse der Div. baldmöglichst.

Div. Kdr. zur Einweisung voraus, Meldung in ....
bei ....

Verordnung über die Verhängung des militärischen
Ausnahmezustandes über das Heimatkriegsgebiet.

I) Der Führer Adolf Hitler ist tot.

Eine verräterische Clique von SS- und Parteiführern hat es unter
Ausnützung des Ernstes der Lage unternommen, der schwerringenden Ostfront in den Rücken zu fallen und die Macht zu eigennützigen Zwecken
an sich zu reissen.

II) Zur einheitlichen Zusammenfassung aller Kräfte der Nation in
schwerer Stunde und zur Sicherstellung von Recht, Ruhe und Ordnung
hat die Reichsregierung mir zugleich mit dem Oberbefehl über die
Wehrmacht die vollziehende Gewalt im Heimatkriegsgebiet übertragen
und mit sofortiger Wirkung den militärischen Ausnahmezustand verhängt.

III) Hierzu befehle ich:

1) Die vollziehende Gewalt im Heimatkriegsgebiet übertrage ich
an den Befehlshaber des Ersatzheeres und Befehlshaber im Heimatkriegsgebiet

Generaloberst ....

2) Die vollziehende Gewalt in den Wehrkreisen wird mit sofortiger Wirkung den stellv. kommandierenden Generalen und
Wehrkreisbefehlshabern übertragen; auf sie gehen zugleich
die Befugnisse der Reichsverteidigungskommissare über.

Den stellv. kommandierenden Generalen und Befehlshabern
sind unterstellt:

a) sämtliche in ihrem Bereich befindlichen Dienststellen
und Einheiten der Wehrmacht einschl. der Waffen-SS,
des Arbeitsdienstes und der Org. Todt

b) alle öffentlichen Behörden (des Reiches, der Länder
und der Gemeinden), insbesondere die gesamte Ordnungs-
Sicherheits- und Verwaltungspolizei.

c) alle Amtsträger und Gliederungen der NSDAP und der ihr angeschlossenen Verbände.

d) Die Verkehrs- und Versorgungsbetriebe.

3) Der Befehlshaber des Ersatzheeres und in ihrem Bereich die stellv. kommandierenden Generale treffen die erforderlichen Anordnungen und Massnahmen zur Aufrechterhaltung und Wiederherstellung von Recht, Ordnung und öffentlicher Sicherheit und setzen sie - erforderlichenfalls mit Hilfe der bewaffneten Macht - durch.

Während der Dauer des militärischen Ausnahmezustandes über das Heimatkriegsgebiet sind Beschränkungen der persönlichen Freiheit, des Eigentums, des Rechts der freien Meinungsäusserung und des Vereins- und Versammlungsrechts, des Brief-, Post-, Telegrafen- und Fernsprechgeheimnisses und Anordnungen von Haussuchungen und Beschlagnahmen auch ausserhalb der sonst hierfür bestehenden gesetzlichen Grenzen zulässig.

4) Wer gegen die zur Durchführung des militärischen Ausnahmezustandes erlassenen Verordnungen und Befehle verstösst oder zum Ungehorsam gegen sie auffordert, verfällt dem Standgericht.

Der Oberbefehlshaber der Wehrmacht

Generalfeldmarschall.

Hauptquartier den

T a g e s b e f e h l .
D e r   F ü h r e r   i s t   t o t !

Verdorbte und gewissenlose Elemente, die unter dem Schutz unumschränkter Macht seit Langem ihre eigenmächtigen Ziele verfolgten, haben den Versuch unternommen, die Herrschaft an sich zu reissen. Sie wussten, dass Volk und Wehrmacht mit steigender Erbitterung ihr gesetzloses Treiben verfolgten. Gleigültig gegen die Opfer deutschen Lebens, unbekümmert um die Trümmer der Heimat, allein auf ihr eigenes Wohl bedacht, hofften sie durch den Besitz schrankenloser Gewalt sich selbst zu retten, ihre Beute zu sichern, in einem Strom von Blut die Stimme des Rechts zu ersticken.

Im Augenblick höchster Gefahr für das Vaterland hat die Wehrmacht eingegriffen, die Verräter unschädlich gemacht, die vollziehende Gewalt übernommen.

E i n   S o l d a t ,
hat die Führung des Reichs und den obersten Befehl über die Wehrmacht. Erprobte Männer mit sachlichen Kenntnissen und unbefleckter Ehre aus allen Schichten des Volkes, allen Genen des Reiches stehen ihm zur Seite.

S o l d a t e n !
Mit dem Oberbefehl über die Wehrmacht betraut, bürge ich Euch für sachkundige Führung. Nur die Opfer werden fortan von Euch verlangt, die zur Rettung des Vaterlades notwendig sind. Keinem Eurer Führer wird mehr sein Raten und Handeln aus sachlicher Kenntnis und Verantwortung mit schmählicher Entfernung vergolten werden. Die soldatische Führung des Reiches ist Euch Bürge, dass die Heimat so wird, wie Ihr, die Kämpfenden sie wollt, wie Ihr sie, wenn Ihr zurückkommt, zu finden hofft. Diese Heimat wird mit allen Kräften Eurem Kampf dienen. Sie hinwiederum baut auf

Sie glaubt und erwartet, dass Ihr sie rettet.

S o l d a t e n !

und noch vor den Anderen

I h r   K ä m p f e r   d e r   O s t f r o n t !

Für diese Heimat sollt Ihr einstehen. Für diese Heimat nach 4 Jahren
grössten Ringens einen letzten Kampf kämpfen, nicht für fantastische
Pläne, grenzenlose Eroberungen, sondern für das schlichte Ziel:
Euern Herd, Euer Haus, Eure Frauen und Kinder zu bewahren. Wenn Ihr
wankt, verfällt alles, was Euch teuer ist der Verwüstung und dem Unter-
gang. Besteht diesen Kampf, damit wir in Freiheit die Versöhnung suchen
können, einen Frieden, der unserer Toten würdig ist.

Ich verpflichte Euch im Namen des Vaterlandes erneut zu Treue, Gehor-
sam und Tapferkeit.

Ich hoffe für das Vaterland auf Euren unbeugbaren Mut, der stets mit
der Gefahr gewachsen ist.

Ich vertraue auf Eure Kraft und Euren Glauben an Deutschland.

Unterschrift.

«Eigenhändige Aussagen»

Kuhn schrieb in der Gefangenschaft, im September und Oktober 1944, wenigstens drei ausführliche «Aussagen». Der erste, maschinengeschriebene Bericht hat 25 von 1–26 numerierte Seiten (12 fehlt in der Zählung), «KUHN» unterzeichnet. Auf dem unteren Rand jeder Seite des Berichts unterschrieb Kuhn handschriftlich. Der Bericht trägt die Überschrift <u>EIGENHÄNDIGE AUSSAGEN</u> des Kriegsgefangenen Major der deutschen Wehrmacht Ioachim KUHN <u>vom «2» September 1944</u>». Die Überschrift dieser deutschen Fassung enthält Elemente des in den russischen Dokumenten der Akte Kuhn gebrauchten Stils, nämlich die Schreibung «<u>vom «2» September 1944</u>» und die Schreibweise «Ioachim». Diese Schreibweise erscheint mehrfach in der Niederschrift, obwohl alle anderen mit «J» beginnenden Worte – Juli, Juden, Jugoslawien, Jahrhunderte – mit der Initiale «J» und nicht «I» geschrieben sind. Im weiteren ist die Zahl 1 in der ganzen Niederschrift immer mit dem Grossbuchstaben I wiedergegeben. Alle Eigennamen ausser dem Hitlers und gelegentlich denen Görings und Himmlers sind in Versalien geschrieben, wie es auch in den russischen Dokumenten der Strafakte Kuhn üblich ist. Alle als Apostrophe gedachten Zeichen sind als doppelte Anführungszeichen (") wiedergegeben.

Die Überschrift «Eigenhändige Aussagen» ist die wörtliche Übersetzung dieses Ausdrucks aus dem Russischen: собственноручных показаниях, d. h. holographische Aussagen; «собственноручных показаниях» lautet auch die Überschrift der russischen Übersetzung vom 22. September 1944 der «Aussagen» Kuhns, deren deutsche Version vom 2. September 1944 datiert ist.[1] Die russische Übersetzung ist ausserdem «Übersetzung aus dem Deutschen» überschrieben und «от „22" сентября 1944 года» datiert.[2] «Собственноручных показаниях» = «holographische Aussagen» bzw. die in den Akten verwendete deutsche Übersetzung «eigenhändige Aussagen» bedeutet also nicht, dass Kuhn das darunter Stehende selbst auf der Maschine geschrieben habe, da die identische Überschrift für die russische maschinenschriftliche Version verwendet wurde, Kuhn aber des Russischen nicht mächtig war. Die deutsche Version trägt am Ende jeder Seite Kuhns handschriftlichen Namenszug «Kuhn». Die russische Übersetzung ist nur am Ende und nur maschinenschriftlich, ebenso wie die deutsche Version, «KUHN» unterzeichnet. Darauf folgt in einer russischen Version der Vermerk «ВЕРНО: гл. упр. „СМЕРШ" – полковник – [hs.] Чернов (Чернов)» («Richtig: Hpt. Abt. „Smersh" – Oberst – [hs.] Tschernow (Tschernow)»). In dem anderen Exemplar in derselben Akte, dem Exemplar, dessen Original an Stalin und das Nationale Verteidigungskomitee geschickt wurde, steht handschriftlich unter dem maschinengeschriebenen Namen «К У Н»:

«Справка
Первый экземпляр направлен
для информации ГКО.
Оперуполн 2го отдела Гл Упр „Смерш"
[hs. unterzeichnet] капитан Копелянский
(«Notiz. Erstes Exemplar zur Kenntnis an GKO. Offizier der 2. Abt. der Hauptverwaltung ‹Smersh› Hauptmann Kopeljanskij.»)
Der folgende Parallelvorgang beleuchtet das für Kuhns Aussagen angewandte Verfahren. Am 31. Januar 1943 wurde bei Stalingrad der Chef des Generalsta-

bes des IV. Armeekorps Oberst i.G. Hans Crome von sowjetischen Truppen gefangen genommen. Auf nach dem 20. Juli 1944 erschienene Presseberichte hin «erklärte er sich als Teilnehmer der militärischen Verschwörung und enthüllte Informationen von Interesse über den Beginn der Verschwörung, ihre Struktur und die Einstellung der Teilnehmer sowie über die Ziele und Tätigkeiten der Verschwörung». Die russische Übersetzung seiner «собственноручных показаниях», d. h. «holographischen Aussagen» bzw. «eigenhändigen Aussagen» ist vom 4. September 1944 datiert. Unter dem 22. und 23. September 1944 übersandte der Volkskommissar für innere Angelegenheiten der UdSSR Berija das Original dieses Exemplars an «Staatliches Verteidigungs-Komitee – Genosse I. V. Stalin, Rat der Volkskommissare – Genosse Molotow, Zentralkomitee der Kommunistischen Partei der Sowjetunion – Genosse Malenkow, Nachrichtenabteilung der Roten Armee – Genosse Iljitschew, Volkskommissariat für Staatssicherheit der UdSSR – Genosse Merkulow und Hauptverwaltung der Gegenspionage „SMERSH" Volkskommissariat für Verteidigung – Genosse Abakumow». Die Kopie des Textes mit begleitenden Zusätzen befindet sich im Staatsarchiv der Russischen Föderation (GARF), eine deutsche hand- oder maschinenschriftliche Fassung dieser Niederschrift liegt dort nicht vor. Die Form, Struktur und Komposition der Niederschrift des Berichts von Crome sind weitgehend identisch mit denen des Berichts von Kuhn.[3]

Die Überschrift und Datierung «EIGENHÄNDIGE AUSSAGEN des Kriegsgefangenen Major der deutschen Wehrmacht Ioachim KUHN vom „2" September 1944» stammt also nicht von Kuhn, sondern von einem Angehörigen der Hauptverwaltung Spionageabwehr der Roten Armee «SMERSH», der die Schreibmaschinenfassung angefertigt hat. Die Zahl 2 im Datum ist handschriftlich eingetragen, eigentlich eingemalt.

Kuhn hat aber handschriftliche Aufzeichnungen gemacht, sonst wäre der russische Ausdruck «собственноручных показаниях» bzw. seine deutsche Version «EIGENHÄNDIGE AUSSAGEN» nicht zu erklären. Kuhns Handschrift ist nur mit Mühe zu entziffern, und so mag er veranlasst worden sein, bei der maschinenschriftlichen Redaktion und Niederschrift seiner Mitteilungen zu helfen. Was Stalin vorgelegt werden sollte, musste die Struktur, Form und den Sprachgebrauch haben, die nach Ansicht der vernehmenden Offiziere bzw. deren Vorgesetzten angemessen waren.

Schon der erste Satz der Niederschrift von Kuhns Äusserungen ist unbeholfen und unklar: «Zunächst will ich erläutern, wie es kommt, dass ich dem Schicksal meiner Kameraden entgangen bin und mich in Moskau befinde.» Welches Schicksal und welche Kameraden gemeint sind, teilt der Schreiber nicht mit. Auch die Sprache des folgenden Satzes entspricht nicht dem im deutschen Militär gebräuchlichen Stil: «Am 19. Juli 1944 besuchte mich Generalmajor von TRESCKOW, der wie ich, an der Umsturzorganisation beteiligt war.» Nach dem Zusammenbruch des Aufstands des 20. Juli und nach Tresckows Tod am 21. Juli wartete Kuhn «die Entwicklung der Repressalien Hitler"s ab»; das Wort «Repressalien» ist übersetzt aus dem russischen «репрессий» (von «репрессия») für den russischen Begriff «Repressionen».[4] Auch die Wendung, «die Gespräche mit sowjetischen Offizieren, sowie mit meinen kriegsgefangenen Kameraden, haben mich aufgeklärt» gehört zum gängigen kommunistischen Sprachgebrauch und bedeutet politische Überredung bis Indoktrination. Generalleutnant Heusinger, Chef der Operationsabteilung des Generalstabes des Heeres, wird im

Bericht als «Chef der Operativen Abt. des Generalstabes» bezeichnet – so einen Fehler könnte Kuhn nicht gemacht haben.

Kuhn hat seine beiden weiteren handschriftlich vorliegenden und eindeutig von ihm allein verfassten Aufzeichnungen vom 7. und 15. Oktober 1944 zwar im Stil militärischer Kürze geschrieben, aber nicht wie in der vom 2. September 1944 datierten immer wieder den in der russischen Sprache unbekannten Artikel weggelassen.

Kuhn konnte nur aus den Mitteilungen seiner Smersh-Vernehmer oder aus Gerüchten, etwa Mitteilungen anderer Gefangener, wissen, wer dem Hitlerterror entgangen war. Die Vernehmenden hatten wohl Zugang zu den deutschen Nachrichtenmeldungen, ihre Mitteilungen waren aber für Kuhn nicht nachprüfbar, und sie waren grossenteils falsch. Die Smersh-Vernehmer mussten wissen, dass etwa Oberleutnant d. R. Albrecht von Hagen, der Kuhn half, Sprengstoff zu beschaffen, am 8. August 1944 gehängt worden war; denn es stand in den deutschen Zeitungen. Warum also liessen sie Kuhn Ende August/Anfang September schreiben: «Den Inhalt dieser Unterredung [mit Stauffenberg] erzählte ich dem Oberleutnant v. Hagen, von dem ich hoffe, dass er nicht verhaftet ist.» Haben sie Kuhn unrichtig informiert, er sei am 4. August zum Tod verurteilt worden, und über Hagens Tod im Unklaren gelassen?[5]

Kuhns Mitteilungen z. B. über Generalleutnant Heusinger und andere geben Rätsel auf. Heusinger war unbelastet. Wollten die Leiter des Staatssicherheitsdienstes Stalin darlegen, dass auf deutscher Seite Militärs waren, mit denen man zusammenarbeiten konnte, unter Umständen gegen den Westen?

Im übrigen sind die Mitteilungen von unschätzbarem Wert für die Motive der Verschwörer, insbesondere Stauffenbergs. Denn sie sind entstanden ohne Einfluss nachträglicher Umstände (Nachkriegszeit) oder unmittelbarer Lebensbedrohung wie die Aussagen, die die Verschwörer der Geheimen Staatspolizei gegenüber gemacht haben. Stauffenbergs Motivation durch «die Behandlung der Bevölkerung durch die deutsche Zivilverwaltung, der Mangel an politischer Zielgebung für die besetzten Länder, die Judenbehandlung» und seine Bemühungen um Hitlers Sturz im Sommer 1942 sind durch Stauffenbergs damalige Ansinnen an Heerführer der Ostfront und nun durch Kuhn unabhängig von Nachkriegsaussagen belegt. Die missgünstige Darstellung von Hans Bernd Gisevius ist damit erneut und nachdrücklich widerlegt.[6] Die von Kuhn überlieferten Auffassungen Stauffenbergs zum Angriffskrieg waren bisher ganz unbekannt.

EIGENHÄNDIGE AUSSAGEN

des Kriegsgefangenen Major der deutschen Wehrmacht

Ioachim K U H N

vom "**2**" September 1944.

Zunächst will ich erläutern,wie es kommt, daß ich dem Schikksal meiner Kameraden entgangen bin und mich in Moskau befinde.

Am I9. Juli I944 besuchte mich Generalmajor von TRESCKOW, Chef des Generalstabs der 2. Armee, der wie ich, an der Umsturzorganisatin beteiligt war. Ich war an der Front bei Bialystok als Ia der 28. Jägerdivision.

General von TRESCKOW teilte mir mit, daß in diesen Tagen das seit Monaten erwartete Attentat auf Hitler geschehen würde.Unsere Aufgabe sei, daß Ergebnis in Ruhe und dann die Befehle von Generaloberst BECK- gew. Chef des Generalstabes (seit I939a.D.), abzuwarten.

Infolge der Kampflage erfuhr ich von den Ereignissen des 20. Juli erst durch die Rundfunk-Mitteilung am 2I. um 7.oo Uhr. Wenige Stunden später teilte der Chef des Stabes des Korps- Major von SCHÖNAU,daß der Chef des Stabes der Armee- General v. TRESCKOW, käme,um sich über die Frontlage durch persönlichen Einblick zu unterrichten. Er hätte um meine Begleitung in das Gelände gebeten.

General v. TRESCKOW kannte ebenfalls nur die Rundfunk- Nachricht vom Fehlschlag und vom Tode BECK"**s**, STAUFFENBERG"s und OLBRICHT"s. Kurz nach Beginn der Fahrt ins Gelände eröffnete er mir:

> " Sie wissen,vor STAUFFENBERG war ich unter BECK der geistige Vorarbeiter dessen,was gestern fehlschlug. Ich kenne jede Einzelheit der Organisatin und fühle wie BECK und STAUFFENBERG die Mitverantwortung für das Geschehene. So ist auch meine Uhr abgelaufen".

Ich warf ein, über diese Entscheidung stünde mir kein Urteil
zu; jedoch werden Menschen wie er in der nun kommenden schweren
Zeit mehr denn je gebraucht. Er verwarf den Einwurf und fuhr fort:

> " So bitte ich Sie, falls Sie bereit sind, dafür
> zu sorgen,daß niemand von meinem freiwilligen Tod
> erfährt. Ich habe, als von Partisanenhand gefallen,
> zu gelten. Das ist im Interesse unserer Sache,der
> Beteiligten und meiner Familie unbedingt erforder-
> lich".

Er gab mir die Hand und sagte: " Adieu, Sie haben,wenn es Ihnen
gelingt am Leben zu bleiben und wenn es an der Zeit ist,zu sagen,
was wir gewollt haben."

Als ich mich ungefähr auf Ioo m. entfernte, hörte ich wie die
Handgranate, die v. TRESCKOW bei sich hatte, explodierte.

Auf meine offizielle Meldung über seinen Tod durch Partisanen-
hand wurde General v. TRESCKOW mit allen militärischen Ehren bei-
gesetzt. Der OKW-Bericht erwähnte seinen Heldentod. Ich hatte in
General v. TRESCKOW einen Kameraden verloren, der, wie keiner,
Vorbild war.

In den folgenden Tagen wartete ich die Entwicklung der Repressalien Hitler"s ab. Da die Hauptbeteiligten nicht mehr am Leben
waren und mir Einzelheiten des Verlaufs des 20. Juli ,so/wie der
Grad der Aufdeckung der Organisation unbekannt waren,konnte ich
denken,daß meine Verhaftung nicht unbedingt zu erwarten war.

Am Morgen des 27. Juli, nach Fall von Bialystok, traf der Korps
Ia- Major i.G von SCHÖNAU ein und übergab in meiner Gegenwart
dem Div. Kdr. , Generalleutnant v. ZIEHLBERG einen Brief des Kommandierenden General des 55. Korps- General d. Inf. HERRLEIN.

General v. ZIEHLBERG reichte ihn mir und ich las:

> " Auf höchsten Befehl ist Major i. G.
> KUHN zu verhaften und dem Landespolizei-
> gefängnis Berlin zuzuführen.Einspruch zweck-
> los. Unterschrift."

Der Korps Ia erläuterte, daß General HERRLEIN und Generaloberst
WEISS (Oberbefehlshaber 2. Armee) bereits vergeblich Einspruch
erhoben hätten.

Die Teilnahme der Generäle WEISS und HERRLEIN an meinem Schicksal kann ich nur durch ihr äußerst gutes Verhalten zu mir erklären,denn,soweit ich informiert bin, waren diese an der Verschwörung nicht beteiligt.

Auf eine Frage General v. ZIEHLBERG verneinte ich jede Beteiligung am Attentat, wies nur auf die bekannte Freundschaft mit STAUFFENBERG hin.

General v. ZIEHLBERG sagte:" Wir wollen alles so offiziersmäßig wie möglich erledigen. Sie haben sich zum Korps zu begeben. So verabschiedete er sich. Ich fuhr mit meinem Wagen und zwei Offiziere, die mich begleiten sollten, fuhren hinterher.

Wenige Minuten blieben ,um einen Entschluß zu fassen.Ich durfte mit meiner Kenntnis von Zusammenhängen und Personenkreis der Verschwörung nicht in die Hände des Himmlerschen Sicherheitsdienstes fallen.Selbstmord hatte ich mir vorgenommen nur zu verüben, wenn keine andere Möglichkeit bestand,mich der Verfolgung zu entziehen. Überlaufen war das Richtigste, es stand jedoch im Widerspruch zu den Begriffen und Traditionen , in denen ich erzogen war. Es blieb , den Tod durch die feindliche Kugel zu suchen. Dies konnte nichts Schreckendes haben, da uns am Umsturz Beteiligte täglich der Gedanke an ein schnelles Ende begleiten mußte.

Auf der Fahrt zum Gefechtsstand bog ich zur Front ab und bewegte mich rasch auf die russische Linie zu. Im Dorf Starosielce hielt ich mich auf,um das Weitere zu überlegen, wurde aber,durch polnische Bauern angegeben, von einer russischen Streife im Keller eines Bauernhauses überraschend gefangen genommen.

Das Schicksal des General v. ZIEHLBERG und der anderen Offiziere, deren Haltung mir praktisch ermöglichte der Verhaftung zu entgehen, ist mir unbekannt.

In der Gefangenschaft entschloß ich mich, zunächst keine Aussagen über meine Teilnahme an der Verschwörung gegen Hitler zu machen, aber die Art,wie ich als Kriegsgefangener behandelt wurde und die Gespräche mit sowjetischen Offizieren,sowie mit meinen kriegsgefangenen Kameraden, haben mich aufgeklärt.Am 4. August wandte ich mich an einen im Lager Wolkowyssk anwesenden russischen Stabsoffizier und äußerte ihm meinen Wunsch wichtige Aus-

4.-

sagen zu machen. Viel später erfuhr ich,daß gerade an diesem Tage
ich in Berlin zum Tode verurteilt wurde.

Ich wurde nach Moskau gebracht.Hier bestätigten die Gespräche
mit sowjetischen Offizieren in jeder Hinsicht meinen ersten Eindruck, infolgedessen gebe ich den folgenden Bericht.

Ich, Ioachim KUHN wurde am 2. August 1913 in Berlin geboren.
Mein Vater übt dort seine Praxis als Patentanwalt aus.Ich besuchte
das Gymnasium und bestand 17- jährig das Abitur. Entsprechend der
Tradition des Hauses meiner Mutter- mein Großvater war General
der Kavallerie- gab es für mich nur den Wunsch ,Offizier der Reichswehr zu werden. Am 15.10.1932 trat ich meinen Dienst beim Inf.Rgt.
14 an. 1933-34 besuchte ich die Kriegsschulen in Dresden und München. Ich durchlief die Stellungen als Btl. und Rgt.Adj.,nahm als
solcher am Polenfeldzug und als Kompaniechef am Frankreichfeldzug
teil. Nachdem ich den Beginn des Rußlandkrieges als I. Ordonnanzoffizier der III. I.D. bis November 1941 erlebt hatte, besuchte
ich bis Mai 1942 die Kriegsakademie. Diese verließ ich als Bester
und wurde zum OKH/ Generalstab des Heeres Organisationsabteilung
versetzt.

Dort war ich als Generalstabsoffizier mit Unterbrechungen durch
Krankheit bis März 1944 in der Gruppe II tätig. Diese bearbeitete
grundsätzliche Organisationsfragen des Heeresgefüges, Kriegsspit-
zengliederung, Organisation der militärischen Verwaltung und Siche-
rungstruppen.

Major i.G. Graf STAUFFENBERG war Gruppenleiter II bis er durch
Oberstleutnant i.G. KLAMROTH ersetzt wurde.In kurzer Frist lernte
ich die überragenden dienstlichen und menschlichen Eigenschaften
STAUFFENBERG"s schätzen. Die Zusammenarbeit war infolge seiner um-
fassenden Kenntnis und Bildung auf allen Gebieten des Lebens denkbar harmonisch, da wir viele Berührungspunkte auf allgemeinen Le-
bens= und politischen Auffassungen hatten.

Die tägliche Arbeit wies bereits im Jahre 1942 auf die zahlreichen
Fehler der obersten Führung in operativer und organisatorischer
Hinsicht hin.

So z.B. die Anlage des Sommerfeldzuges 1942 beabsichtigte die
Eroberung der kriegswirtschaftlichen Gebiete(Ölgebiete,Wolga) und

nicht die Vernichtung der feindlichen Streitkräfte.Die operativen Ziele des Feldzuges- Kaukasus und Stalingrad- bildeten äußerst
ausgedehnte Frontlinie und Kommunikationen, die in keiner Weise
mit vorhandenen operativen Reserven besetzt werden konnten. •

Zu den besonders bekannten organisatorischen Fehlern der obersten Führung wird die Schaffung der Luftwaffendivisionen gezählt.
Diese wurden auf Vorschlag GÖRING"s anstatt der Fehlstellenbesetz-
ung der zerschlagenen Divisionen gebildet. Die Führung bestand
aus Offizieren und Unteroffizieren der Luftwaffe,die keine infanteristische Ausbildung hatten, was große Verluste an Menschen und
Waffen mit sich führte.
Ein nächtliches Gespräch im August 1942 im Hauptquartier in
Winniza zeigte mir erstmalig die letzte Überzeugung STAUFFENBERG"s
und sein tiefes Verantwortungsbewustsein gegenüber seiner Stellung.
Er äußerte:

" Wenn man überhaupt einem Angriffskriege
einen Sinn geben kann,so ist es der,daß er
einer Politik den Weg bahnen soll,die fruchttragend für einen möglichst großen Teil der
Menschen ist.
Die täglichen Berichte von Stäben über
die Behandlung der Bevölkerung durch die deutsche Zivilverwaltung,der Mangel an politischer
Zielgebung für die besetzten Länder, die Judenbehandlung beweisen,daß die Behauptungen Hitler"s den Krieg für eine Umordnung Europas
zu führen, falsch sind.
Damit ist dieser Krieg ungelauulich,wenn
er nun noch so geführt wird,daß er aus operativen und organisatorischen Gründen nicht einmal gewonnen werden kann,so ist er als sinnloses Verbrechen zu bezeichnen,ganz abgesehen
davon,daß dieser Krieg vom Augenblick,wo wir
den Fehler machten Rußland anzugreifen,perso-
nell und materiell für Deutschland auch bei
bester Führung gar/nicht durchzustehen ist.
Solche Feststellung allein genügt aber nicht.
Man hat erstens nach der letzten Ursache und
zweitens nach der Kosequenz zu fragen. Letzte
Ursache liegt, darüber bin ich mir nun vollkommen im Klaren, in der Person des Führers
und im Nationalsozialismus. Konsequenz ist,zu
fragen, was hat der deutsche Generalstab infol
ge dieser Lage für eine Aufgabe.Als Generalstabsoffizier und Soldat, der sich schon einen
gewissen Namen gemacht hat(STAUFFENBERG galt
im OKH als " der kommende Mann") glaube ich
das Recht und die Pflicht zu haben ,gerade
hiernach zu suchen. Der Generalstab ist nicht
eine Congregation geschulter Handwerker,sonder

er ist an der Führung maßgeblich beteiligt.
" Führen" heißt auch Verantwortung tragen
und seinen tätigen Einfluß geltend machen.
Einfluß worauf? Wenn der Krieg nicht mehr
zu gewinnen ist, so kann das nur noch der
Einfluß auf die Erhaltung des deutschen
Volkes sein.Das ist nur möglich durch schne
lsten Abschluß eines Friedens,und zwar jetz
wo wir im Besitz unserer Kräfte sind.Haben
wir unseren Einfluß bisher anders als durch
Kritik und Worte geltend gemacht? Nein! So
hat Tag und Nacht unser Denken dieser unserer einziger Pflicht heute- solange es
noch nicht zu spät ist- zu gelten."

Ich war von dem Gespräch tief beeindruckt,zumal es im Sommer
1942 ,d.h vor Stalingrad und den nachfolgenden Katastrophen statt-
fand.So hatte ich bis dahin nicht gesehen und vor allem hatte mich
bis dahin niemand vor die Konsequenz gestellt.

Als ich im Winter 1942/43 im Lazarett Berlin lag, besuchte mich
STAUFFENBERG dort am 3.Februar,dem Tag vor seiner Fahrt nach Tunis.
Dort war er Ia der 10.Pz.Div. geworden.Bei diesem Besuch schilderte
er mir die Frontlage, vor allem die Ereignisse von Stalingrad und
schließlich fiel zum ersten Mal das Wort, das richtunggebend für
unser gemeinsames zukünftiges Tun werden sollte:

" Die Konsequenz, nach der wir oft fragten,
heißt Errichtung einer, allerdings vorübergehenden Militärdiktatur".

Mit diesen Worten verließ mich STAUFFENBERG.

Mit schweren Verwundungen- ein Auge ,die rechte Hand und zwei
Finger an der linken Hand hat er in Tunis verloren-fand ich STAUF-.
FENBERG am 6.5.1943 im Lazarett München wieder. Seine bewunderungs-
würdige Hinnahme der schweren körperlichen Beeinträchtigung ließ
mich stärker als je zuvor die Größe seiner Persönlichkeit empfinden.
Er ist ein Urenkel Gneisenau"s und ist dessen würdig,dachte ich mir.

Er sagte zu mir damals:

" Der erfolgreiche Kampf gegen den Nationalsozialismus und seine fanatischen Theorien
und Ziele,also der Weg zur Erhaltung des Volkes geht nur über die Beseitigung der Person
Hitler"s und dessen,was ihn umgibt".

Bald hatte STAUFFENBERG seine neue Stellung als Chef des Generalstabs des Allgemeinen Heeresamtes, bei General d. Inf. OLBRICHT
angetreten. Ich war wieder in der Org. Abt. Gruppe II zum Teil als

Gruppenleiter,zum Teil mit selbstständigen Arbeiten betraut,tätig.

Die Frontlage brachte:Rückzug vom Kaukasus,Verlust der Schlacht von Orel, Verlust von Charkow und Kiew. Die Fehlstellenzahlen der Divisionen ließen sich nicht mehr annähernd auffüllen, trotzdem folgten laufend vom Führer Befehle für Neuaufstellungen von Divisionen,insbesondere SS-Verbänden, die auf Kosten der Frontdivisionen gingen.

Eingedenk der Gespräche mit STAUFFENBERG,sagte ich mir,wenn allen Erkenntnissen nicht die Tat folgt, dann sind diese müssig. Und wer anders soll bei diesen Terrorzuständen handeln als das Heer, ergo der Generalstab, der dessen Führung ist. In den ersten Oktobertagen 1943 besuchte STAUFFENBERG das Hauptquartier, Ich äußerte ihm gegenüber diese Auffassung und stellte die Frage:" Was soll geschehen?" Er antwortete:

> " Daraus,daß du von selbst fragst,entnehme ich,daß Du Dir auch über die Konsequenzen jetzt klar bist.Ich will Dir daher sagen,daß sobald wie irgend möglich, wenn es die Zeit und Vorbereitungen erlauben, noch in diesem Monat,der Führer sterben muß.
> Deine Rolle wird sein: als Ia des General STIEFF zu fungieren,der die Ausführung des Attentats selbst übernommen hat, d.h mobkalendermäßige Vorbereitungen für das Hauptquartier zu treffen. Ferner, als mein ständiger Beauftragter hier im Hauptquartier vorwärtszutreiben.Ferner,während des Umsturzes sich des Feldmarschall v.WITZLEBEN ,des zukünftigen Oberbefehlshaber der Wehrmacht, anzunehmen."

Meine Arbeitskraft galt von jetzt in erster Linie dieser vorbereitenden Tätigkeit.

Damit war ich im Zentrum der Umsturzorganisation.

Zwei-drei Tage nach Einweisung unterhielt ich mich mit dem Chef der Org. Abt. Generalmajor STIEFF über vorausgegangene Umsturzversuche.Er erzählte:

> " Es ist schlimm,daß nicht schon damals 1938/39, wie beabsichtigt, gehandelt wurde.
> Auf meine Frage,was geplant gewesen sei, sagte General STIEFF:" Man plante einen Regierungssturz nach den Ereignissen des Winters 1938/39 ,da man sah,daß diese Entwicklung zum Kriege führen mußte.Zum Handeln fehlte wohl die Breite

einer aktiven Gruppe und auch eine her-
vorragende Persönlichkeit."
  "Und wer waren die Männer,die sich mit
der Absicht trugen,"fragte ich.
  "Es war,soviel ich im Bilde bin,ein
Kreis um FRITSCH,BECK und HALDER."
  "Und warum",setzte ich die Unterhaltung fort," mißlang ein weiterer Versuch,
schon während des Krieges, wie mir neulic
STAUFFENBERG kurz erwähnte?" " Nach Stalingrad," fuhr STIEFF fort," drängte die
Lage zum Handeln. Ein Flug des Führers
zur Heeresgruppe "Süd" war hierzu auser-
sehen.Im Flugzeug war durch Generalmajor
v. TRESCKOW Sprengstoff verstaut,der Zünder aber,eingestellt auf eine bestimmte
Zeit,löste nicht aus."

Über die Ziele der Umsturzorganisation fand ein etwa 4-stündiges
Gespräch mit STAUFFENBERG im Lazarett München, Anfang Juli 1943 statt
Damals entbehrte die Darstellung STAUFFENBERG"s noch der konkreten
Form der Organisation. Über Ziele und Wege jedoch sah er bereits klar
Ich fragte STAUFFENBERG :

        " Du sagst,es fände sich eine Gruppe,
        der der Sturz Hitler"s,die Beseitigung
        des Nationalsozialismus und die Aufrich-
        tung einer zeitweiligen militärischen
        Diktatur gelänge. Aber was dann?"

"Wir wollen,- antwortete STAUFFENBERG,-ein friedvolles und gesichertes Zusammenleben der Völker Europa"s sicherstellen.Werfen wir zunächst einen Blick in die Geschichte. Warum scheiterte Napoleon"s
Politik in Spanien? Weil sie den derzeitigen politisch-ökonomischen
Interessen des Landes widersprach. Die Anwendung der Gewalt durch
Besetzung Spanien"s entwickelte Napoleon"s Mißerfolg zu einer Katastrophe."

STAUFFENBERG brachte dann Beispiele aus jüngster Zeit der Hitlerpolitik in Ukraine und Jugoslawien, die uns alle genügend geläufig
sind.

Auf das letzte Beispiel,das er anführte, besinne ich mich genau,
weil er es mehrfach erwähnte.

        " Ich will dir ein Gegenbeispiel nen-
        nen, das zu allen Zeiten gültig ist.
        Die Politik Cäsar"s bei und nach der
        Unterwerfung Galliens. Cäsar brachte
        ihnen die positiven Errungenschaften
        des römischen Reiches, wie humane Gesetz
        gebung und Kultur; dann lehnte er jede
        Einmischung in innere Verhältnisse und

religiöse Fragen ab.Damit hat er dem römischen Reich für Jahrhunderte treue Bundesgenossen geschaffen."

Nach diesen geschichtlichen Beispielen müsse man, so meinte
STAUFFENBERG, feststellen,daß der Nationalsozialismus auf dem außenpolitischen Gebiet versagt habe, ganz abgesehen von seiner außenpolitischen Vorarbeit für den Krieg. Er sagte etwa wörtlich:

" Wenn wir auch gerade über Rußland"
innere Lage und seine Ziele im Dunkeln
sind,so ist doch ein für alle Mal klar,
daß Hitler"s größter Fehler der Bruch
des Vertrages mit Rußland war."

STAUFFENBERG ging dann auf die Frage ein,warum der Nationalsozialismus innenpolitisch versagte.

Er sagte, daß die zur Zeit führende Schicht ~~ist~~ inbezug auf menschliche Eigenschaften so wertlos sei,daß selbst gute Ideen in
ihrer Ausführung zum Schaden des Volkes verwertet werden. Die Übertreibungen auf dem Gebiet der Volkstumsfragen widersprechen den
Naturgesetzen. Insbesondere bemerkte STAUFFENBERG,daß die Interessen der Massen nur dann tatsächlich vertreten werden können,wenn
das Volk sich selbst regiert,was aber im nationalsozialistischen
Staat keineswegs der Fall ist.

Dann ging STAUFFENBERG auf die uns zur Genüge bekannten militärischen Fehler Hitler"s ein.

" Es muß ein Zustand herbeigeführt
werden,der die Voraussetzung für schne
lst/möglichen Abschluß eines Friedens
darstellt.Das ist zu erreichen nur durch die Beseitigung der Person des Füh
rers und Ersatz des derzeitigen Regierungssystems durch eine vorübergehende
Militärdiktatur,die den Boden für eine
demokratischen Staat zu bereiten hat."

Damit schloß unsere Münchener Unterredung.

In zahlreichen Gesprächen mit Generalen OLBRICHT und FELLGIEBEL
bestätigte sich diese Auffassung STAUFFENBERG"s,als für alle an
der Umsturzorganisation Beteiligten gültig, insbesondere auch für
Generaloberst BECK. Dafür ist noch folgende kurze Unterhaltung mit
General OLBRICHT und STAUFFENBERG am 17. November in Berlin beweis-
führend.

Ich fragte STAUFFENBERG nach seiner Zusammenarbeit mit Generaloberst BECK.Er antwortete:

> " Wenn wir- General OLBRICHT und
> ich- in allen technischen Fragen der
> Organisation die Kompetenz haben,so tra-
> ge ich doch alles etwa wöchentlich dem
> Generaloberst vor. Jedes Mal bin ich
> erfreut über sein klares selbstständi-
> ges Urteil, seinen überlegenen staats-
> politischen Überblick. Seine Grundauf-
> fassungen decken sich vollständig mit
> den unseren."

General OLBRICHT bestätigte diese Äußerung.

Besonderes bewegte uns die Frage der außenpolitischen Orientierung Deutschlands nach dem gelungenen Umsturz. Hierüber unterhielt
ich mich mit General FELLGIEBEL im Zuge Hauptquartier - Berlin in
den ersten Dezembertagen I943. Als Chef des Heeresnachrichtenwesens
war dieser über Auslandsnachrichten immer gut unterrichtet.Ich frag
te, an wen soll man nach gelungenem Umsturz Anschluß suchen.Gene-
ral FELLGIEBEL antwortete:

> " Hierin ist eine Festlegung ganz
> unmöglich. Es muß sich zeigen,wer die
> Hand dann ausstreckt.Nachrichtenunter-
> lagen über derartige Absichten habe ich
> nicht.
> Suchen müssen wir eine schnellst-
> mögliche Verständigung mit der UdSSR,
> da diese allein ein Interesse an einer
> Erhaltung und Zusammenarbeit mit einem
> lebensfähigen Deutschland habe.Den An-
> glo-Amerikanern wird der Kontinent im-
> mer ein lästiger Konkurrent bleiben. "

In Berlin angelangt, setzten wir die Unterhaltung in Gegenwart
von General OLBRICHT und STAUFFENBERG fort. Diese waren derselben
Meinung wie FELLGIEBEL und bemerkten insbesondere,daß inbezug auf
eine verständnissvolle Haltung Rußland"s nach dem Umsturz keine
Unterlagen vorliegen. STAUFFENBERG sagte außerdem,daß auch über
Ziele des Nationalkomitees " Freies Deutschland" liegen noch keine
bestätigte Unterlagen vor. Wir alle waren der Meinung,daß eine
vorhergehende Bindung mit einer Feindmacht innenpolitisch gefährlich sei. Der Badoglio-Staatsstreich hat in Deutschland einen schle
chten Klang, den des Verrats, da vor dem Umsturz mit den Feinden
konspiriert wurde. Auf keinen Fall darf uns daher etwas belasten,
was den Schlag im Volke unpopulär machen kann.

STAUFFENBERG bemerkte,daß das die Möglichkeit nicht ausschließe
nach außen Fühler auszustrecken, wozu man Verbindungen brauche.

Noch sehe er aber nicht Verbindungen zu Rußland, wohin die Notwendigkeiten der Orientierung dringend weisen.

Über Mittel und Methoden, die zum Erfolg der Organisation führen sollten, bestand Klarheit. Das Attentat selbst sollte mit Sprengstoff durchgeführt werden, der in Frankreich durch Abwehr III aus zu Sabotagezwecken abgeworfenen englischen Mitteln sichergestellt war.

Immer wieder wurde in Kreisen der Organisation festgestellt,daß die Tatsache des Umbringens Hitler"s durch Offiziere belastend sei Aber moralisch sei die Tat als das Richten eines Verbrechers voll gerechtfertigt.Im Gespräch mit General v. TRESCKOW im Februar I944 äußerte dieser,daß es schlimm sei,daß während des Attentats unschu dige Opfer fallen werden,es ist aber nicht zu vermeiden.Das Arrangement ist so zu treffen, daß möglichst viel von Hitler"s unmittel barer Umgebung, wie HIMMLER,GÖRING usw. bei ihm sind.

. Nach dem Attentat war als Werkzeug zur Durchführung des Regierun wechsels das Ersatzheer ausersehen.Die Fäden hierzu hielt STAUFFEN BERG in der Hand, zunächst als Chef des Generalstabs des Allgemeinen Heeresamtes, dann ab I. Juni I944 als Chef des Generalstabes beim Befehlshaber des Ersatzheeres- Generaloberst FROMM.

Zu der Vorbereitungsarbeit gehörte auch,daß sich die Führung der Organisation über das Kriegspotenzial Deutschlands ständig auf dem Laufenden hielt. Dies war durch die Stellungen der maßgeblichen Personen erleichtet und ohne Schwierigkeiten sichergestellt.Wie z.B General STIEFF- Chef Org. Abt., General OLBRICHT- Chef des Allgemeinen Heeresamtes usw. So habe ich im Auftrage der Organisation mich durch den Personalbearbeiter der Org.Abt.- Major i.G. SEMPER unter dienstlichem Vorwand über Personallage informieren lassen.

Aus diesen Unterlagen(Dezember I943) ergab sich,daß die Kampfkraft des deutschen Heeres monatlich um 50 000 Köpfe schwindet.So muß nach 3/4 Jahr die personelle Kampfkraft, infolge der Fehlstellenzahlen der Divisionen von über 5 000 im Durchschnitt, erschöpft sein. Helfen kann nur noch eine tatsächliche Mobilmachung der letz ten Kräfte und organisatorische Maßnahmen, die durch Hitler bisher verhindert wurden: wie z.B. Eingriff in die Personalverschwendung durch die Luftwaffe, Eingriff in die Propagandaorganisation und

I3.-

Auflösung des Reichsarbeitsdienstes.

Solche Maßnahmen konnten etwa I Million Menschen bringen.
Diese wären nach den angestellten Berechnungen nach einem weiteren halben Jahr aufgebraucht. Folglich ergab sich, daß allein
aus personellen Gründen spätestens das Frühjahr 1945 den Zusammenbruch bringen mußte.

Weiter war für die Beschleunigung des Handelns die Einschätzung
der Roten Armee durch den deutschen Generalstab maßgebend.

General STIEFF gab nach Rückkehr vom Lagevortrag beim Chef des
Generalstabs ZEITZLER täglich die Lage an die Gruppenleiter bekannt.

Ich besinne mich , daß er im März I944 ,als ich nach dem Vortrag
bei ihm blieb, zu mir sagte:

> " Wir erleben jetzt die russische
> Kampfführung zur Wegnahme der Krim
> und darüber hinaus zum Durchbruch
> nach Rumänien. Immer gelingt es heu-
> te der Roten Armee die tiefen Flan-
> ken abzudecken und vor allem den
> Stoß selbst in der Tiefe zu nähren,
> wie der Durchbruch auf Cherson be-
> weist. Das ist ein entscheidender
> Fortschritt in der Führungstechnik,
> die sich weiter verbessern wird. Je
> länger wir mit dem Handeln warten,
> um so stärker werden unsere Verlust-
> ziffer steigen. Dies abgesehen von
> den uns bekannten Führungsfehlern
> auf unserer Seite. Also auch hier
> drängt alles nach der Tat."

So versuchten alle am engen Führungskreis Beteiligten die Vorbereitungen bald möglichst zum Abschluß zu bringen.

Erstmalig sollte am 20. Oktober I943 gehandelt werden. Hitler
wohnte an diesem Tage einer Waffenvorführung bei. Jedoch eine am
I7.Io.1943 in Berlin durchgeführte Besprechung zwischen den Generalen OLBRICHT und FELLGIEBEL , sowie STAUFFENBERG, bei der ich
anwesend war, ergab, die Vorbereitungen wären noch ungenügend.

Ähnlich war die Lage anläßlich einer Ansprache des Führers zu
dem Offiziernachwuchs in Breslau. Jedoch war das Handeln abgelehnt
wegen der damit verbundenen Opfer.Ferner beurteilte General FELL-
GIEBEL,daß er in Breslau zu geringe Möglichkeiten für die Durchführung nachrichtentechnischen Maßnahmen habe.

FELIGIEBEL sagte,daß das Attentat am günstigsten im Hauptquartier durchzuführen sei,wo er alle Vorbereitungen zum Ausschalten jeglicher Nachrichtenverbindungen getroffen hatte.

Die Vorbereitungen für die Durchführung des Umsturzes näherten sich so mit Überwinden zahlreicher Reibungen ihrem Ende zu.Zum 22. Dezember war ein gewißer Abschluß erreicht. Es fehlte die Gelegenheit zur Durchführung des Attentats selbst. Eine Bekleidungsvorführung sollte diese Gelegenheit bieten.Mit geradezu verhängnisvoller Folge wurde die Vorführung immer wieder verschoben. Einmal untersagte sie Feldmarschall KEITEL, da angeblich der Führer eine Einheitsbekleidung ablehne. Ein anderes Mal erkrankte Reichsminister SPEER, der um unbedingte Beteiligung gebeten hatte.

Die Vorbereitungen und Gestalt der Umsturzorganisation waren folgende:

An der Spitze stand Generaloberst BECK.Schwerpunkt der Aktion zum Regierungssturz und zur in die Handnahme der Macht nach erfolgtem Attentat lag bei dem Ersatzheer.Dem Feldheer fiel für die Aktion selbst eine passive Rolle zu.

In allen Wehrkreisen waren Vorbereitungen getroffen, getarnt als Maßnahmen, die bei Eintreten öffentlicher Unruhen auszulösen wären.Bearbeitung diesen Maßnahmen erfolgte in Berlin unter Leitung von STAUFFENBERG, der selbst den wichtigsten Wehrkreis III (Berlin) bearbeitete. Den nächstwichtigen Wehrkreis I (Ostpreußen - Hauptquartiere) hatte ich zu bearbeiten. Am 20. Juli I944 war, infolge der Verlegung der Hauptquartiere Hitler"s, Himmler"s und Göring"s, diese Bedeutung des Wehrkreises I überholt.

Das Feldheer war von dem Tode Hitlers und der Befehlsübernahme durch die neue Regierung zu unterrichtrn. Hierzu waren in Berlin Befehle ausgearbeitet.

Über die Haltung des Feldheeres waren wir durch die meisten Oberbefehlshaber informiert. Darüber und über die Stimmung der Oberbefehlshaber werde ich in dieser Schilderung noch eingehend berichten.

Zum Oberbefehlshaber der Wehrmacht war Feldmarschall v.WITZLEBEN vorgesehen.Dieser hatte sich zur beschleunigten Befehlsübernahme vor dem Attentat in der Nähe des Hauptquartiers OKH aufzuhalten.

Oberbefehlshaber des Heeres sollte Generaloberst HÖPPNER, gew. Befehlshaber der 3. Panzerarmee, werden.

Die Frage der Besetzung der Stelle des Chefs des Generalstabs war bei meinem letzten Gespräch mit STAUFFENBERG am 2. Juni 1944 noch offen. Es kamen in Frage Feldmarschall v. MANSTEIN oder Generaloberst ZEITZLER, falls dieser noch in die Organisation einzogen würde.

Nicht unterrichtet bin ich über zivilen Teil der Verschwörung, und drängte mich nicht nach Orientierung aus Gründen der Konspiration. Ich nehme an, weise aber auf die Unsicherheit dieser persönlichen Auffassung hin, daß an der Spitze der zivilen Kreise der Oberbürgermeister von Leipzig GÖRDELER stand.

Wesentlichste Grundlage für das Gelingen des Staatsstreiches war der Erfolg des Attentats. Dieses wollte zunächst der Chef der Org. Abt. im OKW- Oberst i.G. MEICHSNER, der bis Dezember 1943 im Führerhauptquartier war, übernehmen. Mehrere Male erklärte sich General STIEFF zur Vorbereitung bereit.

Ich selbst habe die Ausführung abgelehnt, obwohl ich von der Notwendigkeit voll überzeugt war und bin. Im Prinzip sind terroristische Akte gegen meine Natur.

Wie ich schon bereits erklärte, wurden durch unsere Leute in der Abwehr III Munition und Zünder beschaffen. Es sollte ein 6 -Minuten Zünder verwandt werden, da , wie mir STAUFFENBERG sagte solche geräuschlos sind. Als Gelegenheit sollte eine Besprechung bei Hitler dienen.

Es kam darauf an, nach erfolgreichem Attentat diesen Erfolg nach Berlin durchzugeben und gleichzeitig das Führerhauptquartier von allen Nachrichtenverbindungen zu lösen. Ferner, sollte man das Nachrichtenführungsnetz von SS, Polizei und Regierung ausschalten. Diese durch General FELLGIEBEL vorbereiteten Maßnahmen bedeuteten eine große Erschwerung und Zeitverlust für den Gegner.

Durch General FELLGIEBEL und STAUFFENBERG war ferner vorbereitet die militärische Übernahme der Rundfunksender, sowie derer sofortige Betrieb.

Die militärische Aktion gegen Hauptquartiere sollte durch General der Artillerie LINDEMANN geführt werden.

Meine Aufgabe war, die Nachricht vom Erfolg des Attentats nach
Berlin zu übermitteln und nach Eintreffen des Feldmarschall v. WITZ-
LEBEN sich diesem zur Verfügung zu stellen. Hierzu meldete ich mich
im Dezember 1943 beim Feldmarschall v. WITZLEBEN in seiner Wohnung
bei Cotbus, wo wir die Einzelheiten seines Eintreffens im Hauptquartier verabredeten.

Die Person des Feldmarschall hat auf mich einen tiefen Eindruck
gemacht. Beim Abschied sagte der Feldmarschall:

> " Ich verlasse mich darauf, daß alles zur
> Beschleunigung getan wird, denn es ist
> keine Zeit mehr zu verlieren. "

Das waren die Vorbereitungen zum Umsturzversuch, soweit ich als
Mitglied der Verschwörerorganisation im Bilde bin.

Ein Ereignis wäre noch der Erwähnung wert, denn es hatte um ein
Haar der ganzen Organisation das Leben gekostet.

Immer wieder wies ich General STIEFF darauf hin, daß das Aufbe-
waren der Munition in seinem Zimmer denkbar gefährlich wäre.Die
Munition müsse anderwärts verborgen werden. Schließlich gab er mir
hierzu Sprengstoff und Zünder. Es waren mehrere kg. eines angeblich
sehr wirksamen Sprengstoffs und mehrere Flüssigkeitszünder von 6-30
Minuten Brenndauer.

Nachdem alles in Papier und Dachpape gehüllt war, vergrub ich es,
zusammen mit dem Referenten der Org.Abt.- Oberleutnant v. HAGEN,
einem besonders zuverlässigen Verschwörer innerhalb des Hauptquartiers. Tags darauf überprüften wir noch einmal die Tarnung und fanden sie in Ordnung.

Als ich nach kurzer Reise zurückkehrte, rief mich General FELL-
GIEBEL zu sich und fragte,ob es mir bekannt sei, daß die GFP im
Lager vergrabenes Sprengstoff gefunden hat. Nie im Leben erschreck-
te ich derartig. Ich sah zwei Möglichkeiten in dieser Lage.Entweder
den Sprengstoff als Versuchssprengstoff der Org.Abt. zu erklären,
oder,was allerdings gefährlicher war, zu versuchen durch persönli-
chen Einsatz eine Untersuchung aufzuhalten. Ich entschloß mich zu
Letzterem, denn in höchster Not fiel mir ein ,daß Major SCHRADER,
Bearbeiter für Abwehr III in seiner Grundeinstellung auf unserer
Seite war.

Aus dem Gespräch mit Major SCHRADER ergab sich,daß nachdem wir
den Sprengstoff vergraben hatten, ein GFP-Beamter zufällig den Ort

überprüfte und den Sprengstoff fand. Er hat sofort Hunde angesetzt, was jedoch keinen Erfolg zeigte.

Major SCHRADER war bereit uns zu helfen und seine Maßnahmen
verhinderten die Aufdeckung der Verschwörung und vor allem die
Weitergabe der Meldung an den SD.

So blieben wir verschont.

Um den Bericht vollständig zu machen, scheint es mir notwendig,
die handelnden Personen und solche die der Bewegung nahe standen,
zu betrachten. ·

Nach meiner Meinung ragen die Personen STAUFFENBERG"s und TRES-
CKOW"s uns allen Handelnden weit hervor.Ihre Bedeutung geht aus
diesem Bericht klar hervor.

Die anderen Offiziere, die am 20. Juli handelten, sind inzwischer
Hitlers Opfer geworden. Sie zu charakterisieren, gehört nicht in
diesen Bericht.

Es folgen Angaben über die Personen, die nach meinem Wissen dem
Hitlerterror entgangen sind und in der Zukunft eine Bedeutung haben können.

Feldmarschall v. BRAUCHITSCH. Aus den Gesprächen mit dem Verschwörer Oberleutnant v. HAFGEN (Neffe des Feldmarschall) habe
ich entnommen,daß v. BRAUCHITSCH an der Verschwörung nicht teilgenommen hat.

Ich nehme an,daß v. HAFGEN, der ständig im Hause v. BRAUCHITSCH
verkehrte, den Feldmarschall über den kommenden Umsturz unterrichtet hat.

Feldmarschall v. KLUGE. (Oberbefehlshaber der Heeresgruppe"D"-
                                    Westen)

Seit Jahren war es ihm klar,daß die Führung Hitlers den Zusammenbruch bringen muß, hat sich daher restlos auf die Seite der
Umsturzorganisation gestellt und voll eingeweiht war.

Darüber ist mir bekannt von Generalen v. TRESCKOW und STIEFF,
sowie STAUFFENBERG an Hand ihrer persönlichen Gesprächen über
Kluge.

Dies bestätigte sich auch in einer 2- stündigen Unterhaltung,
die ich im Oktober oder November I943 mit dem Feldmarschall in
Minsk hatte.

Ich war zu ihm auf die Anweisung STAUFFENBERG"s,um Zuführung
von Kräften nach Ostpreußen für den Umsturzfall zu vereinbaren.

Dies mußte infolge der Frontlage unterbleiben.

Der Feldmarschall äußerte,er halte den Zeitpunkt(Oktober-November 1943) für nicht günstig,da das Bodoylio-Unternehmen kurz zuvor erfolgt sei. Allein die Beseitigung Hitlers könne noch zur Zeit den ganzen Verlauf der Dinge vollständig ändern.

Kluge konnte sich nicht entschließen, seine Heeresgruppe"Mitte" engegen dem Führerbefehl zurückzunehmen,um die Kräfte zu sparren.Sollte der Führer in das Hauptquartier Heeresgruppe"Mitte" kommen, so war er bereit ihn festnehmen zu lassen.

Zu diesem Zwecke,wie mir Kluge sagte, stand ihm ein Kavallerieregiment unter dem Kommando des Obersten BÖSELAGER zur Verfügung. Der größte Teil der Offiziere dieses Regimentes waren in die Umsturzorganisation eingeweiht und hatten die Aufgabe, im Falle der Ankunft Hitlers ins Hauptquartier der Heeresgruppe "Mitte",ihn auf dem Flugplatz zu verhaften.

Während derselben Unterhaltung teilte mir Kluge mit,daß er mit der Unterstüzung der I8.Artilleriedivision,wo sein Sohn als Ia tätig war, die sich damals in Wilno zur Neuaufstellung befand, rechnete.

Diesem Gespräch wohnte auch an der Verschwörung Beteiligte-Majot i.G.v. ÖRTZEN bei, der in vertrauter Stellung zu Kluge ist

Feldmarschall v. MANSTEIN,gew. Oberbefehlshaber der Heeresgruppe "Süd". Sein Können als Feldherr bedarf keines Beweises. Er besitzt in besoderem Maße das Vertrauen des deutschen Volkes, wie ich in Gesprächen in Deutschland immer wieder feststellen konnte. Dies wurde mir auch bestätigt durch Generale v. TRESCKOW,STAPF u. a. Feldmarschall v. MANSTEIN wird zur Zeit die hervorragendste Persönlichkeit Deutschlans sein,deren Berufung an einflußreiche Stelle allgemeine Zustimmung fände.

Über seine politische Einstellung und seine Eigenschaften als Staatsmann kann ich mir kein Urteil erlauben.

General v.TRESCKOW berichtete mir von einer mehrstündigen Aussprache,die er in den Privaträumen des Marschall in dessen Hauptquartier im November- Dezember 1943 gehabt hätte. Er hätte vollständige Übereinstimmung mit MANSTEIN in allen politischen und militärischen Fragen festgestellt. Der Marschall sei nicht

bereit gewesen die Initiative im Umsturz zu ergreifen.Er hatte
am Ende der Unterredung jedoch sein Wort gegeben,bei einem Umsturz sich zu Generaloberst BECK und nicht zu Himmler oder Göring
stellen.

Feldmarschall v. WEICHS- Oberbefehlshaber der Heeresgruppe
"F"(Balkanen). Nach den Angaben der Generale STIEFF, LINDEMANN,
sowie STAUFFENBERG ist es mir bekannt,daß v. WEICHS der Organisation nahe steht.

Ich entsinne mich eines Gespräches mit General LINDEMANN im
Oktober I943 in seiner Wohnung im Hauptquartier. LINDEMANN sagte:

> " Auch Feldmarschall v. WEICHS steht
> wie ich bei einem Besuch kürzlich
> feststellen konnte, voll auf unserer
> Seite."

Feldmarschall v. KÜCHLER- gew. Oberbefehlshaber der Heeresgruppe " Nord". Auch über diesen brachte mir der General der Art.
LINDEMANN ein Urteil, als er von der Heeresgruppe " Nord" zurückkam. Es war im November I943, wieder in der Wohnung des Generals.
LINDEMANN sagte, daß Feldmarschall v. KÜCHLER nicht bereit sei
selbst die Initiative zu ergreifen. Aber wenn wir handeln, stehen
er und sein Chef des Generalstabs- Generalmajor KIENZEL voll auf
unserer Seite. Die Haltung der Führung der Heeresgruppe " Nord"
ist damit sicher.

Generaloberst ZEITZLER-gew. Chef des Generalstabs. Ab seinem
Stellungsantritt ist er aus einem Anhänger Hitlers zu einem seiner
Gegner geworden.

Wie mir der General STIEFF erzählte,entstanden zwischen Hitler
und ZEITZLER ernste Widersprüche inbezug auf Auflösen der Luftwaf-
fenfelddivisionen, Aufstellung neuer Divisionen ohne Fehlstellen-
besetzung der vorhandenen Verbände.usw.

Während des Gespräches mit STAUFFENBERG im Mai I944 in Berlin,
haben wir den Entschluß gefasst, ZEITZLER wenn möglich einzuweihen
Ob dies der Fall war, ist mir nicht bekannt.

Dafür spricht die Tatsache,daß ZEITZLER etwa am IO.Juli I944
während seines Vortrages beim Führer ohnmächtig wurde und seit
der Zeit aus Krankheitsgründen durch GUDERIAN ersetzt wurde.Möglich
steckte dahinter die Absicht,daß er bei dem Attentat nicht anwesend sei.

Ich weise ausdrücklich auf die Fraglichkeit dieser Kombination hin.

Sein Adjutant Oberstleutnant i. G. SMEND äußerte mir gegenüber folgende Aussprache ZEITZLER"s :

> " Ich weiß ,daß um General FELLGIEBEL eine starke Gruppe gegen Hitler sogar mit weiteren Zielen sich schart.Ich werde mich in die Sache nicht einmischen,denn sonst fliegt der ganze Generalstab auf."

Später, im März 1944 hatt er dem Führer seinen Rücktritt angeboten.Gründe waren,soweit ich mich besinne, operativer (Krim, Dnjeprbogen) und organisatorischer(Aufstellung neuer Divisionen) Art. Danach hat ZEITZLER STIEFF gegenüber offen geäußert, daß mit Hitler der Zusammenbruch Deutschlands unvermeidlich wäre.

General d. Inf. WÖHLER- Befehlshaber der 8. Armee.Gilt als einer der befähigsten Generalstabsoffiziere und Truppenführer. Am 3. Juni 1944 bei meiner letzten Unterredung mit STAUFFENBERG in Berlin sprachen wir über die Besetzung des Postens des Chefs des Generalstabs,wobei STAUFFENBERG WÖHLER als einen der geignetesten Offiziere nannte.

Als General STIEFF im November 1943 von einer Reise zum AOK 8 zurückkehrte, erzählte er mir:

> " Ich habe mit General WÖHLER und seine Chef des Stabes- General SPEIDEL ganz offen von unserem Vorhaben gesprochen. Beide versicherten mich,daß, wenn die Nachricht käme, der Führer sei tot,würden sie sich sofort unter Befehl des Generaloberst BECK stellen. Zwischenfälle, besonders seitens einzelner SS- Verbände seien möglich, aber leicht zu überwinden."

Generaloberst HALDER- gew. Chef des Generalstabes.

Einer der klügsten arbeitsamsten Köpfe.Klarer Hitlergegner aber keine Kämpfernatur.Soweit mir bekannt,in die Organisation nicht eingeweiht.

In diesem Sinne lernte ich Generaloberst HALDER kennen, während meiner Tätigkeit im OKH bis zu seinem Weggang im Oktober 1942.

Mein Chef -Oberst i.G. MÜLLER-HILDEBRAND kannte HALDER näher
und behauptete,daß er im engen Kreis seiner Vertrauten sich gegen
Hitler geäußert hätte. Konkrete Gespräche sind mir unbekannt.

STAUFFENBERG war mehrmals im Auftrage von HALDER an der Front
gewesen, so z. B. 1942 zum Bericht über die gelungene Einkesselung
sowjetischer Truppen im Raum Losowaja.

HALDER erzählte STAUFFENBERG über Gründe,die ihn bewegten,seinen
Posten zu verlassen. Es waren persönliche Gegensätze zwischen Hitler und HALDER, eine Zusammenarbeit der beiden war unmöglich. Nähe-
res darüber ist mir unbekannt.

General d. Inf. HEUSINGER - Chef der Operativen Abt. des Generalstabes, bosonders großer Kenner in operativen Fragen.Ein überzeugter Hitlergegner, was durch die Angaben, die ich vom Grafen KILL-
MANSEGG, sowie von STIEFF und STAUFFENBERG habe, bestätigt ist.
STAUFFENBERG erzählte,daß HEUSINGER die Notwendigkeit des Umsturzes
voll versteht, aber, daß er nur nach dem Beginn des Handelns aktiv
wird. Dieses Gespräch fand statt im November oder Dezember 1943
im OKH.

Reichsminister v. NEURATH- Über ihn ist mir nur bekannt,was STA-
UFFENBERG im Februar 1944 in Berlin sagte:

> " NEURATH ist sich selbstverständ-
> lich im Klaren, wohin der derzeitige
> Kurs führt und denkt wie wir."

Herzog v. RATIBOR. - kenne ich durch persönlichen Verkehr.Im
April- Mai 1944 habe ich mit ihm oft in Bad Kudowa verkehrt. In
allen Äußerungen ist er zurückhaltend, da mehrere seiner Angehörigen sich im Konzentrazionslager befinden.

Als wir über die Entwicklung der SS sprachen, äußerte RATIBOR
seine Empörung darüber,daß die Wehrmacht allmählich durch SS verdrängt wird. RATIBOR fragte mich,was kann den Zusammenbruch der
Fronten verhindern. Ich habe ihm keine Antwort geben können. Über
das Umsturzvorhaben habe ich ihn nicht unterrichtet.

Herzog v. RATIBOR hat scharf das Hitlersche System der Verwaltung in besetzten Gebieten kritiziert. Was den Krieg gegen Rußland
anbetrifft ,erklärte er, daß er Anhänger der Bismarckschen Politik
ist und war und daß der Krieg mit Rußland ein Verbrechen sei.

General d. Inf. STAPF.- Eine Persönlichkeit vom besoderen
Format insbesondere auf taktischem und operativem Gebiet.

Dank seiner vielen geistigen Interessen, vor allem aber durch
seine Stellungen hat er sich einen großen politischen Weitblick
angeeignet.

Als Offizier i.G. war er 1938/39 Chef der Org.Abt., 1939/40 -
General des Heeres bei Güring, weiterhin Kommandeur der III. I.D.
und Kdr. des 44. AK. Von dieser Stellung wurde er abgesetzt als
angeblich Schuldige für den Durchbruch der russischen Truppen
bei Losowaja im Februar 1942. Zur Zeit: Chef des Wirtschaftsstabes "Ost".

General STAPF ist besonders scharfer Hitlergegner,ist aber
nicht in die Organisation eingeweiht.

Ich kenne General STAPF bereits IO Jahre. Uns bindet erstens
seine Freundschaft mit meinen Eltern und zweitens meine Arbeit
als erster Ordonanzoffizier in seinem Stab.

Im Frühling 1944 hab ich STAPF zum letzten Mal gesprochen.
Dabei hat er seine Hoffnung auf kommenden Umsturz geäußert.In
Gesprächen mit mir und anderen vertrauten Personen betonte STAPF
die Unvermeidlichkeit des Umsturzes.

Als Chef des Wirtschaftsstabes "Ost" hat STAPF persönlichen
Zugang zu Güring.

Im Januar 1944 teilte mir STAUFFENBERG mit,daß General
STAPF nach dem Umsturz als neuer Eisenbahnminister eingesetzt
wird.

General der Kavallerie KÖSTRING- gew. Militärattaché in
Rußland.

Mit General KÖSTRING war die Org. Abt. des Generalstabes
eng verbunden,da KÖSTRING die sogenanten " Freiwilligenverbände"
führte. Ich habe mich oft mit ihm und seinem Freund v. BITTEN-
FELD getroffen und lernte KÖSTRING als einen Menschen mit hoher
Bildung und umfassender Erfahrung schätzen. Er hat offen mit mir
gesprochen und ziemlich scharf die deutschen Verhältnisse kritisiert.

KÖSTRING behauptete,daß das Fehlen klarer politischen
Ziele für die "Freiwilligenverbände" deren Zerfall bedeutet,und
darum seine Arbeit völlig sinnlos sei.

Wegen solcher politischen Stimmungen wurde KÖSTRING vom
Führer nie empfangen trotz der Tatsache,daß einer der größten

Kenner Rußlands ist.

KÖSTRING war und ist für eine Zusammenarbeit mit Rußland, folglich ist er der Gegner der Hitlerpolitik.

Botschaftsrat Herwarth v. BITTENFELD. -war in Moskau zusammen mit dem Gesandten v. SCHULENBURG, die letzte Zeit als Botschaftsrat. Er ist ein Freund Rußlands und verfügt über zahlreiche Verbindungen in Deutschland und im Außlande.

v. BITTENFELD begleitet oft General KÖSTRING und ist mit ihm, sowie auch mit v. SCHULENBURG eng befreundet.

Meine freundschaftlichen Beziehungen zu BITTENFELD fußen auf gleicher politischen Einstellung.

Herwarth v. BITTENFELD war durch mich in die Organisation eingeweiht und wollte aktiv an den Umsturzvorbereitungen mitmachen.

Ergänzend zum Bericht ist noch ein Wort über die Verbindungen der Verschwörer zu der Luftwaffe zu sagen. Dazu maßgebend ist eine Äußerung STAUFFENBERG"s im November 1943 während des Gespräches mit mir und General OLBRICHT.

STAUFFENBERG war sicher, daß im Falle des Umsturzes die Führung der Luftwaffe sich passiv verhalten wird. Er wies auf eine starke Unzufriedenheit betreffend Göring in der führenden Kreisen der Luftwaffe. Diese Angaben hat STAUFFENBERG von dem Verschwörer- Inspektor der Nachtjagd- Oberst FALK entnommen. Es ist mir bekannt, daß außer FALK eine Reihe anderer führenden Personen der Luftwaffe der Organisation nahe standen, aber konkrete Namen kann ich nicht nennen, da mir jede Unterlagen fehlen.

Ein Beweis für eine in der Luftwaffe bestehende scharfe Gegnerschaft in der Führung und die Widersprüche mit Göring ist der Selbstmord des Generaloberst JESCHONNEK, Chef des Generalstabs der Luftwaffe.

Es ist mir von General FELLGIEBEL bekannt, daß JESCHONNEK nicht wie das OKW meldete gestorben ist, sondern sich das Leben genommen hat, weil er nicht mehr in der Lage war, die Verantwortung für die begangenen Fehler der Führung zu tragen.

In der letzten Zeit sprach man oft im OKW über verschärfte Gegensätze zwischen Hitler und Göring.

Major i. G. WÜRTZ erzählte mir, daß Göring nur selten zum Vortrag beim Hitler erscheint und das von früher vertraute "Du" zwischen Hitler und Göring wäre weggefallen.

Es ist fast als ein Wunder zu bezeichnen, daß aktive ein-
jährige Tätigkeit der Organosation nicht durchden SD aufgedeckt
wurde. Ursache dieses Erfolges war , daß der Kreis der in die
Organisation Eingeweihten so sorgfältig wie möglich gewählt war.
Vor allem aber ist es ein Beweis für die Geschlossenheit und
hitlergegnerische Stimmungen im Generalstab und des größten Teils
des gesammten höheren Offizierskorps.

Eine Reihe höherer SD-Führer hat mehrfachVersuche unternommen in die Kreise durchzudringen,wo vermeintlich eine oppo-
sitionelle Organisation zu suchen sei. So erzählte mir General
FELLGIEBEL,daß ein hoher SD- Beamter im Gespräch mit General
FALKENHAUSEN Fragen gestellt hat;"So weiter kann es nicht gehen,
man muß etwas unternehmen".

General FELLGIEBEL wußte noch eine Reihe ähnliche Beispiele.

Es scheint mir,daß der Bericht nicht geschlossen werden
kann, ohne kurz die Gründe zu betrachten, die zum Fehlschlag geführt haben mögen.

Hierzu muß ein Gespräch mit STAUFFENBERG erwähnt werden,
das drei Stunden dauernd ich mit STAUFFENBERG in seiner Wohnung
in Berlin hatte. Ich sagte damals , daß während meiner Krankheit
ich genügend Zeit hatte, um die Lücken unserer Organisation
festzustellen.Es scheinen mir folgende zu sein:

I. Für das Attentat selbst mußte ein sofort wirkendes
Material und eine Person,die sich zu opfern bereit ist ,gefunden
werden.

Meiner Meinung nach passte General STIEFF nicht dazu,
da ich aus seinen Worten Schwankungen entnahm. Daher ist eine neu
ue Person zu suchen.

2. Nachdem MODEL und SCHÖRNER Heeresgruppen- Oberbefehlshaber geworden sind,ist es mehr denn je notwendig eine möglichst höher gestellte Persönlichkeit zu finden, die die Kommandogewalt auf die Truppen ausüben kann. Meiner Meinung nach konnte es nur der Chef des Generalstabes, d. h ZEITZLER sein.

3. Die Breite der Organisation ist zu gering,die Masse
muß irgenwie in die Vorbereitung eingeschaltet werden.

STAUFFENBERG war damit einverstanden,daß die von mir auf-
geworfenen Fragen für die Organisation äußerst wichtig sind und

erwähnte,daß diese Fragen bereits im engen Kreis besprochen wurden. Es wurde beschlossen ,eine neue Person für das Attentat zu
finden.

Was ZEITZLER anbetrifft,so wollte STAUFFENBERG mit ihm offen
sprechen. Ich habe ihm das abgeraten und schlug vor unsere Absicht
so verschleiert zu sagen,daß er die Möglichkeit eines Rückzuges
hat,da anderenfalls damit zu rechnen sei,daß ein Treugefühl zu
Hitler im ZEITZLER erwachen kann und er imstande ist uns zu verraten. Diese Frage in unserem Gespräch blieb offen.

Zum dritten Punkt- der Erweiterung der Organisation- sagte
STAUFFENBERG,daß diese Frage besonders oft in Anwesenheit von
BECK und OLBRICHT besprochen wurde,aber es wurde nichts konkre-
tes in diesem Sinne getan.

STAUFFENBERG betonte,daß die ernsteste Gefährdung der ganzen Aktion erlaubt nicht die breiten Massen der Bevölkerung in
die Umsturzvorbereitungen einzuschalten. In diesem Gespräch äußerte STAUFFENBERG seinen festen Entschluß zur endgültigen Aktivierung , da schnellstens Frieden benötigt wird.

Wir verabschiedeten uns und ich sollte ihn nicht mehr
wiedersehen.

Den Inhalt dieser Unterredung erzählte ich dem Oberleutnant v. HAGEN, von dem ich hoffe ,daß er nicht verhaftet ist.

Einzelheiten über Verlauf des 20. Juli kann ich nicht
berichten, da ich zu der Zeit an der Front war.

Was kann nun zum Fehlschlag des 20. Juli geführt haben?

Es wird gesagt,daß das Mittel beim Attentat unzureichend
wäre, ferner,daß die Mobilmachung und Zusammenstellung von Ersatz
truppenteilen wäre nicht durchschlagkräftig genug gewesen und
endlich,weil die Revolutionierung des Volkes nicht stattfand.

Ich bin anderer Auffassung.Grundlage all unserer Überlegungen und unseres Handelns war: nur der Umsturz von oben, nicht
die Revolution von unten kann den Nationalsozialismus beseitigen
und schnellen Frieden bringen.

Überwachung, Spitzelsystem und sonstige Abwehrmaßnahmen
sind in Deutschland in einem solchen Umfang entwickelt,daß nur
ein schlagartier , völlig geheimgehaltener Umsturz Aussicht auf
Erfolg hat.

Die erste und einzige Voraussetzung hierzu war und ist der Tod Hitlers.

Wir dachten,daß das Attentat in technischer Hinsicht ausreichend vorbereitet ist, aber mangels der Erfahrung waren wir nicht imstande den Zufall auszuschalten.

Ich erwähnte schon,daß ich im Prinzip Gegner terroristischer Akte bin,genau so ,wie andere an der Verschwörung Beteiligte. Aber unter diesen Umständen sahen wir keine andere Möglichkeit, den revolutionären Willen des Volkes in die Tat umzusetzen.

Wir mögen uns geirrt haben.Wir sind Offiziere und derartige Erfahrungen haben wir nicht gehabt. Eines aber möchte ich betonen, Wir handelten nach bestem Wollen und unser Ziel entsprach dem Wusche des größten Teils des deutschen Volkes.

K U H N.

Anmerkungen

Vorwort

1 Peter Hoffmann, Claus Schenk Graf von Stauffenberg und seine Brüder, 3. Auflage, Stuttgart 2004, S. 374–376; ders., «Tresckow und Stauffenberg. Ein Zeugnis aus dem Archiv des russischen Geheimdienstes», in: Frankfurter Allgemeine Zeitung v. 20. Juli 1998, 8–9; die Angaben über Kuhn in Peter Steinbach und Johannes Tuchel, Hrsg., Lexikon des Widerstands, München 1994, sind grossenteils unrichtig.

2 V. K. Vinogradowa und V. P. Gusajenko, «Proval Operazii ‹Valkirij›», Voenno-istoricheskii archiv 3/1993 77–83.

3 Telephongespräch mit Bundeskanzler H. Kohl 10. Aug. 2004.

4 Hoffmann, Tresckow und Stauffenberg.

5 Marie Gabriele Gräfin Stauffenberg gab ihre Briefe von Kuhn nach dem 20. Juli 1944 zur Aufbewahrung einer entfernten Verwandten, Lili Freifrau von Schönau-Wehr in Freiburg, diese hat sie wenige Tage später vernichtet; Marie Gabriele Schenk Gräfin von Stauffenberg (MGGS) z. Verf. 8. Mai 2005; Gagi Stauffenberg, Aufzeichnungen aus unserer Sippenhaft 20. Juli 1944–19. Juni 1945, [Privatdruck, Berlin, 2002] 13. Gräfin Stauffenberg bewahrte aber ihre Taschenkalender und einige Photographien auf und erhielt nach dem Krieg Berichte von Kameraden und Mitgefangenen.

6 Regierungsdirektor Franz, Bezirksfinanzdirektion (BFD) Ansbach z. Verf. 20. Juni 2006.

7 Boris Chavkin, «Verdächtigungen an beiden Fronten. Joachim Kuhn hat das Attentat auf Hitler mit vorbereitet – und saß dafür in sowjetischen Gefängnissen», Moskauer Deutsche Zeitung 22. März 2002.

Herkunft und Karriere

1 Hierzu u. z. Folg. GEN Büro für Erbenermittlungen, Hannover an d. Verf. 22. Juli 2005; Stadtarchiv Cottbus an d. Verf. 30. Nov. 2005; Vernehmung Kuhns in Moskau, 26. Sept. 1951, Zentralarchiv des Sicherheitsdienstes der Russischen Föderation (Federalnaya Sluzhba Bezopasnosti Rossiyskoy Federatsii, FSB, früher KGB), MGB-Akte P-46988 Joachim Kuhn (Sledstvennoe delo 5141= Kuhn-Strafakte Nr. 5141); künftig: MGB-Akte P-46988 Joachim Kuhn; Leibniz-Gymnasium, Berlin an d. Verf. 13. Aug. 2005; Geheimes Staatsarchiv Preussischer Kulturbesitz, Berlin, 1. Feb. 2006 auf Grund der Königsberger Adreßbücher; Berliner Adreßbuch 1908–1911, jeweils im Dezember vor dem Jahr im Titel erschienen; Auguste Kuster steht im 1907 erschienenen Berliner Adreßbuch für 1908 noch als Frl. Auguste Kuster, im 1910 erschienenen Berliner Adreßbuch für 1911 als Frau A. Will.

2 GEN an d. Verf. 30. Nov. 2005; 13. Dez. 2006.

3 Bundesarchiv (BA) Berlin R 1501/127681; der Referent im Innenministerium war Oberregierungsrat Dr. Globke; eine Kopie der Heiratsurkunde mit dem Vermerk vom 14. Feb. 1938 verdanke ich dem GEN Büro für Erbenermittlungen, Hannover, an d. Verf. 2. Aug. 2005.

4 MGGS z. Verf. 3. Aug. 2004 u. 31. Juli 2005; Eigenhändige Aussagen des Kriegsgefangenen Major der deutschen Wehrmacht Ioachim Kuhn vom

2. September 1944, 25 masch. Seiten, hier 4, MGB-Akte P-46988 Joachim Kuhn; Dipl.-Ing. Otto F. Stapf 6. Juni 2006 z. Verf. u. Stapf an d.Verf. 16. Juni 2006: «Es muss wohl noch während des Krieges – wohl 1944 – gewesen sein, dass meine Mutter mir mitteilte, Frau Kuhn habe sich als Gräfin Klinkkowström bezeichnet.» 1951 in Moskau sagte Kuhn auf die Frage nach seiner Herkunft nur, seine Mutter sei in Königsberg mit dem Namen Kuster geboren, stamme aus einer Bauernfamilie und habe in Berlin am Gymnasium die mittlere Schulbildung erhalten. Vernehmungsprotokoll des Inhaftierten KUHN Joachim 26. September 1951, MGB-Akte P-46988 Joachim Kuhn. Hier ging es um Anklage und Entlassung oder Verurteilung, der Hinweis auf einen gräflichen Kavalleriegeneral mochte inopportun erscheinen. Am 12. Mai 1954 schrieb Kuhns Mutter an MGGS, vor einigen Wochen sei sie bei einem Geistlichen «in der Zone» gewesen, der fragte sie aus «nach Ostpreussen, Eltern u. s. w.», er sei auch Ostpreusse und im Sinne Joachims interessiere ihn die Frage. Frau Kuhn schloss daraus, dass man Angaben, die Kuhn machen musste, überprüfen wolle. «Ich antwortete ihm genau, wie es ist. Was ihn sehr erfreute.»

5 Bundesarchiv-Militärarchiv (BA-MA) an d.Verf. 5. Aug. 2005. In Königsberg, wo Kuhns Mutter geboren wurde, wohnten zu der Zeit die Gräfinnen W. und A. von Klinckowstroem; Geheimes Staatsarchiv Preussischer Kulturbesitz, Berlin, 1. Feb. 2006 auf Grund der Königsberger Adreßbücher.

6 Hierzu u. z. Folg. Rudolf Absolon, Die Wehrmacht im Dritten Reich, Band I, Boppard am Rhein 1969 154–156; Klaus-Jürgen Müller, Das Heer und Hitler, Stuttgart 1969, Dok. 3, 592–593; MGGS z. Verf. 5. Aug. 1998, 2. Juli 2006, auf Grund einer Mitteilung von Claus Graf Stauffenberg oder seiner Frau Nina, nicht von Kuhn.

7 Reichsgesetzblatt Teil I Jahrgang 1935, Berlin, 1935 Nr. 125, 1333–1336; MGGS z. Verf. 2. Juli 2006. Als Kuhn 1943 zu heiraten beabsichtigte, ging es bei der Beschaffung der nötigen Papiere, wie des Ehetauglichkeitszeugnisses, um die vorgeschriebene Feststellung der «Erbgesundheit», Fragen der Abstammung kamen nicht zur Sprache.

8 Kuhn, «Meldung», Leibniz-Gymnasium Berlin; am 22. März 1928 wurde Kuhn konfirmiert: Eintrag in MGGS, TK für 1948 auf Grund von Mitteilungen der Mutter J. Kuhns; MGGS z. Verf. 8. Mai 2005.

9 S. unten 119–120.

10 Hierzu u. z. Folg. Akten des Leibniz-Gymnasium Berlin.

11 Hierzu u. z. Folg. Entschädigungsakte Joachim Kuhn, Landesamt für Bürger- und Ordnungsangelegenheiten Berlin Abt. I Entschädigungsbehörde (LABO) RegNr. 212730; Kuhn, Eigenhändige 4; Reichskriegsgericht 6. Feb. 1945, Feldurteil in der Strafsache gegen den fr. Major i. G. Joachim Wilhelm Georg Kuhn (künftig Feldurteil Kuhn), BA-MA «Prag-Film» M 1010/A63. Ferner Kuhns Lebenslauf vom 14. Dez. 1956, in den Akten der BFD Ansbach; die Angaben Kuhns zu verschiedenen Zeitpunkten stimmen nicht immer in allen Einzelheiten überein; vgl. z. B. «Melde- und Personalbogen zu § 81 des Bundesgesetzes zu Artikel 131 GG» vom Februar 1956 (BFD Ansbach) u. Auskunft der Deutschen Dienststelle (WASt) Berlin (DDSt) an d.Verf. 17. Mai 2005; die Abweichungen sind gering; aus dem Feldurteil Kuhn geht hervor, dass dem Gericht die Personaldaten Kuhns vorlagen, sie werden dort jedoch auch nicht ganz richtig zitiert, z. B. heisst es im Feldurteil: «Im Oktober 1932 trat er als Fahnenjunker in's 5. Pi.Btl. ein.» Andererseits wird im Feldurteil für die Beförderung zum Leutnant das Datum «Oktober 1934» angegeben,

während die DDSt dafür keine Unterlage hat. Der Verf. folgte den präziseren Angaben in Kuhns Aufstellung «Truppenteile», mit dem Vorbehalt der begrenzten Überprüfbarkeit der überall geringfügigen Abweichungen. Im August 1958 schrieb Kuhn in einem Lebenslauf, er habe 3 Semester studiert bis zur Vollendung des 18. Lebensjahres, vor der er nicht in die Reichswehr eintreten konnte, er war aber am 2. Aug. 1931 achtzehn, muss also aus anderen Gründen den Eintritt verschoben haben; Fragment des Lebenslaufes vom 21. Aug. 1958 im Besitz von Frau Maria Engelbreit.

12 Abgangskartei, BA-MA an d.Verf. 28. Dez. 2005. Hier wurden die Angaben aus dem Lebenslauf vom Dez. 1956 übernommen; in «Truppenteile» steht für Ulm 1.19.1934–5.10.1936, Pforzheim ist dort nicht aufgezählt. Kuhn, Vernehmung 23. Aug. 1951; Einheiten: Aufstellung Kuhns und Dienstlaufbahnbescheinigung in BFD Ansbach; vgl. Georg Tessin, Verbände und Truppen der deutschen Wehrmacht und Waffen SS im Zweiten Weltkrieg 1939–1945, Zweiter Band, 2. Auflage, Osnabrück 1973; Feldurteil Kuhn 2–3; MGGS z. Verf. 8. Mai 2005; Kuhn, Lebenslauf Dez. 1956.

13 Kuhn, Vernehmung 23. Aug. 1951; Einheiten: Aufstellung Kuhns und Dienstlaufbahnbescheinigung in BFD Ansbach; vgl. Tessin, 2. Band; Feldurteil Kuhn 2–3; MGGS z. Verf. 8. Mai 2005; Tag der Verwundung 7. Juni 1940 lt. DDSt an d.Verf. 17. Mai 2005; Kuhn, Lebenslauf Dez. 1956.

14 Kuhn, Truppenteile; Kuhn, Lebenslauf 14. Dez. 1956; DDSt an d.Verf. 17. Mai 2005; BA Aachen an d.Verf. 19. Aug. 1998; Feldurteil Kuhn 2; zu den Kämpfen d.Div.s: Friedrich Musculus, Geschichte der 111. Infanterie Division 1940–1944, Hamburg 1980.

15 Kuhn, Truppenteile; Kuhn, Lebenslauf 14. Dez. 1956; DDSt an d.Verf. 17. Mai 2005; BA Aachen an d.Verf. 19. Aug. 1998; die Generalstabslehrgänge waren seit Januar 1940 zur schnelleren Heranbildung des Nachwuchses abgekürzt, bis die Kriegsakademie am 1. März 1943 wieder aufgestellt wurde; Absolon, Band V, Boppard am Rhein 1988 78–79. Kuhn sagte in der Vernehmung 24. Aug. 1951 (MGB-Akte P-46988 Joachim Kuhn), er habe vom 6. Nov. 1941–3. Feb. 1942 eine Ausbildung in der Artillerieschule in Jüterbog absolviert; Kuhn, Eigenhändige 4; Vernehmung Kuhn 23. Aug. 1951, MGB-Akte P-46988 Joachim Kuhn; Feldurteil Kuhn 3; BA Aachen an d. Verf. 19. Aug. 1998; MGGS z. Verf. 3. Aug. 2004. Zu B. Klamroth s. a. Wibke Bruhn, Meines Vaters Land, Berlin 2004.

16 Kuhn, Eigenhändige 4: «Dort [im Generalstab] war ich als Generalstabsoffizier mit Unterbrechungen durch Krankheit bis März 1944 in der Gruppe II tätig.» «Spiegelbild einer Verschwörung». Die Opposition gegen Hitler und der Staatsstreich vom 20. Juli 1944 in der SD-Berichterstattung, hrsg. von Hans-Adolf Jacobsen, Stuttgart-Degerloch 1984 54, 129: «stellvertretender Gruppenleiter III bei Generalmajor Stieff». DDSt an d. Verf. 17. Mai 2005; Kuhn, Eigenhändige 21; Feldurteil Kuhn 3; MGGS z. Verf. 3. Aug. 2004, 14. Mai u. 17. Okt. 2005.

17 Feldurteil. In der Strafsache gegen den Generalleutnant Gustav Dietrich Adolf Heisterman von Ziehlberg, geboren am 10.12.1898 in Hohensalza, wegen Ungehorsams, 21. Nov. 1944, BA-MA «Prag-Film» M 1010/A13 (2. Feldurteil Ziehlberg) 5; Kuhn, Truppenteile; H. Kuhn an MGGS 16. Juni 1948; BA Aachen an d.Verf. 19. Aug. 1998; Anlagenband zum Ktb. A.O.K. 2/Ia 19.7.44, Ferngespräche am 19.7.1944, BA-MA RH 20/2/935; Kuhn, Eigenhändige 4; Vernehmung Kuhn 23. Aug. 1951, MGB-Akte P-46988 Joachim Kuhn; MGGS z. Verf. 3. Aug. 2004; Tessin, Zweiter Band 83–86.

18 2. Feldurteil Ziehlberg 6–7; Feldurteil Kuhn 3; MGGS z. Verf. 15. Mai 2005; Anlagenband zum Ktb. A.O.K. 2/Ia 26.7.44, Ferngespräche (General Herrlein mit Generalfeldmarschall Busch), BA-MA RH 20/2/942; Wiedergutmachungsbescheid 26. März 1958 , BMI BA B 106/67583, BMI u. BFD Ansbach.

19 Kuhn, Melde- und Personalbogen I u. Kuhn, Lebenslauf 14. Dez. 1956, BFD Ansbach; Standesamt Bad Brückenau 7. März 1994, Amtsgericht Bad Kissingen an d.Verf. 28. April 2005.

Stauffenberg gewinnt Kuhn

1 BA Aachen an d.Verf. 19. Aug. 1998 u. 17. Mai 2005; Kuhn, Eigenhändige 4; MGGS z. Verf. 5. Aug. 1998, 2. Juli 2006.

2 Hoffmann, Stauffenberg 251–258, 263–266; vgl. Bernhard R. Kroener, «Der starke Mann im Heimatgebiet». Generaloberst Friedrich Fromm, Paderborn, München, Wien, Zürich 2005 254–261, 409–417, 457–481; Kuhn, Eigenhändige 4–5.

3 Spiegelbild 304–307, 312, 321, 333–335, 395–396, 402–404; Hans Karl Fritzsche, Ein Leben im Schatten des Verrates. Erinnerungen eines Überlebenden an den 20. Juli 1944, Freiburg im Breisgau 1984 65.

4 Dagmar Albrecht, Mit meinem Schicksal kann ich nicht hadern … Sippenhaft in der Familie Albrecht von Hagen, Berlin 2001 81; August Graf Kageneck, Zwischen Eid und Gewissen. Roland von Hösslin, ein deutscher Offizier, Berlin 1991; Hoffmann, Stauffenberg 274; Spiegelbild 94–95.

5 Kuhn, Eigenhändige 5; zu Stauffenbergs Werbemethoden Spiegelbild 373 u. unten 19–21; HPA-Kartei der Gen.St.Offz., NA RG 242; Kuhn, Vernehmung 24. Aug. 1951, MGB-Akte P-46988 Joachim Kuhn; Hoffmann, Stauffenberg 162–165, 214, 241–242, 251, 457–460.

6 Kuhn, Eigenhändige 5–6.

7 Hoffmann, Stauffenberg 342, 458–460.

8 Spiegelbild 304; Hoffmann, Stauffenberg 317.

9 Hoffmann, Stauffenberg 239, 270–271, 320–321, 333–334; Spiegelbild 256–259, 304–307, 312 (Scholz-Babisch, Truchsess von Wetzhausen, Leonrod, Finckh, Erdmann), 313 (Finckh), 321 (Leonrod), 333–335 (Blumenthal), 372–373 (Hösslin), 395–396, 402–404 (Sauerbruch).

10 Vgl. dazu Wilhelm Treue, Hrsg., «Hitlers Denkschrift zum Vierjahresplan 1936», Vierteljahreshefte für Zeitgeschichte (VfZ) 3 (1955) 209–210.

11 Spiegelbild 304–307, 312–313, 372–373 (Hösslin); manche Kommentatoren haben aus der Weitergabe solch harter Kritik den Schluss gezogen, die Kommission habe auf diesem Wege auf Hitler einwirken wollen; vgl. Hans Rothfels, «Zerrspiegel des 20. Juli», VfZ 10 (1962) 62–63.

12 Kuhn, Eigenhändige 5; Stauffenbergs Denken hatte schon früher diese Reihenfolge; Hoffmann, Stauffenberg 236, 249.

13 Hans Bernd Gisevius, Bis zum bittern Ende, Bd. II, Zürich 1946 313.

14 Kuhn, Eigenhändige 6.

15 Hoffmann, Stauffenberg 270–271; Kuhn, Eigenhändige 6.

16 MGGS TK 5. Feb. 1943: «Nach dem Essen Claus u. Nina beide in's Hotel gekommen. Claus auf dem Weg nach Tunis.» Nina Gräfin Stauffenberg und MGGS erinnern sich nicht, ob Kuhn zur Sprache kam; N. Gräfin Stauffenberg und MGGS z. Verf. 22. Mai 2005; MGGS z. Verf. 3. Aug. 2004; MGGS, TK und TK ihrer Mutter E. Gräfin Stauffenberg 23. März 1943.

1 MGGS TK 29. März 1943; s. Maria Theodora von dem Bottlenberg-Landsberg, Karl Ludwig Freiherr von und zu Guttenberg 1902–1945, Berlin 2001.

2 MGGS z. Verf. 22. Aug. 2001; Marikje Smid, Hans von Dohnanyi – Christine Bonhoeffer. Eine Ehe im Widerstand gegen Hitler, Gütersloh, 2002 341–344; MGGS an d. Verf. 6. Juni 2001: «Vom 10. April 1943 bis 18. April 1943 meine Tante, Frau von Karl Ludwig Guttenberg Therese Guttenberg in Jettingen. In diesen Tagen bemerkte sie bei Joachim Kuhn eine starke Erregung, die wohl durch ein Telefon von Berlin ausgelöst wurde. [...] Meine Tante hat mir erst 1945 oder 46 von dieser Feststellung erzählt.» MGGS z. d. Verf. 3. Aug. 2004: Ihre Tante habe ihr das im Herbst 1944 erzählt.

3 MGGS TK 23. u. 24. April 1943; MGGS z. Verf. 3. Aug. 2004, 8. Mai u. 16. u. 17. Okt. 2005.

4 Johann Wolfgang Goethe, Epen, West-östlicher Divan, Theatergedichte, 2. A., Zürich und Stuttgart 1959 243; Kuhn, Meldung.

5 Hierzu u. z. Folg. Leibniz-Gymnasium Berlin; die Brüder Stauffenberg hatten sich am Beginn ihrer beruflichen Ausbildung ebenfalls zu den Grundsätzen des Dienstes an der Nation erklärt; Hoffmann, Stauffenberg 46–47, 297; MGGS z. Verf. 17. u. 19. Okt. 2005; MGGS TK und TK ihrer Mutter E. Gräfin Stauffenberg April u. Mai 1943; Kuhn, Eigenhändige 6 datiert eine entsprechende Äusserung Stauffenbergs auf 6. Mai 1943.

6 Hierzu u. z. Folg. MGGS, TK Mai u. Juni 1943; MGGS z. Verf. 16.–17. Juni, 17. Okt. 2005, 2. Juli 2006; TK E. Gräfin Stauffenberg 24. Mai 1943; Markwart Graf Stauffenberg z. Verf. 21. Juli 1984, 16. Aug. 1985; Kuhn, Eigenhändige 6. Ob Kuhns Reise nach Paris mit der Verschwörung zusammenhing, ist nicht überliefert, MGGS war über Dinge der Verschwörung nicht unterrichtet; ein Hinweis wäre, dass eine Kusine von Marie Gabriele Gräfin Stauffenberg, Lucie Ingelheim, im Stab des Militärbefehlshabers Frankreich und führenden Verschwörers General Carl Heinrich von Stülpnagel arbeitete und über ihre Mutter (Tante Lelo) in Jettingen die Durchfahrt Kuhns am 27. Juni mitteilen liess; MGGS 8. Mai 2005.

7 MGGS, TK 28.–29. Juni 1943; MGGS z. Verf. 8. u. 14. Mai, 26. Okt. 2005.

8 MGGS z. Verf. 8. u. 14. Mai 2005; Maria Engelbreit z. Verf. 15. u. 16. Mai 2003.

9 MGGS z. Verf. 8. Mai u. 23. Okt. 2005.

10 Pfarrer Dziwisch war von 1938 bis Kriegsende im St.-Hedwigs-Krankenhaus tätig; Landeskirchliches Archiv Berlin-Brandenburg an d. Verf. 1. u. 30. Nov. sowie 6. Dez. 2005.

11 MGGS z. Verf. 8. Mai 2005.

12 MGGS, TK Juni u. Juli 1943; MGGS z. Verf. 23. u. 24. Mai, 23. Okt. 2005.

13 MGGS, TK Juli 1943; TK E. Gräfin Stauffenberg Aug. 1943; MGGS z. Verf. 24. Mai, 23. Okt. 2005; vgl. unten 50–54.

14 Gagi Stauffenberg, Aufzeichnungen 51, 53; MGGS z. Verf. 22. Aug. 2001. Früher war Kuhn mit einer Pastorentochter verlobt, seine Mutter brachte die Beziehung auseinander; Ursula Oelrich an d. Verf. 6. u. 9. Mai 2005; Oelrich z. Verf. 7. u. 10. Mai 2005, 22. Juni 2006; MGGS z. Verf. 8. Mai 2005: Kuhn habe ihr eine frühere Verlobung mit einer «Pastorentochter» erwähnt; die Mutter habe sie für untreu gehalten und Kuhn von dieser Einschätzung überzeugt; die Pastorentochter, Gertrud Pflanz, taucht 1976 in Kuhns Korrespon-

denz wieder auf; s. u. 163; Otto F. Stapf z. Verf. 6. Juni 2006 erinnert sich auch an die Verlobung mit Gertrud Pflanz und denkt, Kuhn sei öfter als zweimal verlobt gewesen.

Im Zentrum der Verschwörung

1 Einzelheiten s. Hoffmann, Stauffenberg 297–382; z. Folg. Hoffmann, «Oberst i. G. Henning von Tresckow und die Staatsstreichpläne im Jahr 1943», VfZ 55 (2007) 331–364.

2 Kuhn, Eigenhändige 6, 8; MGGS TK Mai u. Juni 1943; MGGS z. Verf. 23. und 24. Mai 2005; Herwarth z. Verf. 24. Aug. 1972; Hoffmann, Stauffenberg 300.

3 Kuhn, Eigenhändige 8–9. Claus Graf Stauffenbergs Bruder Bertholds Aussage im Geheimen Staatspolizei-Verhör bestätigt die Wiedergabe der Gedanken Claus Graf Stauffenbergs durch Kuhn (Spiegelbild 447–448, 450): «Die Grundideen des Nationalsozialismus sind aber in der Durchführung durch das Regime fast alle in ihr Gegenteil verkehrt worden.»

4 Kuhn, Eigenhändige 23; Herwarth 24. Aug. 1972; Hans von Herwarth, Zwischen Hitler und Stalin. Erlebte Zeitgeschichte 1931 bis 1945, Frankfurt am Main, Berlin, Wien 1982 291–293.

5 Kuhn, Eigenhändige 15. In einer Vernehmung in der Gefangenschaft am 24. September 1951 sagte Kuhn auf die Frage nach dem Zeitpunkt seines Eintritts in die Verschwörung aus: «Ich bin am 6. September 1943 in Angerburg von STAUFFENBERG in die Verschwörungsorganisation geholt worden. Aber schon lange bevor ich ihr beitrat, habe ich mit STAUFFENBERG, mit dem ich bekannt war, wiederholt Gespräche geführt, deren Inhalt sich gegen Hitler richtete. Von der Existenz der Verschwörung wusste ich aber noch nichts.» Zur Verhörmethode s. auch Henrik Eberle und Matthias Uhl (Hg.), Das Buch Hitler. Geheimdossier des NKWD für Josef W. Stalin, Bergisch Gladbach 2005 461–467 u. unten 98, 109–110. In seinen früheren Aussagen vom September 1944 sagte er, Stauffenberg habe ihm am 3. Februar 1943 gesagt, es müsse eine Militärdiktatur errichtet werden; am 6. Mai 1943 habe ihm Stauffenberg gesagt, «der erfolgreiche Kampf gegen den Nationalsozialismus und seine fanatischen Theorien» führe über die Beseitigung Hitlers und seiner Umgebung; und schliesslich, Stauffenberg habe ihm Anfang Oktober 1943 seine Rolle «im Zentrum der Umsturzorganisation» zugewiesen. Stauffenberg war vom 2. bis 9. September 1943 in Lautlingen, Kuhns Chronologie ist nicht so genau, wie sie scheint; Hoffmann, Stauffenberg 317; Kuhn, Eigenhändige 6–7.

6 Hoffmann, Stauffenberg 317–318.

7 Hierzu u. z. Folg. Kalender im Anhang 171–174; analoge Befehle für Berlin Spiegelbild 37–41; Aufstellung der 18. Art. Div. Tessin, 4. Band (Frankfurt/Main o. J.) 97; Kuhn, Eigenhändige 14–16; Vernehmung Kuhns 21./22. Nov. 1952, MGB-Akte P-46988 Joachim Kuhn; Hoffmann, Stauffenberg 310–313; Bodo Scheurig, Befragung: Frau Erika von Tresckow, masch., Göttingen 1. Mai 1969, IfZ ZS/A-31 Bd. 1; Hitlers Itinerar in Peter Hoffmann, Hitler's Personal Security, New York 2000 XXX–XXXI; Hauptmann d. R. Hermann Kaiser, Tagebuch (Kaiser-Tb.) 10. Juli 1943, BA-MA MSg 1/3221 10. Juli 1943; zu Fromm s. Kroener Kap. VII; Personalakte Oberstlt. i. G. Günther von Kluge, MA-BA HPA 2778 Kluge, Günther von; Hoffmann, Tresckow.

8 Hierzu u. z. Folg. Tresckow an E. v. Tresckow 14. Okt., 21. u. 27. Nov. 1943; Otto Wöhler an Bodo Scheurig 20. Dez. 1970, IfZ ZS 31/1; Hans Speidel, Aus unserer Zeit. Erinnerungen, Berlin, Frankfurt/M, Wien 1977 151; Bodo Scheurig, Henning von Tresckow. Eine Biographie, Oldenburg und Hamburg 1973 172, 175 (T. habe Speidel um das Flugzeug gebeten, was weder Speidel noch Wöhler berichten); Hoffmann, Stauffenberg 314; Mansteins HQ: Auskunft von Oberst Karl-Heinz Frieser, Militärgeschichtliches Forschungsamt Potsdam (MGFA) 15. Sept. 2006.

9 Hierzu u. z. Folg. I. Stieff 13. Juli 1947 an Ricarda Huch: «Hinweisen möchte ich auch auf den Brief meines Mannes an mich vom 6. August 43 in dem er mir für mich deutlich und unmißverständlich sagt, dass er an einem Attentat gegen Hitler teilzunehmen sich entschlossen hat. Für andere ist das auch nicht so ganz ohne weiteres herauszulesen.» [Stieff, Ili:] Hellmuth Stieff, Generalmajor (seit 30. Januar 1944). Aufstellung das Attentat des 20. Juli 1944 betreffend, Masch. o. O. o. J., BA-MA N 114/4 Bl. 75; Anklageschrift gegen Goerdeler u. a.: «Anfang September 1943»; Urteil gegen Goerdeler u. a., Spiegelbild 532: «Spätherbst 1943»; [Carl Goerdeler], Unsere Idee, Masch., Nov. 1944, BA Koblenz Nl. Goerdeler 25 deutet auf die Zeit von Mitte September bis Mitte Oktober 1943 hin; Fahrner in Eberhard Zeller, Geist der Freiheit. Der zwanzigste Juli, München [1952] (1. Auflage) 185; A. Graf Stauffenberg, Der zwanzigste Juli 1944, Masch., o. O. o. J. [ca. 1948], Slg H. R. Trevor-Roper auf Film von David Irving DJ38; s. a. Hoffmann, Stauffenberg 372–373; weitere Quellen u. Erwägungen s. Hoffmann, Stauffenberg 578–579 Anm. 1–2; Heinrich Hoffmann Collection Prints Box IV in National Archives II, College Park, Maryland (NA II), Aufnahme mit Hitler bezeichnet «Besichtigung neuer Waffen. 1.10.43»; Kriegstagebuch der Org. Abt. 3. Okt. 1943, NA II Mikrofilm T-78 Rolle 414/6382527–28: «Vorführung beim Führer am 1.10.43» (Panzerabwehrkanonen und Rundumfeuer); NA II Mikrofilm T-78 Rolle 414/6382527 (Beitrag der Gruppe III): «Am 1.10. wurde dem Führer die 5 cm Kw.K. bezw. Pak38 auf 7,5 cm aufgebohrt vorgeführt.» Rüstungsminister Albert Speers Protokoll über die Vorführung in Willi A. Boelcke, Hrsg., Deutschlands Rüstung im Zweiten Weltkrieg. Hitlers Konferenzen mit Albert Speer 1942–1945, Frankfurt am Main 1969 296–306; Kuhn, Eigenhändige 7, 13; Heinz Linge, Record of Hitler's Daily Activities 11 August 1943–30 December 1943, transcribed by Gerhard L. Weinberg, 1952, NA Record Group 242 Miscellaneous Box Nr. 13, microcopy T-84 Roll 387; [Heinrich Himmler, Schreibtischkalender], 2. Jan.–16. Dec. 1943, 3. Jan.–29. Feb. 1944, 1. März–31. Mai 1944, hs., NA T-84 Roll 25; Stieff 170; Aussagen von Stieff, F. D. Graf von der Schulenburg und Josef Wirmer in Spiegelbild 89, 178; Kuhn, Eigenhändige 15; Hoffmann, Stauffenberg 372–373.

10 Rudolf Fahrner z. Verf. 9. Mai 1977; Fahrner in Zeller, Geist, 5. A. 1965 362; vgl. Wagners, Stieffs und Fellgiebels Beteiligung bei der Verhinderung des Attentats am 15. Juli 1944: Hoffmann, Stauffenberg 417–418.

11 Linge, Record; nicht in Max Domarus, Hitler. Reden und Proklamationen 1932–1945, Neustadt a. d. Aisch 1963 2065.

12 Kuhn, Eigenhändige 11; Linge, Record; zur Fiktion eines Parteiputsches s. Peter Hoffmann, Widerstand, Staatsstreich, Attentat, 4. A., München, Zürich 1985 897; Hoffmann, Stauffenberg 340.

13 Kuhn, Eigenhändige 7. Stauffenberg kann demnach schon «in den ersten Oktobertagen 1943» den von Tresckow von der Heeresgruppe Mitte be-

schafften englischen Beutesprengstoff nach «Mauerwald» gebracht haben; vgl. die Angabe Ende Oktober in Hoffmann, Stauffenberg 373 auf Grund der Aussage Stieffs in Der Prozeß gegen die Hauptkriegsverbrecher vor dem Internationalen Militärgerichtshof Nürnberg 14. November 1945–1. Oktober 1946, Bd. XXXIII Nürnberg 1949 309–310, Stauffenberg sei etwa im Oktober 1943 in der Zeit, als man über den Dnjepr zurückging, wegen der Ausführung des Attentats in Stieff gedrungen, und habe ihm Sprengstoff gegeben, der von Tresckow stammte. Dafür, dass Kuhn bei diesem Gespräch die Initiative ergriffen habe, spricht die von seinem Divisionskommandeur Ziehlberg berichtete Neigung Kuhns, seinen Kommandeur zu Entschlüssen bestimmen zu wollen, ehe dieser Zeit hatte, sie sich zu überlegen; 2. Feldurteil Ziehlberg.

14 Kuhn, Eigenhändige 14.
15 Kuhn, Eigenhändige 16.
16 Kuhn, Eigenhändige 8.
17 Kuhn, Eigenhändige 17–18; Fabian v. Schlabrendorff, Offiziere gegen Hitler, Zürich 1946 124–125 mit verwirrter Chronologie; Keilig 211/51; Ktb. HGr. Mitte, BA-MA RH 19 II/155; L.-B. Keil, Hans-Ulrich von Oertzen, Berlin 2005 103.
18 Kuhn, Eigenhändige 17–18.
19 Kuhn, Eigenhändige 9–10.
20 Hierzu u. z. Folg. Kuhn, Eigenhändige 10.
21 Kuhn, Eigenhändige 10–11.
22 Hoffmann, Stauffenberg 355.
23 Kuhn, Eigenhändige 14, 16.
24 Spiegelbild 128–129; Urteil des Volksgerichtshofes vom 15. Aug. 1944 gegen Bernhard Klamroth u. a., NA II T-120 Rolle 1038; SS-Sturmbannführer Dr. Albert Widmann, Chemiker im Reichskriminalpolizeiamt im Reichssicherheitshauptamt z. Verf. 30. Juli 1968, 24. Juni 1984.

Sprengstoffbeschaffung

1 Kuhn, Eigenhändige 16–17; Christian Ludwig Herzog zu Mecklenburg, Erzählungen aus meinem Leben, 3. Auflage, Schwerin 1998 (1. A. 1996) 136.
2 Hans Herwarth von Bittenfeld, «Meine Verbindung mit Graf Stauffenberg», Stuttgarter Zeitung Nr. 162, 18. Juli 1969 7; Herwarth, Zwischen 294–295, 298, 301–304; Bussche an d.Verf. 1. März 1966, 18. Sept. 1967, 27. Aug. 1978, 29. Aug. 1980; Bussche z. Verf. 27. Nov. u. 2. Dez. 1990, 16. Aug. 1991.
3 Tessin, Dritter Band 133. Soldbuch Busches im Besitz der Tochter Nicola Dietzsch-Doertenbach; R. v. Weizsäcker z. Verf. 2. Dez. 1990, 8. Mai 1995; Martin Wein, Die Weizsäckers, Stuttgart, 1988, 285; [Axel Freiherr von dem Bussche, Fernseh-Interview] «Er wollte Hitler töten», Sender Freies Berlin, Berlin 19. Juli 1984; Bussche z. Verf. 26. Okt. 1985. S. zu dem Massaker bei Dubno auch die Zeugenaussage von Friedrich Hermann Gräbe, des leitenden Ingenieurs einer für eine Heeresbaudienststelle tätigen Baufirma, in Prozess XXXI (1948) 446–448.
4 Bussche, Briefe 1. März 1966 u. 18. Sept. 1967 sowie z. Verf. 27. Aug. 1978, 29. Aug. 1980, 27. Nov. u. 2. Dez. 1990, 16. Aug. 1991; Karl Konrad Graf von der Groeben z. Verf. 29. März 1991; Soldbuch Busches; BA Aachen, Militärische Dienstlaufbahn Frhr. von dem Bussche-Streithorst (Axel) 26. Mai 1970; vgl. Hoffmann, Stauffenberg 373–374.

5 Hoffmann, Stauffenberg 337–339; MGB-Akte P-46988 Joachim Kuhn; Bussche z. Verf. 29. Aug. 1980.

6 Axel [Freiherr] von dem Bussche, «Eid und Schuld», Göttinger Universitätszeitung 2 (1947) Nr. 7, 7. März 1947, 1–4; Bussche z. Verf. 16. Aug. 1991.

7 Spiegelbild 89, 128–30; Feldurteil Kuhn 3–4; Axel von dem Bussche-Streithorst an d.Verf. 18. September 1967; Herwarth, Zwischen 301–04; Peter Hoffmann, The History of the German Resistance 1933–1945, Third English Edition, Montreal 1996 326–27, 334–35, 516; Urteil VGH gegen B. Klamroth u. a.; Herwarth, Meine.

8 Spiegelbild 128–129; Urteil VGH gegen B. Klamroth u. a.; Kuhn, Eigenhändige 16–17.

9 Bussche, z. Verf. 16. Aug. 1991; Groeben z. Verf. 16. Aug. 1991 erinnert sich, Bussche sei erst am 24. Nov. nach Dänemark gefahren; Herwarth, Meine.

10 Spiegelbild 128–130: Der von Stauffenberg verwendete Sprengstoff sei englisches, der von Haeften hinterher auf der Fahrt zum Flugplatz Rastenburg weggeworfene deutsches Fabrikat; vgl. dagegen die Aussagen des untersuchenden Sprengstoffsachverständigen im Reichssicherheitshauptamt/Amt V Reichskriminalpolizeiamt Dr. Albert Widmann in Peter Hoffmann, «Warum mißlang das Attentat vom 20. Juli 1944?» VfZ 32 (1984) 451–455, und Hoffmann, Widerstand 780 Anm. 86; Herwarth, Zwischen 294–295, 298, 301; I. Stieff, Hellmuth Stieff Bl. 75: «Am 20.11.43 kommt Stieff zu einem kurzen Urlaub nach Thalgau bei Salzburg. Während seiner Abwesenheit von der Org.Abt. hat er den von ihm für das Attentat aufbewahrten Sprengstoff einem seiner Offiziere übergeben, ebenso den Terminkalender für den X Fall, der ‹Aktion Walküre›.»

11 Herwarth, Zwischen 301.

12 Hagen in Prozess XXXIII 331; Bussche an d. V. 18. Sept. 1967 berichtet, Kuhn habe ihm gesagt, er habe die beiden Sprengstoffpakete verscharrt; Herwarth, Zwischen 301 schreibt auf Grund des Berichts von Kuhn, Kuhn und Hagen hätten für den Sprengstoff und die Papiere Löcher gegraben; Spiegelbild 129; Herwarth 302–303.

13 Spiegelbild 129; Bussche an d.Verf. 18. Sept. 1967; Kuhn, Eigenhändige 16 nennt statt Hansen Fellgiebel.

14 Herwarth, Zwischen 302.

15 Axel [Freiherr] von dem Bussche, [Aussagen in] Records of the United States Nuernberg War Crimes Trials. United States of America v. Ernst von Weizsaecker et al. (Case XI). December 20, 1947–April 14, 1949, NA II Microfilm M897; Bussche an d.Verf. 9./10. Feb. 1966, 18. Sept. 1967; Bussche z. Verf. 27. Aug. 1978, 16. Aug. 1991; Hoffmann, Warum 457–459; Hoffmann, Widerstand 401–403; die Sonderkommission 20.7.44 meinte, Hagen habe neuen Sprengstoff beschaffen müssen, weil die GFP den versteckten Sprengstoff gefunden habe: «nachdem es mit dem ersten Sprengstoff schiefgegangen war ...»; Spiegelbild 54–55; Stieff, Klamroth, Hagen, Hansen haben demnach alle über Bussche geschwiegen und die Sonderkommission hatte keinen Anlass, nach ihm zu fragen.

16 Spiegelbild 318–319; Bussche an d. Verf. 18. Sept. 1967.

17 Spiegelbild 89 (Hagen), 318–319 (Knaak); Prozess XXXIII 333; Spiegelbild 55: den neuen Sprengstoff «holte v. Hagen im Flugzeug von der Heeresgruppe Mitte bei von Oertzen ab»; Bussche an d.Verf. 9./10. Feb. 1966, 18. Sept. 1967 (hier schrieb Bussche Ölpapier statt zellophanartige Hülle, und komplette Handgranate, von der er nur die Zündvorrichtung behielt, statt Hand-

granate ohne Sprengstoff, wie er am 9./10. Feb. 1966 geschrieben hatte); Bussche erinnerte sich auch, Kuhn sei nach der Rückkehr Hagens zu ihm gekommen mit einem Koffer voll Sprengstoff, nämlich 1 kg Sprengstoff ohne Zünder und einer widerlichen Tellermine; Bussche mündl. 16. Aug. 1991; Gottberg Briefe 22. April und 16. Juni 1966.

18 Prozess XXXIII 333–335 (Hagen), 311 (Stieff).

19 Bussche in Records 1148–1149; Bussche in «Freiheitskämpfer gegen Hitler», Die Zeit 22. Juli 1948 2 berichtete, er glaube, die Ausrüstungsgegenstände seien in der zweiten Nacht der grossen Luftangriffe auf Berlin (23. und 24. Nov. 1943) verbrannt; Bussche an d. Verf. 27. Nov. 1990; Bussche z. Verf. 16. Aug. 1991; BA Aachen, Militärische Dienstlaufbahn, 26. Mai 1970; R. v. Weizsäcker an d. Verf. Mai 1970; Detlef Graf von Schwerin, «Dann sind's die besten Köpfe, die man henkt». Die junge Generation im deutschen Widerstand, München, Zürich [1991] 334 berichtet auf Grund eines Gespräches mit Bussche, Stieff habe Bussche zur Front zurückgeschickt und auf Januar vertröstet.

20 Prozess XXXIII 311–312.

Ostfront

1 DDSt an d. Verf. 17. Mai 2005; Kuhn an BMV 31. Okt. 1958, BFD Ansbach; ärztlicher Befund vom 3. März 1959 in BFD Ansbach; Kuhn, Eigenhändige 21; Amtsgericht Bad Homburg v. d. H./Grundbuchamt, Auskunft 28. Nov. 2005.

2 Kuhn, Eigenhändige 18–20, 22; Hoffmann, Stauffenberg 314; H. Kuhn an MGGS 16. Juni 1948.

3 H. Kuhn an MGGS 16. Juni 1948. Vgl. den abgebildeten Jagdschein in Chawkin, Verdächtigungen; H. Kuhn an MGGS 16. Juni 1948.

4 [Dietrich Graf zu] Stolberg[-Wernigerode], General v. Ziehlberg, masch., o. O., Oktober 1974, im Besitz seiner Tochter Bettina Freifrau von Uslar-Gleichen 1; ders., In memoriam Generalleutnant von Ziehlberg *10.12.1898 † 2.2.1945, Privatdruck, hrsg. Dietrich Graf zu Stolberg-Wernigerode, Ranstadt/Obh., Oktober 1974 3; Tessin Vierter Band 263.

5 Georg Meyer, Adolf Heusinger. Dienst eines deutschen Soldaten 1915 bis 1964, Berlin, Bonn 2001 192, 288, 636; Tessin Fünfter Band, 2. Auflage, 1977 264–265; Deutsches Rotes Kreuz Suchdienst (DRK), Divisionsschicksale Band I, Deutsches Rotes Kreuz Suchdienst, München, 1958–1960.

6 Georg Heisterman von Ziehlberg, Nachrichten über die Familie Heisterman von Ziehlberg, Familienarchiv, 2. Band, hrsg. ca. 1960, S. 108–111.

7 Wilhelm Velten, Vom Kugelbaum zur Handgranate. Der Weg der 65. Infanterie-Division, Neckargemünd 1974 49–50; Ziehlberg, Nachrichten 126–133; Roland Heisterman von Ziehlberg, Lebensskizze Gustav Heisterman von Ziehlberg (1898–1945), masch., Uetersen 23. Juli 2006; Stolberg, In memoriam 1; Reichskriegsgericht, 2. Feldurteil Ziehlberg; O.K.H. Gen. St.d.H. Zentr. Abt. Kriegs-Stellenbesetzung Stand 15.11.39, 15.2.40, 10.5.1940, 1.7.40, 1.12.40, 15.2.41, 1.11.41, 1.3.42, BA-MA; BA Aachen an d. Verf. 19. Aug. 1998; Anlagenband zum Ktb. A.O.K. 2/Ia 19.7.44, Ferngespräche am 19.7.1944, BA-MA RH 20/2/935; Kuhn, Eigenhändige 4, CA FSB RF; Vernehmungsprotokoll Kuhn, Joachim 23. August 1951, MGB-Akte P-46988 Joachim Kuhn; MGGS zum Verf. 3. Aug. 2004; Tessin, Zweiter Band 83–86; Reichskriegsgericht, Anklageverfügung. Gegen den General-

leutnant von Ziehlberg, Kommandeur der 28. Jäg.Division, Torgau 9. Sept. 1944 (1. Anklageverfügung Ziehlberg), Vojenský ústřední archiv Prag (Militärarchiv Prag) RKG 2 (III); Reichskriegsgericht, 2. Feldurteil Ziehlberg; Feldurteil Kuhn 3.

8 Reichskriegsgericht, 2. Feldurteil Ziehlberg; Feldurteil Kuhn 3.

9 Gerd Niepold, Mittlere Ostfront Juni '44, Herford und Bonn 1985, Lagekarten 77, 99, 152, 163, 173, 191–192, 202, 209, 223, 227–228, 234–236, 242–243; Stolberg, In memoriam 1; Die 12. Pz.Div. gehörte zum LV. A.K. in der 2. Armee; Tessin Bd. 3 239; Div.Kdr. war Gerhard Müller, Ia Gerd Niepold; Peter Schmitz, Klaus-Jürgen Thies, Günter Wegmann, Christian Zweng, Die deutschen Divisionen 1939–1945, Band 3, Osnabrück 2000 60; Erich Murawski, Der deutsche Wehrmachtbericht 1939–1945, 2. Auflage, Boppard am Rhein [1962] 192; Anlagenband zum Ktb. A.O.K. 2/Ia 19.7.44, Ferngespräche am 19.7.1944, BA-MA RH 20/2/935.

10 Anlagenband zum Ktb. A.O.K. 2/Ia 19.7.44, Ferngespräche am 19.7.1944, BA-MA RH 20/2/935; Stolberg, In memoriam 3. Stolberg sagt nur, «eine Fahrt in den Div. Abschnitt schloss sich an», aber nicht, wer mitfuhr; dem Feldurteil Kuhn 4 zufolge waren Tresckow und Kuhn nach Tresckows Verabschiedung von Ziehlberg allein. Kommandeur und Ia konnten nicht gut beide für benachbarte, untergeordnete oder höhere Kommandostellen unerreichbar sein, und Tresckow hätte Kuhn in Gegenwart Ziehlbergs nicht seine Mitteilung machen können. Scheurig, Tresckow berichtet nicht von Tresckows Besuch bei der 28. Jg. Div. am 19. Juli 1944; Kuhn, Eigenhändige 1.

11 Peter Sauerbruch z. Dr. Thomas Reuther (MGFA) 3. Aug. 2005; Sauerbruch z. Verf. 30. Aug. u. 19. Sept. 2005; Spiegelbild 404.

12 Anlagenband zum Ktb. A.O.K. 2/Ia 19.7.44 u. 20.7.44, Ferngespräche am 19. u. 20.7.1944, BA-MA RH 20/2/935-936.

13 Anlagenband zum Ktb. A.O.K. 2/Ia 19.7.44, Ferngespräche am 19.7.1944, BA-MA RH 20/2/935; Scheurig, Tresckow 189–191.

14 Anlagenband zum Ktb. A.O.K. 2/Ia 21.7.44, Ferngespräche am 21.7.1944, BA-MA RH 20/2/937; das VIII. A. K. unterstand im Juli 1944 der 4. Pz.Armee in der HGr Mitte.

15 Anlagenband zum Ktb. A.O.K. 2/Ia 21.7.44, Ferngespräche am 21.7.1944, BA-MA RH 20/2/937; Christian Zweng, Die Dienstlaufbahnen der Offiziere des Generalstabes des deutschen Heeres 1935–1945, Band 2, Osnabrück 1998; «Wiking» = 5. SS-Panzer-Division «Wiking», in Tessin Band 1 Unterstellung unklar: «Mai/Juli Wiederaufst. Heidelager (Hgr.Mitte)».

16 Anlagenband zum Ktb. A.O.K. 2/Ia 21.7.44, Ferngespräche am 21.7.1944, BA-MA RH 20/2/937.

17 Anlagenband zum Ktb. A.O.K. 2/Ia 21.7.44, Ferngespräche am 21.7.1944, BA-MA RH 20/2/937.

18 Anlagenband zum Ktb. A.O.K. 2/Ia 21.7.44, Ferngespräche 21.7.1944, BA-MA RH 20/2/937; Heerespersonalamt Personalkartei, NA II RG 242; Reichskriegsgericht, Feldurteil Kuhn; [Vermerke von fremder Hand auf einer hs. Aufzeichnung von Erika v. Tresckow:] Bericht Dassler (Niederschrift: Erika v. Tresckow) Dassler (Bericht vom letzten Tag), IfZ ZS/A 31/2; Kuhn schrieb in Eigenhändige 1, der «Chef des Stabes» (richtig: Ia im Generalkommando des LV. A. K.) Major i. G. [Wernher Freiherr] von Schönau[-Wehr] habe mitgeteilt, Tresckow komme an diesem Morgen, «um sich über die Frontlage durch persönlichen Einblick zu unterrichten. Er hätte um meine Begleitung in das Gelände gebeten»; Schönau z. Verf. 3. Dez. 2003 erinnerte

sich nicht daran; Rittmeister Dietrich Graf zu Stolberg-Wernigerode, der O 1 (1. Ordonnanzoffizier) Ziehlbergs in Kuhns Stab, erinnerte sich 1974, dass Tresckow den Kommandeur am 18. oder 19. Juli aufgesucht habe und erneut «3–4 Tage später» (tatsächlich am 21. Juli), und dass Tresckow bei seinem zweiten Besuch um Kuhns Begleitung gebeten habe, dass der Ia-Gefechtfahrer ihn und Kuhn an die gefährdeten Frontabschnitte gefahren habe, dass Kuhn nach etwa zwei Stunden mit der Leiche Tresckows im Auto zurückgekommen sei und einen Partisanenüberfall gemeldet habe; Stolberg, General v. Ziehlberg 3–4.

19 Kuhn, Eigenhändige 1–2; Kriminalpolizeistelle Eckernförde z. Zt. Hemmelmark, den 16.10.56, «Verhandelt! Aufgesucht erscheint der Landwirt Christian Ludwig Herzog zu Mecklenburg» in BFD Ansbach; ebenso in Mecklenburg, Erzählungen 135–136; Scheurig, Tresckow 192 auf Grund des Berichts von Tresckows Fahrer; Stolberg, In memoriam 3 berichtet nur von Kuhns Fahrzeug.

20 Bericht Dassler; Scheurig, Tresckow 191–193 weicht in Einzelheiten von seiner Quelle ab.

21 Mecklenburg an MGGS 16. März 1954; Anlagenband zum Ktb. A.O.K. 2/Ia 21.7.44, Ferngespräche am 21.7.1944, BA-MA RH 20/2/937; Scheurig, Tresckow 193 gibt den Wortlaut in Anführungszeichen unkorrekt wieder, obgleich er dieselbe Quelle zitiert; Schlabrendorff, Offiziere 153–154; im Feldurteil gegen Kuhn 4 steht, Tresckow habe sich mit zwei neben seinem Kopf entzündeten Handgranaten getötet; vgl. Hoffmann, Widerstand 778 Anm. 71; Scheurig zit. Schlabrendorff, Offiziere 194 und eine persönliche Mitteilung Schlabrendorffs für Tresckows Ankündigung gegenüber Schlabrendorff in den frühen Morgenstunden des 21. Juli: «Ich werde mich nun erschiessen. Denn bei den Untersuchungen müssen sie auf mich stossen und versuchen, auch andere Namen aus mir herauszupressen.» Zeugen, denen Schlabrendorff von Tresckows Tod berichtete, nennen ebenfalls die Gewehrsprenggranate; Scheurig, Tresckow 236 Anm. 34.

22 Stolberg an MGGS 2. Nov. 1948; 2. Feldurteil Ziehlberg 7; Kuhn, Eigenhändige 2.

23 MGGS z. Verf. 22. Aug. 2001, 8. Mai 2005; Josef Markus Wehner, «Das Reich – Kraft und Idee. Brief an meine Söhne», Münchner Neueste Nachrichten Nr. 177 (1944).

24 Murawski 207–211; Stolberg an MGGS 2. Nov. 1948. An dieser Stelle schrieb Stolberg: «Am Kampftage um Bialistock [sic], ich glaube es war der 22. oder 23. Juli, forderte mich K. zu einem kurzen Spaziergang zum Verschnaufen auf.» Weiter unten in seinem Brief schrieb er jedoch, der Haftbefehl für Kuhn sei in den Morgenstunden des folgenden Tages gekommen; demnach fand das Gespräch am 26. Juli statt.

25 Stolberg an MGGS 2. Nov. 1948.

26 Spiegelbild 33.

27 Spiegelbild 23, 54.

28 Anlagenband zum Ktb. A.O.K. 2/Ia 26.7.44, Ferngespräche am 26.7.1944, BA-MA RH 20/2/942.

29 Anlagenband zum Ktb. A.O.K. 2/Ia 26.7.44, Ferngespräche am 26.7.1944, BA-MA RH 20/2/942.

30 Schönau an d. Verf. 3. Dez. 2003 u. z. Verf. 3. Dez. 2003 u. 13. Dez. 2005; einige Einzelheiten aus dem Befehl, die Schönau nennt – Verbringung Kuhns nach Moabit, «Kuhn stehe im Verdacht, an den Vorbereitungen des Attentats

gegen Hitler beteiligt gewesen zu sein» – werden in anderen, den Ereignissen näheren Quellen nicht bestätigt; vgl. unten 63–64; Ankunftzeit Schönaus 5.30 Uhr: Anlagenband zum Ktb. A.O.K. 2/Ia 27.7.44, Ferngespräche am 27.7.1944, BA-MA RH 20/2/943.

31 2. Feldurteil Ziehlberg 2.

32 Anlagenband zum Ktb. A.O.K. 2/Ia 26.7.44 Telephongespräche O. B., BA-MA RH 20–2/942. Kdr. 19. Pz. Div. war Generalmajor Hans Källner, Ia Major Ernst-August Freiherr von Rotberg; Schmitz Bd. 4 97; Unterstellung lt. Tessin Band 4 (o. J.) Juli 1944 unter Wbefh. Niederlande, Aug. 44 9. Armee in HGr Mitte; lt. Tessin Band 6 (Osnabrück 1972) war PzGrenRgt 74 im Juli 1944 der 19. PzDiv in Litauen (Kowno) unterstellt; 2. Feldurteil Ziehlberg 3; Feldurteil Kuhn 5.

33 Schönau 13. Dez. 2005.

34 Feldurteil Kuhn 5; Schönau z. Verf. 3. Dez. 2003 und 13. Dez. 2005; Stolberg, Ziehlberg 4; Stolberg, In memoriam 7–8 enthält denselben Text, dazu einige Photos, aber nicht die Lageskizze für Juli 1944.

35 Schönau 13. Dez. 2005. Ziehlberg sagte vor dem Reichskriegsgericht aus (2. Feldurteil Ziehlberg 7): «In der letzten Zeit sei Kuhn allerdings manchmal ziemlich abgespannt gewesen, so dass er selbst ihm z. T. Aufgaben abgenommen habe.»

36 Schönau z. Verf. 3. Dez. 2003 erwähnt den Kampfgruppen-Kommandeur nicht; Stolberg 2. Nov. 1948; 1. Anklageverfügung Ziehlberg; 2. Feldurteil Ziehlberg 3; Feldurteil Kuhn 5.

37 1. Anklageverfügung Ziehlberg: «Wehrmachtuntersuchungsgefängnis»; 2. Feldurteil Ziehlberg 3 und Feldurteil Kuhn 5: «Zentralgerichtsgefängnis Berlin»; Kuhn, Eigenhändige 2: «Landespolizeigefängnis»; Schönau z. Verf. 3. Dez. 2003 erinnerte sich nicht an die Einsprachen von Herrlein und Weiss; in den Ferngesprächen in Anlagenband zum Ktb. A.O.K. 2/Ia 26.7.44, Ferngespräche am 26.7.1944, BA-MA RH 20/2/942 ist der Einspruch Herrleins festgehalten. Die Formel «auf höchsten Befehl» berichtete auch Hitlers SS-Adjutant Otto Günsche in der Gefangenschaft Oberst i. G. Bernd von Pezold; Aussage Pezold 27. März 1956 in BFD Ansbach.

38 Stolberg 1974 8; Kuhn, Eigenhändige 2.

39 Kuhn, Eigenhändige 2; Schönau z. Verf. 3. Dez. 2003 (Schönau zufolge fragte Ziehlberg, ob «das», also ein in dem Brief angedeuteter Vorwurf, auf Kuhn zutreffe, worauf Kuhn nein sagte); Stolberg an MGGS 2. Nov. 1948; 1. Anklageverfügung Ziehlberg; 2. Feldurteil Ziehlberg 4; Feldurteil Kuhn 6. Am Tag nach seiner Entlassung aus sowjetischer Gefangenschaft sagte Kuhn aus, dass er «tatsächlich nicht am 20.7.1944 an den Vorgängen beteiligt», obwohl er «selbstverständlich von dem Vorhaben des Grafen von Stauffenberg unterrichtet» war; Vernehmung Kuhns in Friedland 17. Jan. 1956, Auszug aus den Akten 1 O Js 111/56 der Staatsanwaltschaft b.d.Kammergericht Berlin in BFD Ansbach.

40 Stolberg an MGGS 2. Nov. 1948; Kuhn, Eigenhändige 3; Stolberg, In memoriam 8–9: «Im übrigen erwarte der General, dass sich Major Kuhn wie ein Offizier verhalten werde.» Die darauffolgenden Auftritte und Gespräche liess Kuhn in seiner Niederschrift aus; das Reichskriegsgericht nahm zugunsten Ziehlbergs an, dass Schönau versäumte, den ihm mündlich an Ziehlberg aufgetragenen Zusatzbefehl deutlich auszurichten, dass Ziehlberg den IIa der Division mit dem Geleit Kuhns beauftragen und Kuhn zunächst zum Korpsgefechtsstand bringen lassen solle; 1. Anklageverfügung Ziehlberg; Schönau

13. Dez. 2005; 2. Feldurteil Ziehlberg 3–4; dieser Version widersprechen die Darstellungen sowohl Kuhns als auch Stolbergs; Kuhn, Eigenhändige 3; Stolberg, In memoriam 8–9.

41 Ziehlberg, Nachrichten, S. 128–129.

42 Kuhn, Eigenhändige 3; Stolberg, In memoriam 8–9; Mecklenburg, Aufzeichnung über Major i. G. Joachim Kuhn, masch., Hammelmark im Mai 1983.

43 2. Feldurteil Ziehlberg 4; Feldurteil Kuhn 6; Schönau z. Verf. 3. Dez. 2003, der die Begleiter Kuhns nicht kannte: «ein PKW mit zwei Unteroffizieren als Begleitung».

44 Stolberg an MGGS 2. Nov. 1948; Stolberg, In memoriam 9. Zu Kuhns Konstitution: Ziehlberg sagte vor dem Reichskriegsgericht aus (2. Feldurteil Ziehlberg 7): «In der letzten Zeit sei Kuhn allerdings manchmal ziemlich abgespannt gewesen, so dass er selbst ihm z. T. Aufgaben abgenommen habe.» Schönau z. Verf. 3. Dez. 2003 u. 13. Dez. 2005 erwähnt als Fahrtziel «die beiden Kampfgruppen der Division»; die dem Ereignis nähere 1. Anklageverfügung Ziehlberg erwähnt als Fahrtziel nur das Jäger-Regiment 49.

45 2. Feldurteil Ziehlberg 4; Feldurteil Kuhn 6; Löbbecke in Stolberg, In memoriam 9, 11 (=Löbbecke, 1. Aufzeichnung); Löbbecke 29. April 1957 in Wiedergutmachungsbescheid, BFD Ansbach; Löbbecke, 3. Aufzeichnung 37–38, im Besitz der Tochter Löbbeckes, Daisy Gräfin von Arnim („3. Aufzeichnung»); diese Aufzeichnung enthält leichte Fehler, z. B. die Bezeichnung Schönaus als «Adjutant der Armee», oder die Datierung von Tresckows Tod auf 22. Juli 1944 und der Vorgänge des 27. Juli auf 25. Juli.

46 Stolberg, In memoriam 9; Stolberg an MGGS 2. Nov. 1948; 2. Feldurteil Ziehlberg 4; Feldurteil Kuhn 6; Stolberg und Löbbecke 27. März 1957 bzw. 29. April 1957, in Wiedergutmachungsbescheid BFD Ansbach.

47 Stolberg an MGGS 2. Nov. 1948; Stolberg, In memoriam 9–11 (Bericht Löbbecke).

48 1. Anklageverfügung Ziehlberg (Ziehlberg sagte, er werde mit Schönau zum Gefechtstand des Jäger-Regiments 49 fahren); 2. Feldurteil Ziehlberg 4; Feldurteil Kuhn 6; Schönau z. Verf. 3. Dez. 2003 (Schönau zufolge fragte Ziehlberg, ob «das», also ein in dem Brief angedeuteter Vorwurf, auf Kuhn zutreffe, worauf Kuhn nein sagte; ebenfalls Schönau zufolge sagte Ziehlberg, er werde mit Schönau zu den Gefechtständen der beiden Kampfgruppen der Division fahren); in den Feldurteilen ist nur von der Fahrt Ziehlbergs zu dem einen Regiment die Rede; Stolberg 2. Nov. 1948; Stolberg und Löbbecke machten dieselben Aussagen zur Sache am 27. März 1957 bzw. 29. April 1957, in Wiedergutmachtungsbescheid BFD Ansbach.

49 Stolberg, In memoriam 9; Schönau z. Verf. 3. Dez. 2003; 2. Feldurteil Ziehlberg 4; Feldurteil Kuhn 6.

50 2. Feldurteil Ziehlberg 7. Löbbecke geht noch einen Schritt weiter, indem er dies in seiner Aufzeichnung aus den 1980er Jahren als ein Motiv Ziehlbergs für das Unterlassen der sofortigen Festnahme Kuhns bezeichnet. Löbbecke schrieb über die Augenblicke kurz vor Ziehlbergs Fahrt an die Front: «Der General hatte den Befehl, K. zu verhaften, er tat es nicht, weil K. ja als Ia wesentlich notwendig war bei der Absetzbewegung der ganzen Division. ‹Wenn dies vorbei ist, K., dann muss ich Sie nach Berlin schicken.›» Löbbecke, 3. Aufzeichnung 38.

51 Schönau z. Verf. 3. Dez. 2003; 1. Anklageverfügung Ziehlberg; Stolberg, In memoriam 11. Geert-Ulrich Mutzenbecher, Die Mutzenbechers. Roman einer hanseatischen Familie von 1916 [richtig: 1619] bis heute, Heide in Hol-

stein 2000 359–360 und 26. Dez. 2005: Ziehlberg habe seinen Namen aus den Berichten herausgehalten.

52 2. Feldurteil Ziehlberg 4; Schönau z. Verf. 3. Dez. 2003; Löbbecke, 3. Aufzeichnung 40.

53 2. Feldurteil Ziehlberg 4–5; Feldurteil Kuhn 6–7; vgl. Anlagenband zum Ktb. A.O.K. 2/Ia 27.7.44, Ferngespräche am 27.7.1944, BA-MA RH 20/2/943; Schönau (3. Dez. 2003), der nicht bei den Verhandlungen war, berichtet ebenso; Schönau an d.Verf. 13. Dez. 2005; Mutzenbecher 359–360; Mutzenbecher z. Verf. 26. Dez. 2005; Dr. Georg Meyer an d.Verf. 2./6. Juli 2006 auf Grund seiner Aufzeichnung eines Gesprächs mit W. Schult, ehem. wehrpolitischer Berater der SPD-Bundestagsfraktion, am 12. Dez. 1989.

54 2. Feldurteil Ziehlberg 5; Feldurteil Kuhn 7; Ziehlberg, Nachrichten, S. 129–130; Ziehlberg, Lebensskizze; Schönau z. Verf. 3. Dez. 2003.

55 2. Feldurteil Ziehlberg 5; Feldurteil Kuhn 7. Stolberg, In memoriam 11: «Die Nachforschungen ergaben nur die Auffindung des Ia-Kübelwagens mit dem Fahrer, der befehlsgemäss, an einem gegen Feindsicht getarnten Platz, auf die Rückkehr von Major Kuhn wartete, wie ihm von diesem aufgetragen worden war.» Vgl. Mutzenbecher 359–360.

56 Anlagenband zum Ktb. A.O.K. 2/Ia 27.7.44, Ferngespräche am 27.7.1944, BA-MA RH 20/2/943; 2. Feldurteil Ziehlberg 5; Feldurteil Kuhn 7. Weitere Feststellung des RKG (2. Feldurteil Ziehlberg 5): «Im Lauf des Tags legte Gen.Lt. v. Z. schliesslich dem Kommandierenden General eine ausführliche schriftliche Meldung vor.» Das Fernschreiben war schon schriftlich; ob Ziehlberg jemand mit einer weiteren schriftlichen Meldung zum Korps geschickt hat?

57 Hierzu u. z. Folg. Löbbecke, 3. Aufzeichnung 38–39. «Rasieren»: Nach Ziehlbergs Aussage in 2. Feldurteil Ziehlberg 7 rasierte er sich vor der Frontfahrt; Stolberg, In memoriam 5; Beispiel für Ungenauigkeiten in Löbbeckes Erinnerung: Tresckow hatte sich sechs Tage früher das Leben genommen, die Front war ständig zurückgenommen worden, wie konnte man da an dieselbe Stelle fahren wie am 21. Juli? Löbbecke, 3. Aufzeichnung 38–39; Schönau z. Verf. 3. Dez. 2003; Schönau nennt den Obergefreiten und den Gefreiten (den Burschen Kuhns) «Unteroffiziere»; vgl. 1. Anklageverfügung Ziehlberg und 2. Feldurteil Ziehlberg 4.

58 Stolberg, In memoriam 6–8.

59 Schönau z. Verf. 3. Dez. 2003 u. an d.Verf. 13. Dez. 2005; Spiegelbild 59–61.

60 Schlabrendorff, Offiziere 169–171.

61 2. Feldurteil Ziehlberg 5.

62 Schönau z. Verf. 3. Dez. 2003.

63 Hierzu u. z. Folg. 1. Anklageverfügung Ziehlberg; Stolberg, In memoriam 11–12; Schönau z. Verf. 3. Dez. 2003; Löbbecke 3. Aufzeichnung 39; Günter Hasewinkel, «Eine erinnerungschwere Nacht am Narew», Mitteilungen Für Unsere Kameraden (2006) H. 1 hrsg. v. d. Kameradschaft ehem. Hirschberger Jäger, o. O. 61–66.

64 Schmauser an Oberreichskriegsanwalt Dr. Kraell Torgau 14. Nov. 1944, Vojenský ústřední archiv Prag (Militärarchiv Prag) RKG 37–13–22.

65 2. Feldurteil Ziehlberg 3, 7–8.

66 Schönau z. Verf. 3. Dez. 2003.

67 Stolberg, In memoriam 11; 2. Feldurteil Ziehlberg 8–9.

68 Kuhn, Eigenhändige 3–4; 2. Feldurteil Ziehlberg 6, 9, wo das Gericht «die

Aussagen von zwei deutschen Unteroffizieren, die aus russischer Kriegsgefangenschaft zurückgekehrt sind» zitiert; diese Unteroffiziere sind nicht entflohen, sondern von der russischen Seite mit Zersetzungsaufträgen zurückgeschickt worden, ihre Aussagen können also nicht über jeden Zweifel erhaben sein, werden aber weitgehend von Kuhn selbst in Eigenhändige 3–4 und Heinrich Graf von Einsiedel, «Erinnerungen an Major Joachim Kuhn», Forum für osteuropäische Ideen- und Zeitgeschichte 6/1 (2002) 344–345, 348 bestätigt: Kuhn habe gewünscht, nach Moskau bzw. mit General Seydlitz in Verbindung gebracht zu werden.

69 Stolberg, In memoriam 13; 2. Feldurteil Ziehlberg 10–11; Ziehlberg, Nachrichten, S. 130–131; Löbbecke, 3. Aufzeichnung 40–41 berichtet, das Gericht habe ihm bei seiner Vernehmung als Zeuge gesagt, er sei auch «der Mithilfe zur Flucht verdächtig angeklagt», weil der Fahrer Kuhns ausgesagt hatte, Löbbecke habe sich von Kuhn mit einem besonders langen Händedruck verabschiedet, die Anklage sei aber fallengelassen worden, als Löbbecke mit Bestimmtheit erklärt habe, er habe nur an den Freitod Kuhns gedacht; Löbbecke, 3. Aufzeichnung 41–42 gibt weiter einen Bericht wieder von Major Gerhard von Szymonski, dem Ordonnanzoffizier bei Generalfeldmarschall Wilhelm Keitel, wonach Szymonski Löbbecke das Leben gerettet habe, indem er Keitel veranlaßt habe, die Anklage gegen Löbbecke niederzuschlagen.

70 Ziehlberg, Nachrichten, S. 132–133; Stolberg, In memoriam 12; Kroener, Fromm 723; Siegfried Westphal, Erinnerungen, Mainz 1975 311; 2. Feldurteil Ziehlberg 12; Genealogisches Handbuch der adeligen Häuser, B Band IX, Limburg an der Lahn 1970 204 auf Grund der Mitteilungen der Familie; Norbert Haase, «Aus der Praxis des Reichskriegsgerichts», VfZ 39 (1991) 405 ohne Quellenangabe; nicht, wie Stolberg, In memoriam 13 schreibt in Torgau.

71 Meyer, Heusinger 636.

Gefangenschaft

1 Liste I [über verhaftete, entlassene und verurteilte Offiziere 1944–1945], OKH/HPA Ag P 3, BA EAP 21-X-15/1; Geheime Staatspolizeistelle Darmstadt, Rundschreiben an Landräte, Polizeipräsidenten [usw.] betr. Fahndung nach Kuhn, 4. Aug. 1944.

2 Die Enteignungsverfügungen trugen die Daten des 19. September und 12. Oktober 1944. Am 4. Januar 1945 stand auf der ersten Seite in Deutscher Reichsanzeiger und Preußischer Staatsanzeiger Nr. 3, 4. Jan. 1945 1: «Auf Grund des § 1 des Gesetzes über die Einziehung kommunistischen Vermögens vom 26. Mai 1933 – RGBl. I S. 293 – in Verbindung mit dem Gesetz über die **Einziehung volks- und staatsfeindlichen Vermögens** vom 14. Juli 1933 – RGBl. I S. 479 –, dem Runderlaß des Reichsministers des Innern vom 14. Juli 1942 – I, 903/42 – 5400 – MBliV. vom 22. Juli 1942 – Seite 1481, über die Aenderung der Zuständigkeit bei der Einziehung kommunistischen Vermögens in Berlin und dem Erlaß des Führers und Reichskanzlers über die Verwertung des eingezogenen Vermögens von Reichsfeinden vom 29. Mai 1941 – RGBl. I S. 303 – wird das Vermögen des Joachim K u h n, 2. August 1913 in Berlin geb., zul. Berlin W 35, Lichtensteinallee 22, wohnh. gewesen, **zugunsten des Deutschen Reiches** eingezogen. Berlin, den 27. Dezember 1944. Geheime Staatspolizei. Staatspolizeileitstelle Berlin. I. V.: S e n n e.»

Ferner Akten des Haupttreuhänders für Rückerstattungsvermögen Berlin, B Rep. 025–05 Nr. 1941/63 und B Rep. 025–05 Nr. 354/57, Landesarchiv Berlin.

3 Hans-Günter Richardi, SS-Geiseln in der Alpenfestung, Bozen 2005 30–31, 57–58, 75–76; Gagi Stauffenberg, Aufzeichnungen nennt alle Stationen und Daten.

4 Kuhn, Eigenhändige 3; Lebensläufe: 14. Mai 1956, LABO; 10. Juli 1956, LABO Berlin Abt. I Entschädigungsbehörde; 14. Dez. 1956, BFD Ansbach; ärztliches Attest 16. März 1956 in LABO Berlin Abt. I Entschädigungsbehörde.

5 H. Kuhn an MGGS 16. Juni 1948; Stolberg 2. Nov. 1948; Schönau z. Verf. 3. Dez. 2003; Löbbecke in Stolberg, In memoriam 9; Löbbecke, 3. Aufzeichnung; 2. Feldurteil Ziehlberg 4; Feldurteil Kuhn 6.

6 Schlabrendorff, Offiziere 152–153; Wolf Graf von Baudissin an Karl Otmar Freiherr von Aretin 4. Juni 1991, IfZ Slg. Scheurig; Scheurig, Tresckow 191; Mecklenburg, Erzählungen 136; Mecklenburg an MGGS 16. März 1954; Mecklenburg, Aufzeichnung 2; Kuhn, Eigenhändige 1–3.

7 Kuhn, Eigenhändige 3; so auch zu Mecklenburg; Mecklenburg an MGGS 16. März 1954: «K. hatte die Absicht sich irgendwie nach Skandinavien durchzuschlagen[, ist] also nicht [‹nicht› unterstrichen] übergelaufen, wurde aber von den Sowjets gefunden und nach Moskau gebracht.» Im Oktober 1956 gab der Herzog zu Mecklenburg zu Protokoll, in den Tagen nach Kuhns Gefangennahme «fing die Ic-Abteilung der [2.] Armee einen russischen Funkspruch auf, nach welchem der Major i. G. Kuhn übergelaufen sei». Kuhn habe ihm später im Gefängnis erzählt, er habe die Absicht gehabt, «sich hinter der russ. Front in Richtung Finnland durchzuschlagen» und er habe «sich durch die russische Front geschlängelt und zunächst bei Polen (die Front stand damals schon auf polnischem Gebiet) versteckt, um sich nach Finnland durchzuschlagen. Bei dem Versuch, nach Finnland zu kommen, sei er von den Russen gefangen genommen worden. Er betonte ausdrücklich, dass er nicht übergelaufen sei.» Kriminalpolizeistelle Eckernförde z. Zt. Hemmelmark, den 16.10.56, «Verhandelt! Aufgesucht erscheint der Landwirt Christian Ludwig Herzog zu Mecklenburg» in BFD Ansbach. Etwas anders formuliert in Mecklenburg, Erzählungen 136.

8 Kuhn, Eigenhändige 3.

9 Kuhn, Eigenhändige 3; Mecklenburg, Aufzeichnung 3.

10 Vernehmung Kuhns in Friedland 17. Jan. 1956, Auszug aus den Akten 1 O Js 111/56 der Staatsanwaltschaft b.d.Kammergericht Berlin in BFD Ansbach; Feldurteil Kuhn 7–8; Photographie in MGB-Akte P-46988 Joachim Kuhn.

11 Kuhn an Bodo Scheurig 28. Aug. 1956, IfZ ZS/A 31 Bd. 10.

12 Kuhn, [Darstellung der militärischen Laufbahn einschliesslich Gefangennahme und Gefangenschaft] 10. Juli 1956, LABO.

13 Kuhn, Eigenhändige 3; Vernehmung Kuhns in Friedland 17. Jan. 1956, Auszug aus den Akten 1 O Js 111/56 der Staatsanwaltschaft b.d.Kammergericht Berlin in BFD Ansbach; Kuhn, [Darstellung der militärischen Laufbahn einschliesslich Gefangennahme und Gefangenschaft] 10. Juli 1956, LABO u. BFD Ansbach.

14 Ziehlberg, Nachrichten 128.

15 Anklageschrift gegen Kuhn vom 3. Okt. 1951, MGB-Akte P-46988 Joachim Kuhn; Boris Chavkin und Aleksandr Kalganov, «Neue Quellen zur Geschichte des 20. Juli 1944 aus dem Archiv des Föderalen Sicherheitsdienstes

der Russischen Föderation (FSB). ‹Eigenhändige Aussagen› von Major i.G. Joachim Kuhn», Forum für osteuropäische Ideen- und Zeitgeschichte 5/1–2 (2001) 358 zit. «‹Anklage gegen Kuhn, Joachim›, P-46988, Bl. 31–32, 57–58, 162» für die Angabe, Kuhn sei am 27. Juli 1944 bei Bialystok von Truppen der 2. Belorussischen Front gefangen genommen worden, die Bl. 31–32 u. 57–58 stammen aber aus Kuhn, Eigenhändige u. Bl. 162 aus dem Verhörprotokoll vom 19. Sept. 1951, sie enthalten die angegebenen Informationen nicht; Einsiedel an d.Verf. 3. Dez. 2004; Jesco von Puttkamer an MGGS 14. April 1949; Feldurteil Kuhn 7; Kuhn, Eigenhändige 3.

16 Heinrich Graf von Einsiedel, Tagebuch der Versuchung, Berlin-Stuttgart 1950 137; Einsiedel, Erinnerungen 344; Einsiedel an d.Verf. 15. Nov. 2004; Einsiedel an MGGS 25. Mai 1949.

17 Lew Kopelew, Aufbewahren für alle Zeit! Hamburg 1976 11; Einsiedel, Erinnerungen 344–345; Einsiedel an d.Verf. 15. Nov. 2004. Einsiedel erwähnte Kopelews Bericht vom Januar 1945, an den er sich 2002 erinnerte, in seinem Brief vom Mai 1949 nicht; Jesco von Puttkamer an MGGS 14. April 1949.

18 Jesco von Puttkamer an MGGS 26. März 1949.

19 Einsiedel an MGGS 25. Mai 1949; 2002 u. 2004 gab Einsiedel viele Einzelheiten wieder, die nicht in seinem Brief von 1949 stehen, in dem er schrieb, er habe darin «alles», was er wisse, mitgeteilt; Einsiedel an d.Verf. 15. Nov. 2004; Einsiedel, Erinnerungen 344–345, 348; Kuhn, Lebenslauf 10. Juli 1956, Entschädigungsakte Joachim Kuhn, LABO RegNr. 212730; Kuhn, Eigenhändige 3.

20 Einsiedel an d.Verf. 15. Nov. u. 7. Dez. 2004.

21 Kuhn, Eigenhändige 3–4.

22 Einsiedel, Erinnerungen 344; Mecklenburg an MGGS 16. März 1954; Mecklenburg, Erzählungen 137; Kuhn, [Lebenslauf]. 10. Juli 1956, LABO Entschädigungsbehörde RegNr. 212730. Pezold: «Das Überlaufen von Kuhn bildete in der sowjetischen Propaganda einen ausgesprochenen Schlager. Das Material hierüber kann aus den entsprechenden sowjetischen Zeitungen und insbesondere der Zeitung der «Seydlitz-Bewegung» «Freies Deutschland», sowie aus den Flugblättern nachgewiesen werden.» Aussage Bernd von Pezold 26. März 1956 bei der Staatsanwaltschaft bei dem Kammergericht Berlin in BFD Ansbach.

23 Kuhn, Eigenhändige 3–4; Jesco von Puttkamer an MGGS 26. März 1949; Einsiedel an MGGS 25. Mai 1949; Einsiedel, Erinnerungen 344–345, 348. Zur Datierung der Verurteilung Kuhns und der Mitteilung des Urteils an ihn: Auszug aus Protokoll Nr. 49 vom 17. Okt. 1951 des Sonderkomitees des Ministeriums für Staatssicherheit (MGB), Fall Nr. 5141 der 2. Abteilung des MGB, MGB-Akte P-46988 Joachim Kuhn; Beschluss der Strafe von fünfundzwanzig Jahren Gefängnis vom 27. Juli 1944 an beginnend für Kuhn wegen Vorbereitung und Ausführung eines Angriffskrieges gegen die UdSSR; Bescheid des Leiters der Unterabteilung der Ersten Sonderabteilung des Ministeriums des Innern der UdSSR Oberstleutnant Scherebzow 7. Feb. 1957 über Erlass des Präsidiums des Obersten Sowjets der UdSSR vom 28. Sept. 1955 über die vorzeitige Entlassung Kuhns aus der Strafanstalt, Archiv Nr. M-4469 (Stempel: Butirskaja Gefängnis), MGB-Akte P-46988 Joachim Kuhn. Heimkehrer-Karteikarte, Deutsches Rotes Kreuz Suchdienst München an d.Verf. 9. Sept. 1998 auf Grund der Angaben Kuhns. Ob Kuhn über Papiere verfügte, aus denen die Daten seiner Gefängnisaufenthalte hervorgingen, ist nicht bekannt. Mecklenburg an MGGS 16. März 1954.

24 DRK Suchdienst München an d.Verf. 9. Sept. 1998.

25 Hoffmann, Stauffenberg 364–367; Foreign Relations of the United States 1943 vol. I, Washington 1963 (FRUS 1943 I) 680, 687, 737, 752–754; FRUS 1944 I (1966) 510–513; Donovan an Präsident Franklin D. Roosevelt 29. Juli 1944, FDR Library PSF OSS file; Ingeborg Fleischhauer, Die Chance des Sonderfriedens. Deutsch-sowjetische Geheimgespräche 1941–1945, Berlin 1986 221–223.

26 Strafsache Nr. 5141 gegen Kuhn, Anklageschrift vom 4. Okt. 1951, und Einspruch der Hauptmilitärstaatsanwaltschaft vom 13. Nov. 1998 Nr. Bud–28902–51, MGB-Akte P-46988 Joachim Kuhn.

27 Chavkin und Kalganov 359–360 allerdings mit der vagen Archivangabe «CA FSB, nach Materialien der Hauptverwaltung Gegenaufklärung ‹SMERŠ›»; nach dem russischen Original zit. in Boris Chavkin, «Fjurera pytalis ubit mnogo ras», Nesawissimoje Wojennoje Obosrenije 30. Juli 2004.

28 Kuhn, Lebenslauf 10. Juli 1956; Stolberg, In memoriam 11.

29 Kuhn, Lebenslauf 10. Juli 1956.

30 Mecklenburg, Erzählungen 137; Oberst Hans-Georg von Tempelhoff (Anfang 1945 Kdr. d. 28. Jäger-Div., dann in sowj. Gefangenschaft) an MGGS 11. März 1950; indirekt bestätigend Chavkin und Kalganov, 359–60 u. Anm. 17 u. 18.

31 Mecklenburg 16. März 1954; Mecklenburg, Aufzeichnung 3; Mecklenburg, Erzählungen 136–138.

32 MGB-Akte P-46988 Joachim Kuhn Bl. 55; Chavkin und Kalganov 359–360 [Ellipseis sic]; nach dem russischen Original zit. in Boris Chavkin, «Fjurera pytalis ubit mnogo ras», Nesawissimoje Wojennoje Obosrenije 30. Juli 2004. Kuhn sagte in Eigenhändige 4: «Entsprechend der Tradition des Hauses meiner Mutter – mein Grossvater war General der Kavallerie – gab es für mich nur den Wunsch, Offizier der Reichswehr zu werden.» Abakumow schrieb, Kuhn erkläre «seine engen Verbindungen mit hochgestellten Personen im deutschen Oberkommando» mit seiner Dienststellung im Generalstab und mit dem Hinweis auf seinen Grossvater, der General der Kavallerie war.

33 Chavkin und Kalganov 359 mit der Quellenangabe «CA FSB, ‹Anklage gegen Kuhn, Joachim›, P-46988, Bl. 56–80»; Einfügung in [] ebd.; Dokument 1 sind die «Eigenhändige Aussagen».

34 Chavkin und Kalganov 359–360.

35 Z.B. durch die Vernehmung von Oberst i.G. Hans Crome, der als Chef des Generalstabes des IV. A. K. im Januar 1943 bei Stalingrad gefangengenommen wurde; Hans Crome, Eigenhändige Aussagen 4. Sept. 1944, Staatsarchiv der Russischen Föderation (GARF), Fond 9401, Opis' 2, Akte 66, Bl. 293–323.

36 Tempelhoff 11. März 1950; Chavkin und Kalganov 359–60 und Anm. 17 und 18.

37 Hierzu u. z. Folg. Kuhn, Eigenhändige 10–16.

38 Hoffmann, Security XXXII.

39 Kuhn, Eigenhändige 11, 15–17; Kuhn, Personelles, MGB-Akte P-46988 Joachim Kuhn.

40 Tempelhoff 11. März 1950; indirekt bestätigend Chavkin und Kalganov 359–60 und Anm. 17 und 18.

41 Kuhn, Eigenhändige 17, 25; vgl. Walter Wagner, Der Volksgerichtshof im nationalsozialistischen Staat, Stuttgart 1974 670–671, 678.

42 Chavkin und Kalganov 359–360 allerdings mit der vagen Archivangabe «CA FSB, nach Materialien der Hauptverwaltung Gegenaufklärung ‹SMERŠ›».

43 Hierzu u. z. Folg. Kuhn, Eigenhändige 17–25; das Gespräch Tresckows mit Manstein fand am 25. Nov. 1943 statt; Hoffmann, Stauffenberg 314. Kuhn wusste vielleicht durch Oertzen oder Tresckow von Zeitzlers Ohnmacht, kaum durch die Vernehmer? Welcher Herzog von Ratibor gemeint ist, bleibt offen: Der königlich preussische Regierungsreferendar a.D. und königlich preussische Rittmeister a.D. Viktor 3. Herzog von Ratibor und 3. Fürst von Corvey, Prinz zu Hohenlohe-Schillingsfürst-Breunner-Enkevoirth; Franz Albrecht Metternich-Sándor 4. Herzog von Ratibor und 4. Fürst von Corvey Prinz zu Hohenlohe-Schillingsfürst; oder Oberstleutnant a.D. Prinz Moritz von Ratibor usw.; Genealogisches Handbuch der fürstlichen Häuser Band XI, Limburg an der Lahn 1980, 154–157; H. Kuhn an MGGS 16. Juni 1948.

44 S. unten 98, 100–101.

45 MGB-Akte P-46988 Joachim Kuhn.

46 MGB-Akte P-46988 Joachim Kuhn.

47 Hitler befahl am 22. Dez. 1943 die Aufstellung eines Führungstabes für die «nationalsozialistische Führung in der Wehrmacht»; der NSFO wurde allerdings schon durch eine Weisung Hitlers vom 28. Nov. 1943 im Heer eingeführt; es ging dabei nicht so sehr um die Intensivierung der bisherigen politisch-weltanschaulichen Indoktrination der Wehrmacht als vielmehr um ihre Aktivierung, Vereinheitlichung und Zentralisierung durch einen einzigen Führungsstab, der Hitler unmittelbar unterstand; Hitler ernannte Gen.d.Inf. Hermann Reinecke, den Chef des Allgemeinen Wehrmachtamts, zum Chef des «NS-Führungsstabes des OKW»; Jürgen Förster, «Geistige Kriegführung in Deutschland 1919 bis 1945», in: Das Deutsche Reich und der Zweite Weltkrieg Band 9/l, München 2004, 590–601, bes. 590–592. Dort heisst es weiter: Am 7. Jan. 1944 erklärte Hitler, es gehe ihm «um die ‹völlige Vereinheitlichung [und] langsame Durchsetzung der ganzen Wehrmacht mit dem nationalsozialistischen Gedankengut›, damit bei allen Soldaten ‹die völlig gleiche Auffassungswelt› gegeben sei. Die intensive, einheitliche politisch-weltanschauliche ‹Durchknetung› der Wehrmacht, von der sich Hitler kurzfristig nicht allzuviel versprach, übertrug er als ‹besondere Aufgabe› der Wehrmacht selbst, nicht der Partei. Auch die Heereswesenabteilung im OKH verstand den ‹Führerbefehl› in diesem Sinne, nämlich als Chance für die Wehrmacht, noch stärker politisch aktiv zu werden und damit ihre Schlagkraft ‹aus sich selbst heraus› zu steigern. Die Partei wiederum sah ihre Aufgabe darin, ‹alles dazu bei[zu]tragen, den Willen des Führers durchzusetzen, eine nationalsozialistische Revolutionsarmee zu schaffen, die allen Kämpfen gewachsen ist, gefestigt in der inneren nationalsozialistischen Haltung ihrer Offiziere und Mannschaften und dem unbeugsamen Willen aller, für Führer und Reich den Sieg zu erringen›.» Einfügungen in eckigen Klammern ebd.

48 28. Jäger-Division, Ordre de Bataille, BA-MA MSG 175.

49 Hierzu Robert B. Bernheim, «The Commissar Order and the Seventeenth German Army: From Genesis to Implementation, 30 March 1941–31 January 1942», McGill University Ph.D. Thesis, Montreal, 2004 98–200.

50 Mecklenburg an MGGS 16. März 1954; Mecklenburg, Aufzeichnung 3; MGGS an H. Kuhn 27. Nov. 1955. Mecklenburg erwähnt weder in seinem Brief von 1954, in seiner Aussage von 1956, noch in seiner Aufzeichnung von 1983 oder in seinen 1996 erschienenen Erzählungen den Besuch Kuhns und seiner Vernehmer in «Mauerwald» und den Dokumentenfund. MGGS schrieb an H. Kuhn 27. Nov. 1955 über ihr Gespräch mit dem ehem. Mitge-

fangenen Peter Wolfgang von Rüling: «Er hat genau wie Mecklenb. von dem Aufenthalt der kl Villa bei Moskau u. dem Flug nach dem Hauptquartier u. den Aufenthalten in der Lubjanka u. Butirka erzählt, was ihm J. erzählt hat.»

51 Tempelhoff.

52 Mecklenburg 16. März 1954; Mecklenburg, Aufzeichnung 3; Mecklenburg, Erzählungen 136–138; im Mai 1954 berichtete der Herzog Marie Gabriele Gräfin Stauffenberg, der Roman habe von Truchsessen gehandelt; MGGS an H. Kuhn 18. Mai 1954; zur Schreiberlaubnis s. unten 136.

53 Mecklenburg, Aufzeichnung 3; Mecklenburg, Erzählungen 137; Mecklenburg an MGGS 16. März 1954; MGGS an H. Kuhn 18. Mai 1954 auf Grund des Berichts Mecklenburgs vom 14. Mai 1954; Alexander Solschenizyn, Der Archipel GULAG, Band 1, Bern 1974, Kap. 3 «Die Vernehmung», 99–144 bes. 103.

54 Chavkin und Kalganov 355, ohne präzise Quellenangabe u. ohne Beleg für «Stauffenbergs Weisung».

55 Chavkin und Kalganov 366 ohne Quellenangabe.

56 Tempelhoff an MGGS 11. März 1950; Chavkin und Kalganov 366 schreiben: «Vom 12. August 1944 bis zum 1. März 1947 blieb der Kriegsgefangene KUHN im Innengefängnis des NKVD in Moskau. ‹Aus operativer Notwendigkeit heraus› trug er in der Haft einen anderen Namen. In den Gefängnisakten wurde KUHN als Joachim Malowitz geführt.» Als Quelle hierfür geben Chavkin und Kalganov an: «CA FSB. Delo arestovannogo KUNA (Malovitc) Ioachima [Der Fall des Inhaftierten KUHN (Malowitz), Joachim], P-46988 – Gefängnisakte ‹P-46988› des Inhaftierten KUHN (Malowitz), Joachim.» Einfügung in [] von Chavkin und Kalganov. MGGS an H. Kuhn 18. Mai 1954: Der Herzog zu Mecklenburg habe ihr am 14. Mai 1954 gesagt, Kuhn habe sich v. Mallowitz genannt und der H. z. M. habe das auch von anderen Gefangenen gehört, die mit Kuhn in der Lubjanka zusammen waren.

57 Chavkin und Kalganov 366 mit der Quellenangabe «CA FSB. Delo arestovannogo KUNA (Malovitc) Ioachima [Der Fall des Inhaftierten KUHN (Malowitz), Joachim], P-46988 – Gefängnisakte ‹P-46988› des Inhaftierten KUHN (Malowitz), Joachim.» Einfügung in [] von Chavkin und Kalganov.

58 MGGS an H. Kuhn 18. Mai 1954 auf Grund des Berichts Mecklenburgs vom 14. Mai 1954.

59 Heimkehrerkarteikarte Kuhns, Deutsches Rotes Kreuz/Suchdienst München; Kuhn, Lebensläufe 14. Mai, 10. Juli u. 14. Dez. 1956, BFD Ansbach u. Akten des LABO Abt. I – Entschädigungsbehörde Berlin RegNr. 212730; Chavkin und Kalganov 367: «auf Weisung von ABAKUMOV»; Mecklenburg 16. März 1954 vermutet auf Grund von Andeutungen Kuhns, man habe ihn für das Nationalkomitee «Freies Deutschland» gewinnen wollen, was jedoch für diese Zeit nicht zutreffen kann, weil das Komitee seit 20. Juli 1944 keinen Platz mehr für nicht-kommunistische oder zum Kommunismus neigende Mitglieder bot und auch seinen Nutzen für die sowjetische Politik längst verloren hatte; vgl. Jesco v. Puttkamer, Irrtum und Schuld. Geschichte des National-Komitees «Freies Deutschland», Neuwied, Berlin 1948 81–88. In seinen Lebensläufen gab Kuhn an, er habe militärische Aussagen verweigert, doch hatte er schon 1944 Aussagen gemacht, und es ist unwahrscheinlich, dass man 1947 von ihm auf diesem Gebiet noch viel erwartete.

60 Vermerke in der MGB-Akte P-46988 Joachim Kuhn; Mecklenburg, Erzählungen 138; am 14. Mai 1954 hatte Mecklenburg MGGS berichtet, Kuhn

habe einen Roman über Truchsessen geschrieben, Mecklenburgs spätere Pfalzgrafen-Variante ist vielleicht auf die Unterrichtung Mecklenburgs über Kuhns Postsendungen aus Aleksandrovsk zurückzuführen; MGGS an H. Kuhn 18. Mai 1954; Kuhn, Lebenslauf 10. Juli 1956. Im Oktober 1951 erfuhr der Herzog zu Mecklenburg von Kuhn [Mecklenburg nennt das Lefortovo-Gefängnis immer Fotiskaja oder Fortiskaja, das es nicht gibt]: «Seine Einlieferung dahin [in das Gefängnis «Fotiskaja»] erfolgte wohl auf seine Ablehnung gegenüber dem National-Kom-Fr.D. u. sprach von diesem Moment an niemand mehr mit ihm, bis er in Butirka [sic] kam zur Vernehmung. Die Zelle immer nasse Wände [sic], so feucht war es gewesen, es musste ständig das Zellenfenster deswegen geöffnet sein, damit es erträglich war. So war er sehr elend gewesen als der Herzog mit ihm zusammenkam. Vor dem Herzog war er mit einem Koch aus der Reichskanzlei zusammen der etwas verdiente u. sich zum Essen einiges kaufen konnte u. mit ihm teilte, was eine Riesenhilfe für Joachim gewesen, er bekam in dieser Zeit auch etwas mehr an Zucker u. Fisch u. etwas Butter zugeteilt.» MGGS an H. Kuhn 18. Mai 1954 auf Grund des Berichts des H. zu Mecklenburg 14. Mai 1954.

61 Mecklenburg, Aufzeichnung 3; Mecklenburg, Erzählungen 137; Mecklenburg an MGGS 16. März 1954; MGGS an H. Kuhn 18. Mai 1954 auf Grund des Berichts Mecklenburgs vom 14. Mai 1954.

62 Slawomir Rawicz, Der lange Weg. Meine Flucht aus dem Gulag, München 2000; Kopelew, Aufbewahren 11; Lew Kopelew, Tröste meine Trauer. Autobiographie 1947–1954, Hamburg, 1981 7–9 u. passim zu Folterungen in staatspolizeilichen u. gerichtlichen Verfahren; Andreas Hilger, Ute Schmidt, Günther Wagenlehner, Hrsg., Sowjetische Militärtribunale Band 1: Die Verurteilung deutscher Kriegsgefangener 1941–1953, Köln 2001 220; Mecklenburg, Erzählungen 208.

63 Hilger, Schmidt, Wagenlehner 13; vgl. Nikita Petrov, «Deutsche Kriegsgefangene unter der Justiz Stalins», in: Stefan Karner, Hrsg., «Gefangen in Russland». Die Beiträge des Symposions auf der Schallaburg 1995, Selbstverlag des Ludwig Boltzmann Instituts, Graz-Wien, 1995 212–213; S. 210 schrieb Petrov, als Folge des Briefs von Vyšinski und Kruglow vom 24. Dez. 1949, ohne Angabe von Daten der Verurteilungen, aber den auf S. 212 zitierten erst am 17. März 1950 erfolgten Beschluss des Ministerrats voraussetzend: «Für Gerichtsorgane war der Beschluss des Ministerrates rechtsverbindlich und somit wurden alle in den Listen namentlich angeführten Generäle zu 25 Jahren Haft verurteilt.» Dem scheint die Feststellung 212–213 zu widersprechen, 18 beim MGB festgehaltene Generale seien 1951 noch nicht verurteilt gewesen, es sei denn, sieben wären verurteilt gewesen und die 18 seien später verurteilt worden, was aber Petrov nicht mitteilt.

64 Hierzu u. z. Folg. Vermerke in der MGB-Akte P-46988 Joachim Kuhn.

65 Vermerke in der MGB-Akte P-46988 Joachim Kuhn; Kuhn, Lebenslauf 10. Juli 1956, BFD Ansbach.

66 Verhörprotokoll 3. Feb. 1951 in MGB-Akte P-46988 Joachim Kuhn.

67 Hierzu u. z. Folg. Meyer, Heusinger 267–268, 399–426; Hoffmann, Stauffenberg 304–305.

68 Kuhn, Eigenhändige 21.

69 Hoffmann, Stauffenberg 259, 273.

70 Hoffmann, Stauffenberg 304–305; Meyer, Heusinger 267–268.

71 Hilger, Schmidt, Wagenlehner 11–13, 19; vgl. die Zahlen bei Petrov, Deutsche Kriegsgefangene 211–212.

72 Peter Hoffmann, «Major Joachim Kuhn: Explosives Purveyor to Stauffenberg and Stalin's Prisoner», German Studies Review 28 (2005) 529–532; Petrov, Deutsche Kriegsgefangene 210.

73 Wilfried Loth, Stalins ungeliebtes Kind. Warum Moskau die DDR nicht wollte, Berlin 1994, 14–15 zit. Hans-Peter Schwarz, Vom Reich zur Bundesrepublik. Deutschland im Widerstreit der aussenpolitischen Konzeptionen in den Jahren der Besatzungsherrschaft 1945–1949, 2. Auflage Stuttgart 1980 223 und Milovan Djilas, Gespräche mit Stalin, Frankfurt/M. 1962 147.

74 Loth 122–123 zit. FRUS 1948 II (1974) 997, wo das jedoch nicht steht.

75 Hilger, Schmidt, Wagenlehner 212–213, 218 (Auslassung im Zitat).

76 Hilger, Schmidt, Wagenlehner 16, 18, 249.

77 Hilger, Schmidt, Wagenlehner 211, 258–259, 263.

78 Hilger, Schmidt, Wagenlehner 268, 270, 271 Anm. 290.

79 Hilger, Schmidt, Wagenlehner 10; Petrov 183, 212.

80 Petrov, Deutsche Kriegsgefangene 212–214.

81 Herbert Michaelis und Ernst Schraepler, Hrsg., Ursachen und Folgen. Vom deutschen Zusammenbruch 1918 und 1945 bis zur staatlichen Neuordnung Deutschlands in der Gegenwart, 23. B., Berlin o. J. 348–349; Stellvertretender Hauptstaatsanwalt der Militärstaatsanwaltschaft Generalleutnant der Justiz W. A. Smirnow, Generalstaatsanwaltschaft, Militärgericht der Russischen Föderation des Wehrbezirks Moskau, Militärhauptstaatsanwaltschaft 13. November 1998 Nr. Bud–28902–51, 103160 Moskau, K-160, EINSPRUCH (im Dienstaufsichtswege) zur Strafsache Joachim Kuhn; Militärhauptstaatsanwaltschaft der Generalstaatsanwaltschaft der Russischen Föderation an Botschaft der Bundesrepublik Deutschland Moskau 13. Nov. 1998 Eing. 24. Nov. 1998; am 23. Dezember 1998 hob das zuständige Gericht das Urteil von 1951 auf; Kuhn-MGB-Akte P-46988 Joachim Kuhn; Dr. Günther Wagenlehner an d. Verf. 15. März 1999.

82 Petrov an d. Verf. 10., 14. u. 17. März 2006.

83 Vernehmung 23. Aug. 1951, MGB-Akte P-46988 Joachim Kuhn.

84 Mecklenburg, Erzählungen 207–208.

85 MGB-Akte P-46988 Joachim Kuhn; in der Vernehmung am 10. Sept. 1951 erwähnte Kuhn nur die Generalstabsausbildung von November 1941 bis Mai 1942.

86 23.8., 24.8. (1), 24.8.(2), 27.8., 29.8., 10.9., 19.9., 24.9., 26.9., 29.9., 2.10., 11.10.51, MGB-Akte P-46988 Joachim Kuhn.

87 Text des Kontrollrat-Gesetzes in Michaelis und Schraepler, Ursachen 23. B. 348; Petrov an d. Verf. 10., 14. u. 17. März 2006 auf Grund seiner Akteneinsicht und Notizen in den frühen 1990er Jahren.

88 MGB-Akte P-46988 Joachim Kuhn.

89 Anklageschrift gegen Kuhn vom 3. Okt. 1951, Strafsache Nr. 5141, hier Bll. 223–226 (Chavkin und Kalganov 367 zit. Bll. 244–246 für das Dokument, auf Seite 368 jedoch Bl. 225 für die Aussage).

90 MGB-Akte P-46988 Joachim Kuhn; vgl. oben 217 Anmerkung 5. In Eigenhändige 7 datierte Kuhn diese «Berufung» auf die ersten Oktobertage «im Hauptquartier»; Spiegelbild 78; Petrov, Deutsche Kriegsgefangene 215; Kuhn, Eigenhändige 7–8. Seine Einweihung Herwarths (Eigenhändige 23) datiert Kuhn nicht; Herwarth 24. Aug. 1972 und Herwarth, Zwischen 291–293 datierte sie auf August 1943. Kuhn setzte hinzu: «Damit war ich im Zentrum der Umsturzorganisation.» Den Besuch Stauffenbergs Anfang Oktober bezeugte Stieff implizit in einer Vernehmung im Juli 1944. Kuhn unter-

schied zwischen einer informellen Mittlerrolle und der ausdrücklichen Berufung durch Stauffenberg in eine deutlich umrissene Funktion. Kuhn hatte sich also in seiner Erinnerung in Eigenhändigen und in dieser Vernehmung jeweils um einen Monat getäuscht.

91 Akte Nr. 03–1877898 Personalakte Joachim Kuhn, Russisches Staatliches Militärarchiv (RGVA).

92 MGB-Akte P-46988 Joachim Kuhn.

93 In einem Brief vom 10. November 1953 an den Vorsitzenden des Ministerrats der UdSSR, Georgij Maksimilianowitsch Malenkow, zitierte Kuhn die Worte Kitschigins fast wörtlich so; MGB-Akte P-46988 Joachim Kuhn.

94 Mecklenburg 16. März 1954; Mecklenburg, Erzählungen 137, 209.

95 MGB-Akte P-46988 Joachim Kuhn; Bescheid über Kuhns vorzeitige Entlassung lt. Erlass des Präsidiums des Obersten Sowjets der UdSSR vom 28. Sept. 1955, datiert 7. Feb. 1957, FSB-Archiv, Archiv Nr. M-4469; Einspruch der Hauptmilitärstaatsanwaltschaft beim Militärgericht des Wehrbezirks Moskau vom 13. Nov. 1998 im selben Archiv.

96 Mecklenburg 16. März 1954: Abschluss seiner Vernehmungen 22. September 1951, «genau einen Monat später überführte man mich abends aus dem Moskauer Gefängnis Lubjanka in die Butirka, ebenfalls ein riesiges Gefängnis»; Mecklenburg, Erzählungen 135 (Ellipsis in der Vorlage), 209; Mecklenburg, Aufzeichnung 2.

97 Mecklenburg 16. März 1954; Mecklenburg, Aufzeichnung 2; Mecklenburg, Erzählungen 135.

98 Russisches Staatliches Militärarchiv (RGVA) Nr. 03–1877898 Personalakte Joachim Kuhn, MGB-Abt. «A», Befehl 3. Nov. 1951 Nr. 18/7–220252.

99 Mecklenburg 16. März 1954; Mecklenburg, Aufzeichnung 3; Mecklenburg, Erzählungen 210.

100 Mecklenburg 16. März 1954; Kuhn, Lebenslauf 10. Juli 1956, BFD Ansbach; Russisches Staatliches Militärarchiv (RGVA) Nr. 03–1877898 Personalakte Joachim Kuhn; Hans Schauschütz (am 20. Juni 1955 nach Österreich zurückgekehrter Mitgefangener) an H. Kuhn 17. Aug. 1955.

101 H. Kuhn an MGGS 26. Dez. 1945, 3. Feb. 1946, 19. Jan. 1947, 4. Juli, 4. Aug., 13. Aug., 25. Aug. 1947, 3. Sept. 1955; H. Kuhn an MGGS 25.8.47: «Vatl war heute bei dem Herrn. Er hat unseren Iche seinerzeit in dem Bauernhaus gesprochen. Und zwar kam der Herr von drüben zur Verständigung. Iche gab niemandem Auskunft auch dem Höchsten dort nicht, sondern verlangte an die höchste Stelle gebracht zu werden. Worauf er im Flugzeug nach M. gebracht worden ist, nachdem er sich erst gründlichst ausgeschlafen hat, wie der Herr erzählte.» Der war nicht Einsiedel, wie aus H. Kuhn an MGGS 21. Aug. 1947 hervorgeht; «der Herr» war Willms vom NKFD; MGGS z. Verf. 25. März 2001.

102 MGB-Akte P-46988 Joachim Kuhn; Kuhn, Lebenslauf 10. Juli 1956, BFD Ansbach.

103 MGB-Akte P-46988 Joachim Kuhn.

104 Hierzu u. z. Folg. MGB-Akte P-46988 Joachim Kuhn; Radiobasteln s. oben 12.

105 S. oben 93; Hoffmann, Tresckow 345–364.

106 American Psychiatric Association, Diagnostic and Statistical Manual of Mental Disorders, Fourth Edition, Text Revision, Washington, D. C. 2000 297–343 bes. 299–301, 304, 307–312, 325, 329; Schizophrenie setzt typisch im Alter von 16–19 und in den Mittdreissigern ein.

107 MGB-Akte P-46988 Joachim Kuhn.
108 Hans Schauschütz an H. Kuhn 17. Aug. 1955; Kuhns Haus in Bad Homburg wurde am 24. Jan. 1953 «per Pflegschaft der Eltern» verkauft, da Kuhn vermisst war: Auskunft von Rechtspflegerin Heldmann, Amtsgericht Bad Homburg v. d. H. 28. Nov. 2005.
109 Am 10. März 1954 schrieb er seinen Eltern, er schreibe seit September und habe von ihnen noch keine Post; Kopie der Karte aus dem Besitz von MGGS.
110 Kopie aus Besitz MGGS; im Lebenslauf vom 14. Dez. 1956 schrieb Kuhn: «Erlaubnis zum Schreiben und zum Paketempfang wurde erst im September 1953 erteilt.» BFD Ansbach; MGGS 12. April 2006.
111 Mit MGGS' Erinnerung stimmt der Bericht von Oculi nicht überein. Entweder hat Oculi eine Karte nicht gesehen oder vergessen. Auf der nächsten, von Kuhn 19. Februar 1954 datierten Karte, der ersten in Kopie vorliegenden nach der Manstein-Karte, ist der Postvermerk 22.3.54 datiert und lautet: «Auf Schloss-Greifenstein Post-Heiligenstadt (Oberfr.) [Wort unleserlich]». Auf der danach nächsten Karte, die vom 10. März 1954 datiert ist, vermerkte die Post «Empfänger auf Schloß Greifenstein Post i. Heiligenstadt (Oberfr.) nicht zu ermitteln 2./4.» Darauf folgt in den Kopien aus dem Besitz von MGGS eine Bleistiftabschrift von ihrer Hand von einer Karte, die 2.4.54 datiert und an «Liebe Gerdi-Dorothea» gerichtet ist. MGGS vermerkte darauf mit Tinte: «Abschrift/Antwortkarte auf die Karte vom R. K mit Deckadresse». Das Deutsche Rote Kreuz in München sagte MGGS, sie hätten an JK mit der Unterschrift «Deine Schwester Dorothea» und einer Deckadresse als Absender geschrieben. Diese Antwortkarte von JK war beim DRK eingegangen lt. MGGS an H. Kuhn 18. Mai 1954, und ferner: «Dass der Vorname nicht stimmt kann das Zeichen sein, dass ihm der richtige Vorname nicht mehr eingefallen ist, so etwas wäre ja im Laufe dieser Jahre nicht verwunderlich, geht es doch einem selbst oft so, dass einem Vornamen plötzlich entfallen. Die Anrede mit Du ist mir durch eine Bemerkung am R. K. klar geworden, die sagten dass nur Karten an Verwandte durchgelassen werden, daher auch die Unterschrift der Gerdi-Dorothea als Schwester [in der Karte vom DRK an JK].» Etwas später im selben Brief vom 18.5.54: Herr v. Metnitz vom DRK München gab ihr «gleich die Karte von Joachim zu lesen, die [Anfang April wie weiter unten im Brief steht] als Antwort gekommen ist. Sie wird viell. gleichzeitig mit dieser Post bei Euch eintreffen. Es ist kein Zweifel dass sie von ihm stammt. Was er mit allem was darauf steht sagen will können wir wohl im Moment nicht verstehen. Er geht auf die Schwester ein, damit die Antwortkarte auch wirklich ankommt, denn die Schrift dieser Schwester war ihm natürlich auch unbekannt, schien ihm aber wohl doch auch der Weg zu sein darüber die Verbindung mit Euch zu finden. Mit der Erwähnung der Tante Dorothea in der Karte an ihn hatte das R. K. gehofft, dass er etwas darüber zurückschreiben würde, was ihnen einen Anhaltspunkt bei den Nachforschungen nach den Angehörigen geben könnte. Das Wort Tante nahmen sie auch nur wieder wegen der Verwandtschaft. Ich machte nun mit Metnitz aus, dass es wohl das Beste ist, Du antwortest ihm mit dieser Karte als Schwester Gerdi-Dorothea die jetzt nicht mehr in Sauerlach bei München sei sondern zurück in Berlin und den Absender nur genau wie er schreibt aber statt der Sauerlacher Anschrift die Adresse des Wildpfad nehmend u. das «bei Kuhn» aber weglassen.» Frau Kuhn solle schreiben, sie sitze gerade mit der Mutter und dem Vater auf der Terasse und sie sprechen davon, dass er

die 4 Pakete im Monat bekommen solle und wie man ihm das Geld schicken könne – «u. lege in die Pakete Bilder von Euch hinein. Nicht von mir etwas. Erwähne auch nicht den Namen Dorothea ausser in der Unterschrift.» Der Suchdienst München des DRK schrieb am 7. Mai 1954 an H. Kuhn, sie haben «in kurzen Zeitabständen von der Post beiliegende zwei unzustellbare Kriegsgefangenen-Karten» erhalten, die erste im Dez. 1953, eine weitere Karte lege man als Photokopie bei; eine Anfrage des Suchdienstes beim Deutschen Adelsarchiv nach «Angehörigen eines Kgf. Graf Joachim von der Pfalz-Zweibrücken verlief negativ».

112 Oculi Gräfin Stauffenberg an MGGS 11. Mai 1954; MGGS 12. April 2006; Kopie der Karte aus dem Besitz von MGGS.

113 Mecklenburg an MGGS 16. März 1954.

114 DRK Suchdienst München an H. Kuhn 7. Mai 1954; H. Kuhn an MGGS 12. Mai 1954; Abschrift der Karte Kuhns vom 2. April 1954 aus Besitz MGGS. Vgl. Anm. 111.

115 H. Kuhn an DRK Suchdienst Hamburg 21. März 1955.

116 H. Kuhn an MGGS 12. Mai 1954.

117 MGGS an Frau Kuhn 18.5.54 (=Donnerstag), Masch.-Durchschlag aus Besitz MGGS; MGGS z. Verf. 22. Aug. 2006.

118 Akten des Suchdienst München des DRK; Suchdienst Hamburg des DRK an H. Kuhn 7. u. 26. Mai 1954; Akte Nr. 03–1877898 Personalakte Joachim Kuhn, Russisches Staatliches Militärarchiv (RGVA): s. u. 129.

119 DRK Suchdienst München an H. Kuhn 7. Mai 1954; MGB-Akte P-46988 Joachim Kuhn.

120 TK MGGS 1945–1951; MGGS z. Verf. 11.–13. April 2006.

121 Akte Nr. 03–1877898 Personalakte Joachim Kuhn, Russisches Staatliches Militärarchiv (RGVA).

122 Akte Nr. 03–1877898 Personalakte Joachim Kuhn, RGVA.

123 Botschaft der BRD in Washington an BMI 29. Jan. 1958, BMI BA B 106/67583 (050711 Kuhn – Wiedergutmachungsbescheid – A1); Akte Nr. 03–1877898 Personalakte Joachim Kuhn, RGVA.

124 Abschrift aus Besitz von MGGS.

125 Akte Nr. 03–1877898 Personalakte Joachim Kuhn, RGVA.

126 Akte Nr. 03–1877898 Personalakte Joachim Kuhn, RGVA.

127 Maria Engelbreit, z. Verf. 3. Mai 2005.

128 Akte Nr. 03–1877898 Personalakte Joachim Kuhn, Russisches Staatliches Militärarchiv (RGVA).

129 Kopie aus Besitz MGGS.

130 Kopie aus Besitz MGGS.

131 Peter von Rüling an J. Kuhn 17. Nov. 1955, Kopie aus Besitz MGGS; H. M. Pfalz-Zweibrücken (=Frau Kuhn) an Rüling 21. Nov. 1955; Eintragung Rülings im Fremdenbuch Greifenstein; H. Kuhn an MGGS 24. Nov. 1955; Aufzeichnung von MGGS Aug. 1998.

132 Schauschütz 17. Aug. 1955 an H. Kuhn; MGGS an H. Kuhn 27. Nov. 1955.

133 «Lager Dechtjarsk» ohne Quellenangabe in Bischof D. Heckel, Beauftragter des Rates der Evangelischen Kirche in Deutschland für Kriegsgefangenenarbeit, an Arthur Kuhn 28. Okt. 1955; H. Kuhn an DRK Hamburg-Osdorf 6. Dez. 1955: Kuhn solle nicht mehr in Alexandrowsk sein, «wie mir Herr Schlesinger, Herr Christofoletti und Herr v. Rueling geschrieben haben», «andere Heimkehrer haben ihn im Lager Derchtjarsk 5110/25 gesehen»; DRK Hamburg an H. Kuhn 9. Dez. 1955 nennt das Lager Degtjarka/Swerdlowsk;

im Lebenslauf vom 14. Dez. 1956 schrieb Kuhn, er sei von Alexandrowsk im Sept. 1955 in das Sammellager Swerdlowsk und danach nach Friedland abtransportiert worden, BFD Ansbach; Auszug aus den Akten der StA. b. d.Kammergericht Berlin (Jan. 1957), BFD Ansbach; in der in Berlin angelegten Heimkehrer-Karteikarte (Deutsches Rotes Kreuz Suchdienst München an d.Verf. 9. Sept. 1998) steht «Perve Uralsk»; DRK Hamburg an H. Kuhn 9. Dez. 1955.

Heimkehr

1 BFD Ansbach; H. Kuhn an MGGS 16. April 1956.
2 Generalstaatsanwalt bei dem Kammergericht Berlin an Kuhn 24. Mai 1957, BMI BA B 106/67583 (050711 Kuhn – Wiedergutmachungsbescheid – A1); das Protokoll konnte nicht gefunden werden.
3 H. Kuhn an MGGS 16. April 1956.
4 BFD Ansbach.
5 MGGS z. Verf. 22. Aug. 2006.
6 H. Kuhn an MGGS 16. April 1956.
7 Otto F. Stapf z. Verf. 6. Juni 2006 erinnert sich anders: Er sei mit Kuhn zum englischen Konsulat gegangen, weil Kuhn der Königin von England Blumen schicken wollte, dabei sei es Stapf gelungen, einem Angehörigen des Konsulats zu sagen, Kuhn sei nicht ganz ernst zu nehmen; Stapf vermutet, dass es nicht zu der Blumensendung gekommen sei.
8 Otto F. Stapf z. Verf. 6. Juni 2006.
9 H. Kuhn an MGGS 16. April 1956.
10 Otto F. Stapf z. Verf. 6. Juni 2006.
11 LABO.
12 H. Kuhn an MGGS 16. April 1956.
13 Unterlagen BFD Ansbach; Vermerk (Amt des Senator für Inneres Berlin) 10. Jan. 1956 u. Vermerk 3. Mai 1956 u. BFD Ansbach; J. Kuhn an Senator für Inneres Berlin 14. Feb. 1957, BFD Ansbach; BMI, BA B 106/67583 (050711 Kuhn – Wiedergutmachungsbescheid – A1).
14 Akten Feb.–Mai 1956 der BFD Ansbach.
15 Bezirksamt Berlin-Wilmersdorf, Landesverwaltungsamt Berlin, Senator für Inneres in Berlin, Generalstaatsanwalt bei dem Kammergericht in Berlin, Bundesministerium des Innern, die deutschen Botschaften in Washington und Wien, Oberbundesanwalt bei dem Bundesgericht in Karlsruhe, Bundesministerium für Verteidigung, Bundesministerium des Äusseren, Bezirksfinanzdirektion Ansbach, Amtsgericht Bad Kissingen, Stadtverwaltung Bad Kissingen.
16 Auszugsweise Beglaubigte Abschrift aus den Akten 1 O Js 111/56 der StA. b.d.Kammergericht Berlin, BFD Ansbach.
17 Senator für Inneres Berlin an BMI 21. Juni 1956 u. Facharbeitsamt I Berlin an Senator für Inneres 27. März 1956, BFD Ansbach.
18 Korrespondenz Senator für Inneres Berlin 1956 sowie Der Generalstaatsanwalt bei dem Landgericht Berlin an J. Kuhn 11. Dez. 1956 u. 5. Jan. 1957, Kuhns Antwort 17. Dez. 1956, BFD Ansbach.
19 Der Generalstaatsanwalt bei dem Kammergericht Berlin an Senator für Inneres 3. Jan. 1957, Auszug der Staatsanwaltschaft bei dem Kammergericht Berlin in BFD Ansbach.
20 [Bernd von Pezold, Bericht, masch., 1956/57], 5, 36, 40, dazu die Bestätigung der Richtigkeit des Berichts von Oberst a.D. Arthur Boje 6. Mai 1957,

beide in den Papieren von B. v. Pezold; auszugweise beglaubigte Abschrift aus den Akten 1 O Js 111/56 der StA. b.d. Kammergericht Berlin in BFD Ansbach; BMI an Botschaft der BRD in Wien BMfV 24. Dez. 1957, BMI BA B 106/67583 (050711 Kuhn – Wiedergutmachungsbescheid – A1).

21 LABO.

22 Stellungnahme des Senators für Inneres 1. März 1957, BFD Ansbach.

23 Akten des Haupttreuhänders für Rückerstattungsvermögen Berlin, B Rep. 025–05 Nr. 1941/63 und B Rep. 025–05 Nr. 354/57, Landesarchiv Berlin.

24 LABO.

25 Kuhn, Anhang zum Antrag auf Grund des Bundesergänzungsgesetzes zur Entschädigung für Opfer der nationalsozialistischen Verfolgung (BEG) vom 18.9.1953 (BGBl. I 1387) vom 28. März 1956, LABO; vgl. H. Kuhn an MGGS 16. April 1956.

26 Vermerk 14. Dez. 1962 in LABO-Akten, man habe mit der Mutter Kuhns telephoniert: «Die Mutter des Ast's. bat inständig, den Sohn mit dem Vater gemeinsam zu Verhandlungen vorzuladen, da der Ast. durch die bis 1956 angehaltene Gefangenschaft in Russland sehr nervös sei.»

27 Senator für Inneres Berlin an BMI 21. Juni 1956 u. Facharbeitsamt I Berlin an Senator für Inneres 27. März 1956, BFD Ansbach.

28 Vermerk 31. Mai 1956, LABO.

29 LABO.

30 Stolberg, In memoriam 9.

31 BMI Wiedergutmachungsbescheid 26. März 1958, BFD Ansbach.

32 LABO.

33 LABO.

34 BFD Ansbach; Generalstaatsanwalt bei dem Kammergericht an Kuhn 24. Mai 1957, BMI BA B 106/67583 (050711 Kuhn – Wiedergutmachungsbescheid – A1).

35 BMI BA B 106/67583 (050711 Kuhn – Wiedergutmachungsbescheid – A1).

36 BMI an BMfV 28. Aug. 1957, BMI BA B 106/67583 (050711 Kuhn – Wiedergutmachungsbescheid – A1).

37 Hierzu und zum Folgenden Botschaft der BRD in Wien an BMI 29. Jan., 27. Feb., 6. März 1958, Schauschütz an BMI 19. März 1958, BMI BA B 106/67583 (050711 Kuhn – Wiedergutmachungsbescheid – A1); Schauschütz an H. Kuhn 17. Aug. 1955.

38 Botschaft der BRD in Washington an BMI 29. Jan. 1958, BMI BA B 106/67583 (050711 Kuhn – Wiedergutmachungsbescheid – A1).

39 Hierzu und zum Folgenden Botschaft der BRD in Wien an BMI 29. Jan., 27. Feb., 6. März 1958, Schauschütz an BMI 19. März 1958, BMI BA B 106/67583 (050711 Kuhn – Wiedergutmachungsbescheid – A1); Schauschütz an H. Kuhn 17. Aug. 1955.

40 Spiegelbild 93; Wagner, Volksgerichtshof 661–663; in der Frage, ob die von dem sogenannten Ehrenhof ausgesprochenen Entlassungen aus der Wehrmacht dem Wehrgesetz von 21. Mai 1935 und den Offizierentlassungsbestimmungen vom 1. November 1938 entsprochen haben, und ob Hitlers Vorgehen, die Ausstossung zu erklären, rechtmässig gewesen sei, vertrat das Bundesministerium der Verteidigung die Auffassung, es sei rechtsgültig gewesen, und das Bundesministerium des Innern im Gegenteil, dass es zur Rechtmässigkeit von Hitlers Vorgehen, aus eigener Kommandogewalt die Entlassungsvorschriften des Wehrgesetzes zu verschärfen und seine eigene Zuständigkeit zur Entlassung zu erweitern, einer im Reichsgesetzblatt veröffentlichten Rechts-

verordnung bedurft hätte; BMI BA B 106/67583 (050711 Kuhn – Wiedergutmachungsbescheid – A1). Senator für Inneres Berlin an BMI 1. März 1957
und Wiedergutmachungsbescheid 26. März 1958, BMI BA B 106/67583
(050711 Kuhn – Wiedergutmachungsbescheid – A1); BMI an Kuhn 15. Nov.
1958, BFD Ansbach.

41 BMI BA B 106/67583 (050711 Kuhn – Wiedergutmachungsbescheid – A1);
Senator für Inneres Berlin an BMI 18. Nov. 1958, BFD Ansbach.

42 BMfV an Kuhn 17. April 1958, an Senator für Inneres Berlin 22. Dez. 1958,
Vermerke des Generalstaatsanwalts b.d. K. B. Jan. 1959, Senator für Inneres
an das Bezirksamt Wilmersdorf von Berlin 23. Jan. 1959, BFD Ansbach.

43 BFD Ansbach.

44 Otto F. Stapf z. Verf. 6. Juni 2006; H. Kuhn an d. Verf. 27. Juli u. 3. Aug.
1971, tel. Gespräche 24. u. 31. Juli 1971; Stadt Bad Kissingen an d. Verf.
[Aug. 1971], 31. Aug. 1972; Polizeipräsident in Berlin an d. Verf. 12. Aug.
1971; Bussche an MGGS 27. Feb. 1983.

45 BFD Ansbach.

46 Telegramme in den Papieren von MGGS.

47 Maria Engelbreit z. Verf. 15. u. 16. Mai 2003; das Vorlesen deutet auf eine
spätere Zeit, nach 1984, als Kuhn nahezu blind war.

48 Maria Engelbreit z. Verf. 15. u. 16. Mai 2003, 3. Mai 2005.

49 Maria Engelbreit z. Verf. 15. u. 16. Mai 2003, 3. Mai 2005.

50 Einsiedel an d. Verf. 15. Nov. u. 7. Dez. 2004; Einsiedel, Erinnerungen 343–
348; Maria Tomalla an d. Verf. 7. März 2005, 10. März 2006; Maria Engelbreit z. Verf. 3. Mai 2005; Einsiedel erinnert sich, der Besuch habe 1981 statt-
gefunden; Frau Tomalla glaubt, es sei vor 1976 gewesen, weil es in der Spar-
kasse hiess, das mit der Anrede und dem Namen Kuhns regele die Mutter, ist
aber in der Chronologie ganz unsicher. Da Kuhn erst 1979 in die Pension von
Frau Engelbreit gezogen ist und Frau Engelbreit sich ebenfalls an den Besuch
erinnert, muss es zwei Besuche von Hammerstein gegeben haben; dies bestätigt Eva Ingeborg Fleischhauer an d. Verf. 27. Nov. 2006: sie habe Kuhn mit
Hammerstein zusammen besucht. Maria Engelbreit z. Verf. 3. Mai 2005:
Hammerstein u. Einsiedel hätten Kuhn in seinem Zimmer besucht; Bussche,
Aufzeichnung [1988].

51 Eva Ingeborg Fleischhauer an d. Verf. 27. Nov. 2006. Frau Engelbreit z. Verf.
3. Mai 2005 berichtet, Frau Fleischhauer habe Kuhn im Gasthaus Biedermei-
erhof aufgesucht, wo er gewöhnlich zu Mittag und zu Abend ass, mit dem
Erfolg, dass Kuhn nicht mehr zum Essen ausgegangen sei.

52 Mitteilung von Regierungsdirektor Franz, BFD Ansbach, 20. Juni 2006.

53 Maria Engelbreit z. Verf. 3. Mai 2005; MGGS, z. Verf. 2. Juli 2006.

54 Maria Engelbreit z. Verf. 15. u. 16. Mai 2003; Bestallung von M. Engelbreit
zum Pfleger 14. Juli 1989, BFD Ansbach; Amtsgericht Bad Kissingen 28. April
2005. Die Akten der BFD Ansbach aus dieser Zeit wurden März/April 2006
vernichtet; Reg. Dir. Beat Esser 12. Juni 2006.

Tragisches Ende

1 O. F. Stapf z. Verf. 6. Juni 2006; Maria Engelbreit z. Verf. 3. Mai 2005.

2 Maria Engelbreit z. Verf. 3. Mai 2005.

3 Maria Engelbreit z. Verf. 15. u. 16. Mai 2003; Bestallung von M. Engelbreit
zum Pfleger 14. Juli 1989, BFD Ansbach; Amtsgericht Bad Kissingen 28. April
2005.

4 Dr. Jaitner an d. Verf. 30. Mai 2005.
5 BFD Ansbach.
6 Maria Engelbreit z. Verf. 3. Mai 2005.
7 S. 157, 215–216 Anm. 14.
8 Maria Engelbreit z. Verf. 3. Mai 2005.
9 Einsiedel an d. Verf. 15. Nov. 2004.

Abkürzungen

1 3. Feb. 1941–20. Juli 1941, dann wieder 1943–1946.
2 NKWD SSSR = Volkskommissariat des Innern der UdSSR; erhielt die Organe der Staatssicherheit 10.7.34 eingegliedert; Leiter des NKWD Nov. 1938–1945 Lawrenti Pawlowitsch Berija; 3. Feb. 1941 aufgeteilt in NKWD der UdSSR und das Volkskommissariat für Staatssicherheit = NKGB der UdSSR; Berija = Volkskommissar für innere Angelegenheiten der UdSSR; Wsewolod Nikolajewitsch Merkulow = Volkskommissar für Staatssicherheit; Juli 1941 NKWD u. NKGB wieder zusammen in NKWD; April 1943 wieder NKGB, Leiter Merkulow; 15. März 1946 NKGB ins Min. f. Staatssicherheit = MGB umgebildet; Minister 1946–51 = Viktor Abakumow; 1951–53 Semjon Ignatjew 7. März 1953 Min. f. innere Angel. = MWD der UdSSR u. Min. f. Staatssicherheit = MGB der UdSSR; wieder zusammengelegt als Innenministerium unter Sergej Kruglow 13. März 1954; Komitee für Staatssicherheit = KGB beim Ministerrat der UdSSR gebildet.

Kuhns Wohnsitze

1 BGB § 9.
2 Amtsgericht Bad Homburg v. d. H. 28. Nov. 2005.
3 Einwohnermeldeamt Markt Bad Bocklet 9. Mai 2005.
4 Abmeldung, 29. Polizeirevier Berlin 1. April 1942, LABO Berlin Abt. I; Grosshessisches Staatsministerium, Bescheinigung, dass Kuhn «von dem Gesetz zur Befreiung von Nationalsozialismus und Militarismus vom 3.5.1946 nicht betroffen» sei 23. Sept. 1946, LABO; Stadt Bad Kissingen, Bestätigung 3. März 1969 in BFD Ansbach; Bürgermeister Gundalach, Markt Bad Bocklet an BFD Ansbach 4. Mai 1977, BFD Ansbach.
5 Amtsgericht Bad Kissingen 28. April 2005.

Entwürfe für den Staatsstreich

1 Hierzu u. z. Folg. s. oben 34–35; die Dokumente lagern ohne Signatur im FSB-Archiv; vgl. die russische Übersetzung des «Kalender» von Aleksandr Kalganov, «Pokuschene na Gitlera 20 ljulja 1944 goda» in V. A. Stavickij, Hrsg., Tajnye stranicy istorij, Moskau 2000 289–320; Kuhn, Vernehmung 21./22. Nov. 1952, MGB-Akte P-46988 Joachim Kuhn; Hoffmann, Security 232, 234; Hoffmann, Stauffenberg 356–360, 327–350; s. die später für Berlin verwendeten Versionen in Spiegelbild 24–26, 37 («Zeitplan»), 65–82, 139–142, 147–156, 160–166, 199–203, 213–217; ferner Abdrucke der hauptsächlichen Befehle nach anderen Vorlagen in Hoffmann, Widerstand 896–906; zur Hoffnung auf Kapitulation im Westen und Halten der Front im Osten Moltkes Istanbul-Mission im Dez. 1943, Hoffmann, Stauffenberg 356–360, s. ausführlich Hoffmann, Tresckow, VfZ 55 (2007) 331–364.

2 Tresckow an E. v. Tresckow 14. Okt., 21. u. 27. Nov. 1943; Otto Wöhler an Bodo Scheurig 20. Dez. 1970, Institut für Zeitgeschichte ZS 31/1; Speidel, Aus unserer Zeit 151; Wöhler an Scheurig 20. Dez. 1970; Scheurig, Tresckow, 172, 175 (T. habe Speidel um das Flugzeug gebeten, was weder Speidel noch Wöhler berichten); Hoffmann, Stauffenberg, S. 314; Hoffmann, Tresckow 352–353.

«Eigenhändige Aussagen»

1 Kuhn, Eigenhändige (russisch) 1, MGB-Akte P-46988 Joachim Kuhn Bl. 55.
2 Kuhn, Eigenhändige (russisch) 1.
3 Staatsarchiv der Russischen Föderation (GARF), Fond 9401, Opis' 2, Akte 66, Bl. 293–323; Dr. Matthias Uhl, Deutsches Historisches Institut Moskau, an d. Verf. 8. Aug. 2006.
4 Dafür spricht auch die Verwendung des Wortes «Repressionen» im Brief Abakumows vom 23. September 1944 an Malenkow anstelle des Wortes «Repressalien» in Kuhns «Eigenhändige Aussagen»; Chavkin und Kalganov 360; Kuhn, Eigenhändige 2.
5 Wagner, Volksgerichtshof 670–671, 678; Kuhn, Eigenhändige 25.
6 Vgl. Gisevius II 306–313, 318–319.

Personenregister

Abakumow, Viktor Semjonowitsch 87, 89 f., 99, 102, 107, 184
Angelis, Maximilian 107

Badoglio, Pietro 39 f.
Bastian, Max 73
Baudissin, Wolf Graf 80
Beck, Ludwig 33, 39, 51, 55, 73, 80, 94 f., 170
Bentivegni, Franz-Eccard von 107
Berger, Oskar-Alfred 18, 20
Berija, Lawrenti Pawlowitsch 97, 108, 184
Berneck, Franz 149
Bischof 153
Blumenthal, Hans-Jürgen Graf von 17, 20
Boeselager, Georg von 39, 94
Bonhoeffer, Dietrich 23, 31
Boris III. von Bulgarien 101
Bormann, Martin 79
Brauchitsch, Walther von 93
Bürker, Ulrich 20
Bürklin, Wilhelm 22
Bussche, Axel Freiherr von dem 7, 17, 37, 42–48, 92, 159, 163, 170
Busse 99

Churchill, Clementine 136

Dassler 58
Dönhoff, Marion Gräfin 159
Dohnanyi, Hans von 23, 31
Donovan, William J. 87
Dziwisch, Eugen 29

Einsiedel, Heinrich Graf von 83–86, 119, 158 f., 162
Elisabeth II. 136
Engelbreit, Maria 158–162
Erdmann, Hans 17, 20

Fahrner, Rudolf 17, 170
Falck, Wolfgang 95
Fellgiebel, Erich 33, 36–39, 41, 91
Finckh, Eberhard 17, 20
Fleischhauer, Ingeborg 159

Freisler, Roland 49
Fritsch, Werner Freiherr von 39
Fritzsche, Hans Karl 17
Fromm, Friedrich 34

Gabritschersky, Georg 27
Gamota, Roman 115
Gawriljak 113 f.
Goerdeler, Carl 159, 170
Göring, Hermann 34 f., 38, 52, 92, 95, 122, 169 f., 183
Gottberg, Helmut von 47 f.
Groeben, Konrad Graf von der 42
Guderian, Heinz 94
Günsche, Otto 140
Guttenberg, Karl-Ludwig Freiherr von und zu 23
Guttenberg, Therese Freifrau von und zu geb. Prinzessin Schwarzenberg 23, 26, 59

Haeften, Werner von 17, 93
Hagen, Albrecht von 17, 41, 44–48, 61, 95, 185
Halder, Franz 39, 94, 103
Hammerstein, Kunrat Freiherr von 158 f.
Hammerstein, Ludwig Freiherr von 157, 159, 163
Hammerstein-Equord, Kurt Freiherr von 159
Hansen, Georg 45 f.
Harteneck, Gustav 57
Heckel, Theodor D. 135
Herrlein, Friedrich 55–57, 61–64, 75
Herwarth von Bittenfeld, Hans-Heinrich 17, 20, 33, 42–45, 50, 95
Heusinger, Adolf 94, 103 f., 184 f.
Himmler, Heinrich 34 f., 38, 92, 122, 169 f., 183
Hitler, Adolf 7 f., 14, 17 f., 20 f., 23, 27, 31–40, 42 f., 47, 51 f., 55 f., 61, 72 f., 77 f., 85, 87–94, 96 f., 99, 102–104, 107, 111, 114 f., 117, 122, 140, 158, 163–165, 170 f., 183, 185
Hobe, Cord von 78
Hoepner, Erich 92

Bildnachweis

Annette Gräfin von Hahn: *S. 67*; Archiv des Verfassers: *S. 24, 25, 26* (linke und rechte Abbildung), *29, 128, 129, 138*; Ernst Kulessa, Traditionsgemeinschaft Schlesischer Jäger: *S. 53* (oben), *53* (unten); Wolf Freiherr von Uslar-Gleichen: *S. 66*; Zentralarchiv des Sicherheitsdienstes der Russischen Föderation: *S. 109*; Institut für Zeitgeschichte, München: *S. 169*.

Widerstand im Dritten Reich

Peter Hoffmann
Stauffenberg und der 20. Juli 1944
1998. 104 Seiten. Paperback
C.H. Beck Wissen in der Beck'schen Reihe Band 2102

Günter Brakelmann
Helmuth James von Moltke
1907–1945, Eine Biographie
2., durchgesehene Auflage. 2007.
432 Seiten mit 60 Abbildungen. Leinen

Helmuth James von Moltke
Briefe an Freya 1939–1945
Herausgegeben von Beate Ruhm von Oppen.
3. Auflage. 2005. 683 Seiten mit 10 Abbildungen
und 1 Faksimile. Leinen

Ferdinand Schlingensiepen
Dietrich Bonhoeffer
1906–1945, Eine Biographie
4., durchgesehene Auflage. 2007.
432 Seiten mit 46 Abbildungen im Text. Leinen

Joachim Scholtyseck
Robert Bosch und der liberale Widerstand
gegen Hitler 1933–1945
1999. 749 Seiten mit 19 Abbildungen. Leinen

Verlag C.H. Beck München

Zeitgeschichte

Saul Friedländer

Aus dem Englischen von Martin Pfeiffer

Das Dritte Reich und die Juden.
Die Jahre der Verfolgung 1933–1939
3. Auflage. 2007. 458 Seiten. Leinen

Die Jahre der Vernichtung.
Das Dritte Reich und die Juden 1939–1945
2. Auflage. 2006. 869 Seiten. Leinen

Norbert Frei

1945 und wir
Das Dritte Reich im Bewußtsein der Deutschen
2005. 224 Seiten. Gebunden

Fritz Stern

Fünf Deutschland und ein Leben
Erinnerungen
Aus dem Englischen von Friedrich Griese
2007. Etwa 680 Seiten mit 27 Abbildungen. Leinen

Gerd Koenen

Der Russland-Komplex
Die Deutschen und der Osten 1900–1945
2005. 528 Seiten mit 53 Abbildungen. Leinen

Gerhard Schreiber

Kurze Geschichte des Zweiten Weltkriegs
2005. 221 Seiten mit 25 Abbildungen und 4 Karten. Gebunden

Verlag C.H. Beck München